聯經評論

# 思想與明星
## 中西文藝類型的系譜與星圖

路　況

# 卷首題詩：最快的人

看倫敦奧運百米決賽轉播

全世界都在等你一個
等待十秒之內　誕生一個全世界最快的人

全世界都在等你一個
整個宇宙凝縮成　一支箭頭　一張力之矢量
所有的人都化身為一段忘我的速度　與你一同奔向空闊之極限

全世界都在等你一個
最快的人是奧林匹克的桂冠詩人
最好的詩人是語言瞬間爆發的百米短跑冠軍
最快的人是風與鳥的戀人　輕如羽的身體　寫著與思念等速的詩句
最好的詩句卻如落羽飄零　「雄州霧列　俊彩星馳」
所有的人都化身為一段無邪的思念　與你一同奔過霧列星馳的宇
宙跑道

當全世界已不再等待詩人
在這個貧乏的時代　充滿散文氣的無趣社會

# 目次

## 卷三　溝通與詮釋的兩個模型

# 卷六 「軸心」之「興」

# 思想需要明星，明星需要思想

在什麼地方可以遇見那麼多璀璨的明星，看到那麼多目眩神馳，精采絕倫的事件與奇觀？唯有在無限開展的思想平面上，在穿梭時空的思想光速中，我們每個人都可以遇見眾星雲集的銀河盛宴！李商隱〈碧城〉詩云：「星沉海底當窗見，雨過河源隔座看。」

思想是一種不設限的運動，一個猝不及防的事件，一場不可能的遭遇邂逅！有什麼比不可能的遭遇邂逅更令人興奮莫名，幸福無比！《詩經》唐風〈綢繆〉：

今夕何夕，見此良人！子兮子兮，如此良人何？
今夕何夕，見此邂逅！子兮子兮，如此邂逅何？
今夕何夕，見此粲者！子兮子兮，如此粲者何？

子兮子兮，如此良人何？簡直幸福到不知道該怎麼辦！思想的遭遇是一場不可能的激情邂逅。沒有激情的思想是抽象無力的，沒有思想的激情是盲目空轉的，思想必須成為一場不可能的激情邂逅，激情也必須成為一場猝不及防的思想遭遇！今夕何夕，見此邂逅！這個邂逅就叫做思想；今夕何夕，見此粲者！這個粲者就叫做明星！生命就是一連串純屬偶然的「今夕何夕」，

等待思想與明星的璀璨邂逅！

　　將近一個世紀之前，民初文人夏丏尊《平屋雜文》的〈阮玲玉的死〉一文寫道：「阮玲玉的死所以如此使大眾轟動，主要原因就在大眾對她有認識，有好感，換句話說，她十年來體會大眾的心理，在某種程度上是曾能滿足大眾要求的。」「不論音樂繪畫文學或是什麼，凡是真正的藝術，照理說都該以大眾為對象，努力和大眾發生交涉的。藝術家的任務就在於用了他的天分體會大眾的心，用了他的技巧滿足大眾的要求。好的藝術家，必和大眾接近，同時為大眾所認識所愛戴。」「他們一向不忘記大眾，一切作為都把大眾放在心目中，所以大眾也不忘記他們，把他們放在心目中。這情形不但藝術上如此，政治上，道德上，事業上，學問上都一樣。凡是心目中沒有大眾的，任憑他議論怎樣巧，地位怎樣高，聲勢怎樣盛，大眾也不會把他放在心目中。」「中國自古有過許多傑出的文人，現在也有不少好的文人，可是大眾之中認識他們，愛戴他們的有多少呢？中國文人死的時候，像阮玲玉似地能使大眾轟動的，過去固然不曾有過，最近的將來也決不會有吧。這可是使我們作文人的愧殺的。」

　　一個世紀之後，敢問今日的台灣文人：爾曹身與名俱滅，不廢江河萬古流！難道不更感到「愧殺」？

　　夏丏尊在大眾媒體還只初露端倪的民國時代，就已跳出傳統文人的視野格局，預見了當代社會的明星現象與媒體奇觀，並且直接戳破傳統文人的「自我感覺良好」：文人如果心中沒有大眾，無法感動大眾，拿什麼去跟一個電影明星比！真乃先知灼見。更不同凡響的是，夏丏尊平實近人的筆調竟然呼應了尼采的超人思想，《查拉圖斯特拉如是說》寫道：

偉大的明星啊！什麼將是你的快樂，如果沒有那些為你所照耀的人們？

除了一點：其實中國古代文人也產生過不少超級巨星：從孔子，孟子，老子，莊子，直到屈原，陶淵明，杜甫，蘇東坡，皆是照耀一代代人民大眾的文星北斗！

思想需要明星，明星需要思想！思想是一種高度，一種深度；明星是一種形象，一種魅力。思想需要明星的形象與魅力來感動群眾，凝聚人心，明星需要思想的高度與深度來引領群眾，提升人心！思想呼喚明星，明星呼喚思想！

怎樣才能成就一個黃金時代，文藝盛世？就是思想化身為明星的形象與魅力，明星也發射出思想的光芒與文采！借用德勒茲的講法，這是一個「思想變成明星，明星變成思想」（thought-becoming-star, star-becoming-thought）的雙重變化過程！這就叫「啟蒙運動」（Enlightenment）：思想與理念必須化身為明星的形象與魅力，才足以感動號召人心，為茫茫大塊的群眾照亮時代的大方向。披頭四走紅時，約翰藍儂說：「我們比耶穌更受歡迎！」耶穌必須成為流行巨星，流行巨星也必須成為思想的啟蒙者！「啟蒙運動」就是「思想變成明星，明星變成思想」所啟發照亮的群眾運動，畫出理念的星圖，召喚未來人民的影子。

思想與明星的結合才能推動一個真正精采健康的文藝盛世，黃金時代！當代社會的根本問題就是：思想與明星的分離，知識分子與群眾的分離，文藝學術與娛樂消費的分離！群眾陷入「無思想狀態」，思想則自限於抽象蒼白的象牙塔狀態！這正是台灣目前的文化學術狀態：一種既沒有思想，也沒有感覺，更沒有激情，極度乏善可陳的無趣沉悶狀態！為什麼呢？因為沒有明星，

沒有魅力！所以不再有遭遇，不再有事件，不再有運動！

　　思想的問題是一個文化的問題，文化的問題則是一個政治的問題。因為政治是眾人之事，人民之事，思想與文化也應該是眾人之事，人民之事。在這意義下，一個文人或藝術家和一個政治人物在本質上是一樣的，都要為人民謀福利，說出人民的心聲，都要盡最大努力去感動人民，提升人民！如果一個政治人物滿口人民福利與社會正義，實則假公濟私，公器私用，會被人民唾棄為「政客」，那麼，當今台灣文人最擅於凝視撫摸自己的肚臍眼，發而為張愛玲所說的「肚臍眼文學」佔據媒體版面，此一假借媒體公器公然自看自摸，自戀自溺的自慰之姿，難道不是比政客更等而下之的「公器私用」！

　　（麥克魯漢說：「媒介是人的延伸。」每種媒介都是人體某一器官的延伸。所以以肚臍眼為中心，可以延伸放射出各種私密的器官書寫，身體書寫，疾病書寫，情慾書寫，飲食書寫，寵物書寫，收藏書寫，電玩書寫……，族繁不及備載，但萬變不離其宗，最後都要指回那既私密又可公然暴露的肚臍眼。偉哉肚臍！一統台灣當代的所有書寫系譜！）

　　正如尼采所預言的：

　　看啊，這個時代正在來臨，當人不再產生任何明星。看啊，最令人蔑視者的時代正在來臨，注意！我將向你展示這最後一人。

　　這最令人蔑視的最後一人的時代就是一個沒有思想，也沒有明星的時代！

　　真正的思想產生於遭遇邂逅一個明星，所以真正的明星都是思想的明星，文化的偶像，同時啟發與塑造群眾的思想與激情！

而遭遇邂逅是純屬偶然的機遇碰撞，偶然機遇之總和就叫做「混沌」（chaos）。

尼采寫道：我告訴你：一個人必須在自身中懷有混沌，為了誕生一個跳舞的明星。我告訴你：你必須在你自身中懷有混沌。

為什麼從混沌中可以誕生一個跳舞的明星？馬拉梅詩云：「所有的思想都是骰子一擲。」思想作為骰子一擲，就是純粹偶然機遇之排列組合。偶然機遇是混沌的星雲，但思想的骰子一擲所呈現之點數必然構成一個排列組合的星座與星圖（constellation），這個星座就是跳舞的群星！思想就是從混沌星雲中躍出的跳舞群星，是群星之舞排列組合而成的星圖，這個星圖叫做「理念」！

思想不只是要去遭遇邂逅跳舞的明星，更要讓那許多不可能遭遇邂逅的明星遭遇邂逅，燦爛起舞！每個明星都已然是一個星座與星圖，思想的遭遇就是讓不同星座遭遇碰撞，燦爛起舞，重新排列組合，連結布局，畫出新的星座與星圖！

所以，本書之旨趣就是**思想與明星的重新連結**：在一個沒有思想也沒有明星的時代，面對一個沒有遭遇，沒有事件，沒有運動，乏味無趣之至的文化學術狀況，試圖讓思想與明星重新遭遇邂逅，勾畫不同的思想體系與明星形象如何碰撞交鋒，排列組合出新的思想形象與理念星圖：

羅蘭巴特的《明室》遇見安東尼奧尼的電影《春光乍洩》，攝影的「刺點」逼顯出現代私密主體的「點狀自我」；傅柯的《性史I》遇見賈木許的電影《羅馬之夜》，「將性置於言說」的現代「性設置」庸俗化為當代八卦媒體的自我真理儀

式；巴迪悟的愛情本體論遇見張愛玲與杜哈絲的〈愛〉以及王國維與蘇東坡的〈蝶戀花〉；波特萊爾的「時尚現代性」遇見韓波、馬拉梅、賀德林、克利的「詩意現代性」；麥可‧傑可森的月球漫步遇見路易斯卡羅爾的《愛麗絲夢遊仙境》以及佛洛伊德的《性學三論》；德勒茲的美學方法遇見司馬中原的「江北荒原」以及黃春明的「蘭陽平原」；杜甫的兩句詩「日月籠中鳥，乾坤水上萍」遇見康德的先驗時空形式以及現代「漫遊」文學；哈伯瑪斯的溝通理論作為一種「我們說」的「可能世界」遇見德勒茲的「他們說」的精神分裂之流；迦達瑪詮釋學的「時效性歷史意識」遇見董仲舒的今文經學，指向「究天人之際，通古今之變，成一家之言」的宏大視域融合。

偶然看到一句運動球鞋的廣告詞：Nothing is impossible. 沒有什麼是不可能的！沒有什麼思想體系與明星形象不可能遭遇邂逅，交會融合！

一個人必須在自身中懷有混沌，為了誕生一個跳舞的明星！跳吧，麥可！在天河璀燦的酷炫表面上，成為自己所創造的事件的兒子！

跳吧，思想！化身燦爛起舞的群星，畫出理念的星圖，照亮群眾運動的軌跡，召喚一個未來人民的影子！

卷一

# 現代私密主體系譜學

# 第一章

# 從羅蘭巴特《明室》的「現代私密主體」看安東尼奧尼的《春光乍洩》

　　巴特的《明室》提出了一套「攝影現象學」，同時勾畫出某種「現代私密主體」的系譜學。此私密主體是照片中某個偶然「刺點」穿透文化符碼之「知面」所喚起的「強度的點狀自我」，而逼顯出社會所無法面對處理的「瘋狂真理」。

　　安東尼奧尼的電影《春光乍洩》亦觸及到「刺點」的問題。《明室》與《春光乍洩》的相互對照，見證了攝影的「瘋狂」與「睿智」。

## 壹、導言

　　義大利導演安東尼奧尼（Michelangelo Antonioni, 1912-2007）的名片《Blow up》（1966，中譯《春光乍洩》）透過一名英國時尚攝影師的觀點來批判西方消費社會的影像文化，已成新浪潮電影的經典之作。故事背景在二十世紀六〇年代的倫敦，安東尼奧尼雖是義大利人，卻充分捕捉了倫敦當時特有的前衛普普風、搖滾樂與青少年叛逆文化的時代氛圍。

　　羅蘭巴特（Roland Barthes, 1915-1980）的《明室》（La Chambre Claire, 1980）是生前所出版的最後一本書，已成當代攝

影理論不可略過的經典之作。但《明室》對攝影的探索，其實已延伸涵蓋到整個現代社會之影像文化的普遍批判省思。

　　而我們發現，《明室》更深刻的文化內涵，則是巴特透過對攝影影像的「現象學」描述，卻同時揭露反顯出某種「私人」與「內在」的現代主體形象。關於「現代私密主體」之界定，我們將根據加拿大哲學家泰勒（Charles Taylor, 1931）的《自我的根源：現代認同的形成》（*Sources of Self: the Making of the Modern Identity*, 1989）一書之主要論點「西方現代人之同一性（identity）之形成是一個內在化過程」，做進一步之釐清，詳見本論文「肆、現代私密主體的點狀自我」。

　　巴特之創見在於將此「現代私密主體」關連到十九世紀攝影發明時，西方社會所面臨的死亡儀式的式微沒落，並迴溯此「現代私密主體」之起源直至中世紀末期的私人祈禱儀式。可以說，巴特的「攝影現象學」同時蘊含著一套獨樹一格的「現代私密主體」的文化系譜學。

　　我們更發現，透過《明室》之「現代私密主體」的觀點來看《春光乍洩》，實有相映成趣，相互印證之妙。在此，我們並不是要借助或引用巴特的「攝影理論」來談論安東尼奧尼的「電影作品」，因為巴特的《明室》不只是一部理論著作，更充滿散文隨筆與自傳寫作的文學風格，其「創作性」並不亞於其「理論性」[1]。

---

1　關於《明室》極具「創作性」的書寫方式，值得多提幾筆。眾所周知，巴特是當代法國理論家中最「法蘭西」的一位，其文筆展現了法蘭西文士博學、優雅、機智的典型風格。《明室》更是巴特著作中最「法蘭西」的一部。巴特自己在書中數次提到的米雪雷（Jules Michelet, 1798-1874），便是具有濃厚文學色彩的法國十九世紀史學家。據聞巴特年輕時代曾遍讀米雪雷全集（見許綺玲譯注），所以在《明室》這部晚年著作多次引述其文句及思想，

反之，安東尼奧尼的《春光乍洩》雖是劇情片，卻充滿新浪潮電影反思批判影像機制自身的典型「後設」意味，其「理論性」亦並不亞於「創作性」。所以我們並不是透過一套「攝影理論」來談論一部「電影作品」，而是讓《明室》與《春光乍洩》這兩套關於「攝影／影像」的「理論／創作」體系在相互對照印證之中，達到更深刻的相互理解與相互啟發。

《春光乍洩》最後一幕著名的寓言場景：攝影師觀看一群波希米亞的無稽年輕人以默劇式肢體動作模擬打網球，而若有所悟。《明室》最後一節指出現代社會如何馴化「攝影的瘋狂」的兩種方式，而對整個影像消費文化提出最激進澈底的省思批判。我們將看到，透過《春光乍洩》最後一幕與《明室》最後一節的

---

並不意外。但我認為《明室》的法蘭西書寫系譜更可往前推溯：一、蒙田（Michel Montaigne, 1533-1592）的《隨筆集》（*Essais*），每篇都以「論xx主題」（如〈論名譽〉、〈論友誼〉）為形式，舉例豐富，旁徵博引，反覆申論，適時導入個人的體驗與省思。二、盧梭（Jean-Jacques Rousseau, 1712-1778）的自傳《懺悔錄》（Les Confessions），將自己視為前所未有，獨一無二的「例外個體」，而毫無保留地挖掘暴露自我主觀私密的內心經驗；巴特在《明室》藉著探索自己看相片的經驗來述說抒發對已逝母親的思念之情，實帶有非常主觀的濃厚自傳色彩與懷情意味。三、帕斯卡（Blaise Pascal, 1623-1662）的《沉思錄》（Pensées），以扎記斷簡（fragments）的形式對無限時空的宇宙與無常偶然的生命存在提出種種沉思冥想，閃現著吉光片羽的洞見智慧。巴特在《明室》某些片段探討攝影之「指涉對象」，字裡行間時而天外飛來一筆，大膽援引佛學禪宗思想對「真如」或「空如」的瞬間體悟，亦近似帕斯卡《沉思錄》之思路。

此外，置於二十世紀的西方思潮，如果我們將「存在主義」界定為以現象學為「方法」，以人生之「存在」體驗為探索「主題」的思想流派，那麼，《明室》以別樹一格的攝影現象學揭露逼顯出某種無可言詮的「存在」體驗，更可列為二十世紀存在主義之哲學與文學的最後力作。

相互對照印證，更能澄清照明安東尼奧尼與巴特的核心思想之曲折、深刻、微妙。

## 貳、現象學反符號學

眾所周知，巴特嘗以符號學（sémiologie）方法之文本分析，而聞名於法國學界與西方思壇。但在《明室》中，為了探索攝影經驗之特殊本質，巴特的研究進路採取了明顯的「方法學轉向」：從符號學轉向現象學（phénoménologie），甚至於有反符號學之意味。關於巴特此一「方法學轉向」，先提出幾點基本說明：

一、攝影之本質就是一種與「指涉對象」（référent）不可分離的影像，符號學則是一門只研究符號系統之「符碼」，而可以完全不涉及「指涉對象」的科學。所以符號學無法觸及攝影之本質。

二、巴特採取胡賽爾（Edmund Husserl, 1859-1938）現象學對於「意向性」活動（intentionnalité）之「能思／所思」（noèse/noème）結構之分析來理解掌握攝影之「指涉對象」在吾人經驗中所呈現之本質性意義。

三、巴特並進一步採取與沙特（Jean-Paul Sartre, 1905-1980）早期著作《論想像》（*L'Imginaire*）關於想像力與意象（image）之現象學分析相類似的風格來描述分析攝影影像之本質，所以《明室》的卷首題詞是「向沙特的《論想像》致敬」（En hommage à *L'Imginaire* de Sartre）。

四、從符號學到現象學的「方法學轉向」，同時蘊含了從「知面」（Studium）到「刺點」（Punctum）這兩種攝影本體論元素之重新置定。符號學只能處理攝影之「知面」，現象學才觸及

攝影之「刺點」。唯有「刺點」才逼顯出攝影不可言說之本質與真理。而我們將看到，關於攝影之真理的「不可言說性」，巴特不只是訴諸現象學，還更進一步訴諸精神分析。

以下試詳論之。

符號學，從它的創立者索緒爾（Ferdinand de Saussure, 1857-1913）開始，就是專事探討符號之「能指」（signifiant）與「所指」（signifié）之「指意關係」（signification）的一門科學。決定「指意關係」之規則，稱為符碼（code）。符號之意義完全由符碼所決定，可以和指涉對象完全無關。換言之，符號學是一門只研究符號系統之「符碼」，而不涉及「指涉對象」的科學。

而《明室》一開便就界定攝影是一種與其「指涉對象」不可分離的影像。在所有的影像與藝術形式當中，這是獨一無二的。

> 結果，如此這般的一張照片從來都無法與其指涉對象相區別（與其所再現之對象）[2]……據說照片總是隨身攜帶著它的指涉對象，二者遭受同樣致命不動的一擊，無論這是戀愛的或悲痛的一擊，在運動著的世界之核心：他們彼此黏貼，肢體交纏……好像被永恆的交媾結成一體。[3]

攝影之指向指涉對象，有如窗玻璃之指向風景，欲望之指向對象。[4]

此一對指涉對象的執拗固著（entetement）構成了攝影的本

---

2　Roland Barthes, *La chambre claire: Note sur la photographie*（Paris: Etoile/ Gallimard/Seuil, 1980), 16.

3　Barthes, *La chambre claire*, 17.

4　Barthes, *La chambre claire*, 17.

質。[5]可以有一套攝影的符號學，研究各種類型攝影之符碼，但它觸及不到攝影最核心的本質：指涉對象。攝影之指向指涉對象，是一個最原始簡單的事實，如一個牙牙學語的小孩，用手指指著某物說這個、那個！

> 一張照片總是位於此手勢所指之處，它說：這個，就是這個，就是這樣！沒有別的意思；一張照片無法被哲學地轉化說明，它被填滿偶然性，它只是包圍此偶然性之透明與輕盈的封套。[6]

　　要掌握攝影此一最原始簡單的指涉動作，巴特訴諸胡賽爾的現象學關於「意向性」結構的描述分析。現象學方法就是透過對意識經驗之描述來理解事物或對象之本質。吾人之意識經驗顯示為「意識總是意識到某物」的「意向性」活動，由此導出「意向性」活動的雙重結構：「意向性」所意識到的「某物」，所指向的對象，胡賽爾稱之為「所思」（noème），「意向性」活動本身則稱之為「能思」（noèse）。可以這麼說，巴特以胡賽爾現象學之「能思／所思」的「意向性」結構取代索緒爾符號學之「能指／所指」的「指意」結構，來探索攝影經驗之本質。

　　然則，相對於胡賽爾將現象學視為奠立所有科學之堅實基礎的「嚴格科學」，巴特承認自己採用的毋寧是一種寬鬆的（vague）、瀟灑不拘的（desinvolte），有點出格的現象學[7]。這是

---

5　Barthes, *La chambre claire*, 17-8.

6　Barthes, *La chambre claire*, 15-6.

7　Barthes, *La chambre claire*, 40.

將現象學當成一種廣義的思考模式與思想風格，而巴特的法蘭西文采更使現象學方法從胡賽爾的「嚴格科學」成為一種交織著哲理思辨與抒情體驗的「書寫風格」（style de l'écriture）。

　　為什麼要以現象學反符號學？因為攝影之本質就在於每張照片總是指向某個實際存在的指涉對象，這個指涉對象是一種拒絕符碼，超越符碼的狀態。借用德勒茲（Gilles Deleuze, 1925-1995）與瓜達利（Félix Guattari, 1930-1992）的術語，巴特在《明室》中所做的，無非是對攝影的「去符碼化」（décodage），將攝影從「符碼化」的狀態釋放出來，逼顯出攝影拒絕被符碼化的核心本質。

## 參、「知面」與「刺點」

　　所以，符號學與現象學作為兩種方法學，兩種觀看照片的「認知方式」，同時也界定了攝影的兩種「存在方式」，巴特由此推演出一套二元對立元素的「攝影存有學」，巴特以拉丁文的兩個詞來命名這兩個對立元素：「知面」（Studium）與「刺點」〔Punctum（按照許綺玲之中譯）〕[8]。「知面」（對應於符號學方法）是照片中可解讀的各種知識、文化、社會成規；以「知面」的觀點看照片，便是將照片符碼化，套入社會或文化的公式。相對的，「刺點」則是照片中拒絕符碼化，無法符碼化的某個偶然細節，有如處於知識、文化、社會之外的不可規範者。

---

8　羅蘭‧巴特（Roland Barthes），許綺玲 Xu Qiling 譯，《明室》*Ming Shi*〔*La Chambre Claire*〕（臺北〔Taipei〕：臺灣攝影工作室〔Taiwan sheying gongzuoshi〕，1997年），頁11。

「知面」與「刺點」雖彼此對立，但又可並存共現於同一照片中（co-présence des deux éléments）[9]。「知面」是一種廣度量的延伸（studium-étendue），「刺點」則是干擾、穿透「知面」的瞬間的強烈一擊（punctum-point）：

> 刺點將擾亂知面，它是此一偶然，指向我刺穿我，給我致命一擊。[10]

我們發現，巴特思考「知面／刺點」訴諸這樣一種「面的延伸／點的穿透」的二元圖像，其實借用了柏格森（Henri Bergson, 1859-1941）與德勒茲的「廣度／強度」（extension/intensité）二元論。而二氏之「強度／廣度」二元圖像則是延伸笛卡爾（René Descartes, 1596-1650）「心／物」二元論之「思維／廣延」（pensée/étendue）二元圖像。廣度是外在的，空間的，物質的；強度是內在的，時間的，精神的。德勒茲在《差異與重複》指出：「能量學以兩種要素的組合來界定能量：強度與廣度。經驗顯示，強度不可分離於某一廣度，此廣度將之關連於某一外延〔廣延體（étendue）〕」。[11]

綜合言之，巴特的「刺點／知面」二元圖像延續了笛卡爾「思維／廣延」二元圖像，同時亦吸納融入了柏格森與德勒茲更為形象鮮明的「強度／廣度」二元圖像。職是之故，笛卡爾「心／物」二元論所蘊含的「現代世界觀」之基本架構：「主體／客

---

9　Barthes, *La chambre claire*, 47.

10　Barthes, *La chambre claire*, 49.

11　Gilles Deleuze, *Différence et Répétition* (Paris: P.U.F., 1969), 287-8.

體」、「內在／外在」、「自我／世界」，皆延伸納入現代人的攝影經驗領域，並將之「存在主義化」，「強度／廣度」乃轉化成現代人面對攝影的存在體驗。

所以巴特借用英文中的love與like來說明「刺點／知面」之「強度／廣度」的差別。「知面」作為一種「廣度」，就是社會一般人所認可的「廣泛的興趣喜好」，它是一種like，卻往往是不痛不癢、無所謂、不起勁（nonchalant, indifférent）的欲望。「刺點」則是一種「強度」穿透的love，雖然只是一個偶然意外的細節，沒什麼理由，卻可以刺醒我，穿透我，干擾我，有如一道傷口。「刺點」之「強度」，就如中文常講的「錐心泣血」、「刻骨銘心」。

「刺點」究竟是什麼？就是某個偶然細節喚起我們意識到照片中的對象曾經真實存在過的事實。所以巴特的攝影現象學所逼顯的「所思」就是「此曾在」（ça-a-été）：照片中的這個對象曾經存在過。攝影的指涉對象隱含兩層意義：它是真實存在的，而且它已成過去。[12] 它存在於過去時空的某一點。

《明室》的卷首題詞：「向沙特的《論想像》致敬」（En hommage à *L'Imginaire* de Sartre），並非無謂的客套虛語。沙特在這本早期著作中對吾人「想像」意識呈現之意象（image）所做的現象學描述：「意象包圍著某種確定的虛無。一個意象即使如此生動、感人、強烈，……它給予它的對象如同缺席不在。」[13] 預示了巴特以「此曾在」來界定攝影的「所思」。更耐人尋味的是，沙特論「記憶」時所舉的例子：「在罕見的例子中，一個記

---

12　Barthes, *La chambre claire*, 120.

13　Jean-Paul Sartre, *L'imaginaire*（Paris: Gallimard, 1940），33.

憶意象維持著無名性：突然間，我重見到一座憂傷的花園在灰色的天空下，我不可能知道在何時何地我曾看過這花園。」[14]而巴特在母親去世後不久，翻閱母親舊照，發現母親五歲時在某個冬季花園與她哥哥的一張合照。[15]巴特看到「某些事物如同攝影之本質，浮動在這張個別照片中」，這張平凡的冬季花園照乃成為巴特探索影像迷宮的阿麗安（Ariane）之線[16]。沙特的「灰色天空下的無名花園」的記憶意象與巴特的「母親童年的冬季花園照」，也許就是這兩個例子純屬巧合的奇異呼應共鳴，使得《明室》的卷首題詞要向沙特致敬。

那麼，什麼是攝影的「能思」？巴特並未直接回答，但很明顯的，對巴特而言，攝影的「能思」絕非不痛不癢、冷漠無謂的意識狀態，而是愛，欲望，情感。為什麼「此曾在」會成為攝影的核心本質，因為照片中的這個對象是我所愛，我所欲望的對象。他曾經存在過，同時也已成過去，所以攝影的「能思」是愛，欲望，情感，同時也是一種「痛失所愛」，無可排遣的哀傷，悲痛，憂鬱。所以「此曾在」的簡單事實會成為「無法處理」「無法面對」者（l'Intraitable），如同精神分析之創傷場景或死亡原理。巴特的攝影現象學乃指向佛洛伊德（Freud Sigmund, 1856-1939）與拉岡（Jacques Lacan, 1901-1981）精神分析式之「不可思議」與「無法言詮」的極端弔詭。

但一切弔詭都開始於平常的生活經驗。現象學的運作方式，就是暫時懸置一切既有的成見與理論預設，回到最基本的生活經

---

14　Sartre, *L'imaginaire*, 25.

15　Barthes, *La chambre claire*, 106.

16　Barthes, *La chambre claire*, 114.

驗，讓對象在吾人意識中顯現出最本然的意義。例如，什麼是「死亡」？讓我們暫且懸置科學或宗教上關於死亡的界定，提出一生活世界的「死亡現象學」。在日常經驗中，當我們說某某人「死了」意味著什麼呢？意味著這個人「不在」（absent）了，再也不會出現在我們的眼前，永遠「消失」、「缺席」了。所以當某個熟人老友很久不見，又突然出現，我們常打趣道：「你死到哪去了！」一個嬰兒看到母親離去，從自己的視野中消失，會號啕大哭，因為他以為母親已經死了。這個嬰兒其實是一個現象學家，體驗到「死亡」即「消失」、「不在」的本質性意義。

　　巴特的攝影現象學也始於懸置攝影師的專業經驗與各種攝影理論的預設觀點，回歸到一般人的看照片經驗與被拍照經驗，所以巴特寫道：「一般而言，票友（l'amateur）被界定為藝術家的不成熟狀態：某些人不能也不願自我提升到專業的掌控。但在攝影實踐的領域，票友反而是專業的昇華，因為票友更接近攝影之本質」。[17]

　　從這票友式的看照片經驗與被拍照經驗，巴特卻導出了一套極端弔詭的「死亡現象學」，甚至「幽靈現象學」：作為被拍照者，「我感覺攝影創造了我的身體，或將之死體化（le mortifie）」[18]「既非主體，亦非客體，而是一個感覺自己變成客體的主體：我經歷一種死亡的微觀經驗（micro-experience de la mort），我變成幽靈魅影」。[19]

　　攝影作為一個死去對象的生動影像（image vivante d'une

17　Barthes, *La chambre claire*, 154.

18　Barthes, *La chambre claire*, 25.

19　Barthes, *La chambre claire*, 30.

chose morte）[20]，不是使之栩栩如生（faire vivant），而是使之不動如死者、屍體：「攝影是不動影像，因為它們出不了框，它們被麻醉、釘死，像蝴蝶標本。」[21]

所以，「死亡是此一照片之本質」（l'eidos）[22]，一個對象已消失不在，它的影像卻留存下來，這不就是古代人所認為的鬼魂、幽靈？攝影是扮演死者回返的死亡儀式與奇觀[23]。所有的照片都是死者的遺照，都是死而復返的魅影幢幢。

巴特有另一個講法比較不那麼陰鬱：「攝影在實質上是指涉對象的流出物（émanation du référent）。從一個曾存在於彼處的真實物體，其幅射的光線觸及在這裡的我；傳遞時間的長短並不重要，那已消失對象的照片觸及到我，就如一顆星發出的光延遲到達」。[24]

但無論是比擬為天上的星光還是死者的幽靈魅影，「此曾在」是攝影無可駁斥的「真實」（réalité, reality）。面對此一「真實」，吾人不能多贊一詞。而這就是攝影的「真理」（vérité, truth）：就是這樣（c'est-ça），就是如此（c'est tel），無話可說，沒什麼好說的（rien à dire）。

整部《明室》就是在訴說這無話可說的「真理」。巴特認為，攝影之「天才」就是將「真實」與「真理」混同疊合為一。[25]怎麼說呢？最簡單的理解是，「真實」是指實際存在之事實

---

20　Barthes, *La chambre claire*, 123.

21　Barthes, *La chambre claire*, 90.

22　Barthes, *La chambre claire*, 32.

23　Barthes, *La chambre claire*, 23.

24　Barthes, *La chambre claire*, 126.

25　Barthes, *La chambre claire*, 121.

狀況，「真理」則是對事實狀況的理解或詮釋。例如，自然現象是一種「真實」，牛頓的運動定律與愛因斯坦的相對論則是理解詮釋自然現象的某種「真理」。那麼，一般的科學與藝術所追求的「真理」都不只是對「真實」的直接呈現。唯有攝影，它對「真實」的直接呈現就是它的「真理」！它告訴吾人：此曾在！就是這樣！不容吾人多贊一詞。

　　巴特從一張死刑犯的照片解讀出「此曾在」的弔詭時態：他將要死去，他已經死去！這就是刺點！每一張照片都是預知死亡紀事：「*不管照片中的主體是否已死去，所有的攝影都是此一死劫終局（catastrophe）。*」這是一種時間的壓碎覆滅（un écrasment du Temps），這已經死了，這將要死去！[26]攝影的「此曾在」的時光隧道是沒有出口，沒有未來的。每一張照片都是「沒有明天」。這就是攝影的「憂鬱」。被帶入此一沒有未來，沒有出口的時間迴路中的看照片的人，只能是一個絕對憂鬱的主體，連哀悼都不可能。因為哀悼是一種「工作」（travail du deuil），一種「辯證法」式的勞動，透過種種紀念與儀式，將痛失所愛的哀傷予以轉化超越，揚棄昇華，就如一般人常講的「節哀順變」，「化悲痛為力量」。

　　攝影的真理「就是這樣！」則拒絕任何辯證法的轉化超越。死了就是死了，就是這樣，沒什麼好說的！也沒什麼好做的（rien à faire）！此一「非辯證」的真理逼顯出一種陷入絕對憂鬱的主體，絕對的無能與無言！

　　巴特指出攝影作為一個新的人類學對象，應關聯到十九世紀下半開始的「死亡的危機」，這意味著：在一個宗教與儀式式微

---

26　Barthes, *La chambre claire*, 150.

消退的現代社會，死亡失去了原有的象徵意義與位置，變成一種非象徵性的平板死亡（la mort plate），一種無深度的字面意義的死亡（Mort littérale）[27]：死了就是死了！沒什麼好說的！簡言之，這是死亡的「去符碼化」，死亡失去了社會與文化的定位，變成一個平板的事實。而攝影正是一種沒有符碼，沒有深意的扁平影像：「我必須承認此法則：我無法深化、穿透照片。我只能掃視它如一平展的表面。照片是扁平的（plate），就扁平一詞的所有意義」。[28]

　　巴特對攝影的定義，乍看如素樸的寫實主義：「寫實主義者，我是其中之一，我總已是，一旦我肯定攝影是一種沒有符碼的影像。」[29]但此素樸的寫實主義卻可導出盧梭式（Jean-Jacques Rousseau, 1712-1778）反社會，反文化的極端結論：「我是一個野蠻人，一個兒童，或一個狂噪症患者；我攮走所有的知識，所有的文化」。[30]

## 肆、現代私密主體的「點狀自我」

　　現在的問題已不只是：什麼是「刺點」？而是：被「刺點」所刺痛喚起的「意識」是一個什麼樣的「自我」或「主體」？

　　加拿大哲學家泰勒在《自我的根源：現代認同的形成》指出，西方現代人的主體性的形成是一個「內在化」過程，現代人

---

27　Barthes, *La chambre claire*, 144-5.

28　Barthes, *La chambre clairee*, 164.

29　Barthes, *La chambre claire*, 138.

30　Barthes, *La chambre claire*, 82.

的自我感覺到自己具有一種「內在深度的存在」[31]。泰勒認為此一
轉向自我的「內在深度性語言」可迴溯到聖奧古斯丁（Saint
Augustine, 354-430）的「不要走向外部，回到你自身，內在的人
存在於真理之中」，內在深度是通向上帝之路。[32]

　　但一直要到笛卡爾嚴格區分心靈之「思維」與物質之「廣
延」的「心物二元論」，才將此「內在深化」之路帶進了「理性
化」與「世俗化」的現代世界。笛卡爾的「我思」（cogito）作
為不占據空間「廣延」的純粹「思維」，就如幾何學上的一個
「點」，成為一個截然對立於外在物質世界的「內在自我」。泰勒
指出，英國哲學家洛克（John Locke, 1632-1704）將笛卡爾純粹
內在的「我思」推到極至，形成一種「點狀自我」（punctual
self）的現代主體形象：「真正的自我是無廣延的；它不在任何地
方，而只是把事物當作對象裝配的力量」。[33]

　　借用泰勒的自鑄新詞，我們可以說，在巴特的《明室》中，
被「刺點」所刺痛喚起的正是一個「點狀自我」！換言之，巴特
以極其個人化的攝影現象學逼顯出另一種「內在深度」的現代主
體形象。而巴特一再以「瞬間強烈一擊」來形容「刺點」，則是

---

31　查理斯・泰勒（Charles Taylor），韓震 Han Zhen 等譯，《自我的根源：現代
　　認同的形成》*Ziwo de genyuan: xiandai rentong de xingcheng*［*Soures of the
　　Self: The Making of the Modern Identity*］（南京［Nanjing］：譯林出版社［Yi Lin
　　chubanshe］，2001年），頁2。

32　查理斯・泰勒（Charles Taylor），韓震 Han Zhen 等譯，《自我的根源：現代
　　認同的形成》*Ziwo de genyuan: xiandai rentong de xingcheng*［*Soures of the
　　Self: The Making of the Modern Identity*］，頁191。

33　查理斯・泰勒（Charles Taylor），韓震 Han Zhen 等譯，《自我的根源：現代
　　認同的形成》*Ziwo de genyuan: xiandai rentong de xingcheng*［*Soures of the
　　Self: The Making of the Modern Identity*］，頁257。

在「內在深度」語言之上加入一種柏格森與德勒茲式的「強度」
語言，而正如德勒茲在《差異與重複》指出：「深度即強度」[34]，
巴特的「點狀自我」是一個瞬間穿透社會廣度面的「強度主
體」。

巴特更將「知面／刺點」所蘊涵的「外在／內在」的二元圖
像推演為「公共領域／私人領域」的畫分：

> 每一張相片被解讀為其指涉對象的私密表象（l'apparence
> privée）：攝影的年代正對應於私生活領域（le privé）之突然
> 闖入公共領域，或者更對應於一種新社會價值的創造，即私
> 領域的公眾廣告性（la publicité）：私領域被如此地公然消
> 費⋯⋯。然則正如私領域不僅僅是一件貨品（落於私有財產
> 的歷史法則之下），私領域是私有財產但也超越私有財產，那
> 正是一個絕對不可剝奪（inaliénable）的場域，在哪，我的影
> 像是自由的（自由的自我取消），它是內在性（l'intériorité）
> 的條件，我相信，此內在性與我的真理疊合為一，或者，更
> 好說，此內在性與構成我的無法面對的創傷疊合為一。我要
> 以一種必要的反抗，來重建公領域與私領域的畫分：我要宣
> 稱內在性，而不暴露我的隱私（l'intimité）。[35]

所以，攝影之「刺點」所逼顯的「點狀自我」是一種「內在
性」與「私人性」的「現代私密主體」。巴特還將之迴溯至中世
紀末期的私人祈禱儀式：

---

34　Deleuze, *Différence et Répétition*, 285.

35　Barthes, *La chambre claire*, 153.

我難以忍受電影的私人放映（沒有足夠的公眾，沒有足夠的匿名性），但在我凝視的照片之前，我需要獨自一人。朝向中世紀的終結，某些信徒取代集體的讀經與祈禱儀式以一種個人的讀經與祈禱儀式，低語的，內在化的，沉思性的。公眾照片的解讀，究極而言，總是一種私人性的解讀。[36]

　　「現代私密主體」的產生必須置於西方近代更廣闊的「個人主義」興起之歷史發展脈絡。有兩個主要脈絡，一是經濟上之「私有財產權」之「私有制」的形成，一是宗教改革運動之新教帶來了基督教信仰的「個人化」與「私人化」。簡言之，財產的「私有化」與宗教信仰的「私人化」促成了西方「個人主義」之興起，從而產生了「主體意識哲學」的現代思想以及「主觀表現性」（subjective expressionism）的現代文化。「現代私密主體」是西方這一整套「個人主義」，「主體意識哲學」與「主觀表現性」文化之歷史發展脈絡必然導出的邏輯結果。

　　我們已看到，巴特以其獨特方式，將攝影「刺點」經驗所逼顯的「私密主體性」關連到新的「私有權」模式〔絕對不可剝奪（inaliénable）的個人私生活領域的「影像所有權」〕以及新的「私密化信仰」（面對照片的私密解讀作為一種內在化沉思的私人祈禱儀式）。可以說，巴特透過攝影經驗獨自發展建構出一套「現代私密主體」的文化系譜學。

　　最後，「知面／刺點」，「外在／內在」，「公共／私人」的畫分更推演出一種盧梭式的「文化／自然」二元圖像。一個看照片的人，突然被某個偶然細節的「刺點」瞬間擊中刺痛，變成一

---

36　Barthes, *La chambre claire*, 152.

個自外於任何社會脈絡文化符碼的「內在的人」。但這個「內在的人」卻是一個盧梭式的「高貴野蠻人」：「我是一個野蠻人，一個兒童，或一個狂噪症患者；我攆走所有的知識，所有的文化」。

　　這個「內在的野蠻人」作為一個不佔任何社會文化位置的「點狀自我」，是一個陷入絕對無能與無言的憂鬱主體：「絕對的主體性唯有在一種沉默的狀態與努力中達到（閉上眼睛，這是讓影像在沉默中說話）」。[37]但也可能逆轉為反抗一切社會文化體制的激進主體，亢奮噪進如兒童與野蠻人：「攝影的年代亦是革命的年代，抗議的年代，刺殺與爆破的年代，簡言之，不耐煩的年代，否認所有的成熟腐敗」。[38]

　　無論是私密憂鬱或亢奮噪進，攝影的真理所逼顯的反社會、反文化的主體性其實就是「瘋狂」，正如一個成年人如果言行仍如兒童與野蠻人，很難不被社會視為瘋子。攝影的真理是現代社會「無法面對／無法處理」的「瘋狂真理」。

　　於是，《明室》的最後一章論及現代社會如何馴服「攝影的瘋狂」。

　　現代社會有兩種馴服的方式：一、將攝影藝術化或美學化（如商業攝影）；二、將攝影普及化、群體化、庸俗化，用今天流行的講法就是「八卦化」（狗仔隊偷拍的社會寫真照）。這兩種馴化的方式使影像變成陳腔濫調（clichés），使現代社會變成一個大量消費陳腔濫調影像的社會。巴特更深刻的指出，現代社會不只是大量消費陳腔濫調的影像，而且是遵循影像的陳腔濫調來

---

37　Barthes, *La chambre claire: Note sur la photographie*, 88-9.

38　Barthes, *La chambre claire: Note sur la photographie*, 146.

進行各種消費，甚至性愛色情的消費都是遵循春宮照的刻板印象。被馴化的攝影以它的專制壓扁其他的影像，成為一整套強迫主導吾人的消費公式與欲望法則。

這兩種馴化攝影的方式皆可列入巴特所說的「知面」：符碼化與公式化的影像。「知面」只能喚起不痛不癢、漫不經心的欲望（désir nonchalant），產生一個冷漠無謂的無差別世界〔un monde sans différenes（indifférent）〕[39]。

## 伍、從《明室》看《春光乍洩》：攝影的瘋狂與睿智

《春光乍洩》的主角是一個倫敦的時尚攝影師，偶爾也充當狗仔隊偷拍一些社會寫真照（電影一開始，他剛好完成一項混進某祕密機構單位的偷拍任務，發錢給買通的人員），正是專門製造「美學化」與「八卦化」的消費影像clichés。

《春光乍洩》所揭示的攝影師情境正是《明室》最後一章所描寫的符碼化、公式化的「知面」影像世界，一個大量消費陳腔濫調的影像，並且遵循影像的陳腔濫調來消費的冷漠無謂的無差別世界！

所以這名攝影師的生活看似時髦風光，縱慾頹廢，其實卻活在巴特所說的nonchalant的狀態，活得不痛不癢，漫不經心，冷漠所謂，而感到百無聊賴，一切皆可有可無。工作之餘，他帶著相機漫無目地遊走。劇情的轉捩點就發生在攝影師逛到一處空曠的公園，無意間偷拍到一個政治人物和一名女子擁抱幽會的鏡頭。他以為捕捉到千載難逢的政治人物的緋聞八卦照。可是當他

---

39　Barthes, *La chambre claire: Note sur la photographie*, 183.

回家將影像洗出，放大懸掛，卻發現照片中與政治人物擁抱的女子，其視線方向頗不尋常。這不尋常視線指向右側樹叢，樹叢中有一斑點。他將斑點放大，發現竟是一隻手握著一把槍。攝影師由此推論可能發生了一宗政治謀殺案。他遍尋所有照片，終於在一張照片中發現公園草叢間有一可疑陰影。他將陰影放大，正是某具躺在草叢間的軀體。他返回公園，果然在草地上發現政治人物的屍體。

　　攝影師原本活在一個「知面」的影像世界，包括在公園偶然偷拍到政治名人緋聞也是屬於「符碼化」的八卦照。但照片中女子的不尋常視線作為一個偶然的細節，卻構成了一個意外的「刺點」。這使得攝影師像是被刺醒一般，整個人突然活了起來，振奮起來，就如巴特描寫「刺點」：「在這個死氣沉悶的荒漠中，這張照片突然闖到我眼前，它使我活起來，我也使它活起來。」[40]攝影師彷彿突然有了熱烈追求的人生目標，想從照片中去追索那真實存在過的指涉對象，那不容懷疑的「此曾在！」：有一個人被謀殺了！有一個人死了！

　　換言之，《春光乍洩》的攝影師從照片中一個不尋常的偶然細節與斑點所展開的偵探推理過程，可視為是對攝影之「指涉性」本質的一種「道成肉身」的證明：證明攝影是與其「指涉對象」無法分離的影像，證明攝影必然指向一個真實存在過的對象，證明攝影的「指涉對象」都是某個死者、屍體！這個攝影師拍過無數的商業照與八卦照，但只有這幾張偶然在公園偷拍到的問題照片使他第一次觸及攝影的本質：攝影就是死去對象的生動影像（image vivante d'une chose morte），「死亡是此一照片之本

---

40　Barthes, *La chambre claire*, 39.

質」（l'eidos），所有的照片在本質上都指向某個死者、屍體，都是死者的遺照，都是死而復返的幽靈魅影。所有的「此曾在」都指向一個「無法處理／無法面對」的創傷場景，都是一道刺穿撕裂社會文化「知面」的傷口裂痕。

因此，《春光乍洩》的整個偵探推理過程可類比於《明室》探索攝影本質的研究論證過程，都是從「知面」走向「刺點」，從「刺點」逼顯出攝影「無法處理／無法面對」的「真實」與「真理」！

當攝影師想把他偶然揭露的這個「此曾在」的「真實」告訴別人（包括他的情婦與老闆），卻沒有人願意面對，眾人寧可活在浮光掠影，鏡花水月的影像消費中而醉生夢死。攝影師乃進而觸及了攝影的「真理」，一種不見容於社會，可能會對社會構成危險與威脅的「瘋狂真理」。攝影師變成一個自外於任何社會位置的「強度點狀自我」，而不覺陷入極端的憂鬱之中，瀕臨瘋狂的界限。正如巴特寫道：

> 界定先進社會的特徵就是這些社會消費影像，而不像從前的社會訴諸信仰。這些消費影像的社會因此更自由，較少狂熱的幻覺，但也更虛假〔（fausses）較少真誠〕，這些消費的影像，可透過令人作嘔的厭煩印象的告白，轉譯為時下流行的意識，如同四處普及化的影像產生一個無差別無所謂的冷漠世界，在其中，唯有此處或彼處偶發冒出的無政府主者，社會邊緣份子與個人主義的吶喊，能夠革除影像，直接地挽救欲望（不通過任何中介）。[41]

---

41　Barthes, *La chambre claire*, 182-3.

「令人作嘔的厭煩印象的告白」（l 'aveu d'une impression d'ennui nauséeux）隱然是在向沙特的存在主義小說《作嘔》（*La Nausée,* 1938）致敬。巴特的這段描繪正可形容《春光乍洩》中攝影師的鬱卒情境。而片中不時莫名冒現的一群波希米亞年輕人，正是影射具有反社會、反文化傾向的無政府主義者與社會邊緣份子。

於是我們來到《春光乍洩》最後一幕的著名默劇：鬱卒獨行的攝影師又碰到那群波希米亞年輕人，其中幾個進入網球場，演出打網球的肢體默劇，其他人則假裝觀賞，攝影師也跟著湊興看看。一名演員假裝把球打到場外，另一名演員跑到場邊，竟要求攝影師幫忙撿拾並不存在的球。他猶豫片刻後，把相機放下，也作出彎腰撿「球」並將「球」傳回的模擬動作。一霎時，從銀幕上傳來了清脆的擊球聲音：他（以及觀眾）都聽到了這個聲音！攝影師彷彿瞬間頓悟釋懷，重新背起相機。電影在此結束。

這到底意味什麼？巴特最後指出，有兩種途徑來面對攝影的「真實」：瘋狂或睿智（sage）。睿智就是讓攝影的「真實」維持相對的緩和化。瘋狂則是毫無保留地面對攝影所喚醒的那無法面對的真實欲望。[42]

《春光乍洩》的最後一幕似乎也提出了某種將「瘋狂」相對緩和化的「睿智」之可能。無庸諱言，這樣的「睿智」是一種洞悉現實機制之運作的「犬儒」世故，就如《紅樓夢》所說的「真作假時假亦真，無為有處有還無」。洞悉世情真假，了然於心，豁然釋懷，卻如道家之「和光同塵，以與世俗處」。巴特亦如此寫道：「某物令我豁然開朗，它在我之中引發細微震動，一種頓

---

42　Barthes, *La chambre claire*, 183.

悟，一段空之過渡（le passage du vide），指涉的事物是否微不足道一點也不重要。」[43] 這「空之過渡」正如佛教空宗之「不壞假名而說諸法實相」。

《春光乍洩》最後一幕的「睿智」也算是一種「不壞假名而說諸法實相」的排解之道，一段「空之過渡」吧？

最後，我們聯想到法文日常用語中一個詩意而又性格的句子：Un point c'est tout！字面的意思是：「一點就是全部！」寓意的意思則是：「就是這樣，不用再多說了！」關於巴特的「刺點」之探討，亦何妨以此句作結：Un point c'est tout！

---

43　Barthes, *La chambre claire*, 80-81.

# 第二章

# 從傅柯的「性設置」論現代私密主體系譜學與當代的「性話語生產」

　　傅柯的《性史I》勾畫現代私密主體之系譜產生於西方社會特有的「將性置於言說」之「性設置」，並回溯此設置之起源直至中世紀之告解懺悔儀式。

　　根據海德格，「真理」是「存有之開顯」的「開放場域」。傅柯結合海德格之真理觀與尼采之權力觀，探討現代私密主體之形成開展作為一「性設置」之「真理場域」，是中世紀的「肉身告解」儀式在現代社會的「世俗化」，從性愛文學到精神分析皆是「性設置」所生產之性話語。現代人將談論性當作揭露自我的真理儀式，成為「世俗化」的「欲望人」與「懺悔動物」。

　　當代社會的性話語生產則走向更加泛濫的「八卦化」，可視為現代「性設置」更進一步的「庸俗化」。吾人將以賈木許電影《地球之夜》的〈羅馬之夜〉與朱天心小說〈古都〉為例，分析此「八卦化」的「性話語」爆炸，如何將「肉身告解」儀式推到一個混淆「公／私」界限的「猥褻」狀態，構成當代社會的「真理政權」，有如續寫傅柯未完成的《性史》第四卷！

## 壹、導論

> 十七世紀：這將是一個壓抑的時代的開始，專屬於所謂的布
> 爾喬亞資產階級（bourgeoises）社會，我們仍未完全跨越。
> 從這時起，指稱性事（sexe）將成為一件最困難與代價最高
> 之事。如同為了在現實中控制性事，首先必須將性事化約到
> 語言層面，控制它在話語談論中的自由流通，剔除那些過於
> 明白露骨的字眼。甚至連這些禁令（interdits）本身也害怕
> 直接指稱性事。現代人恥於談論性事，彼此心照不宣的唯一
> 的禁制遊戲就是：對性事三緘其口，默不作聲的緘默症。檢
> 查制度。（Foucault, 25）

　　傅柯（Michel Foucault）的《性史 I：知識意志》（*Histoire de la sexualité I: La volonté de savoir*）的開端勾畫出這樣一幅現代西方人諱言談論性的壓抑禁制圖像，卻立即駁斥此圖像只是一個錯誤表象，完全悖於實情：「考察最近三個世紀的連續轉變，事情顯得截然不同：環繞性，論及性，一次真正的話語爆炸。」（Foucault, 25）從十八世紀以來，談論性的話語急速泛濫蔓延：

> 而重要的是，在權力運作的場域中，性話語（discours sur sexe）的繁衍倍增：一種體制性的煽動挑逗，要人們去談論性，談得越多越好，權力單位固執於要聽到人們談論性，要人們現身說法，談論其明顯的結合模式以及無限瑣碎的細節。（Foucault, 26-27）

　　被驅使不斷去談論私人性事成為一種普遍的強迫性形式加諸

於現代西方人，成為現代西方人獨有的指令：

> 一種向自己與向他人不斷訴說告白的無限使命，訴說與私密
> 性事相關的所有事情，所有穿越心靈與身體的無以數計的快
> 感、感動與思維活動。此一「將性置於言說」（mise-en-
> discours du sexe）的方案，其形成已有禁欲與修士的久遠傳
> 統，十七世紀卻使之成為普遍規則。（Foucault, 29）

　　傅柯於是提出《性史I》的著名論點：從十七至十九世紀，
現代西方社會形成一種「將性置於言說」的獨特機制，傅柯稱之
為「性設置」（dispositif de sexualité）。它驅使現代西方人強迫偏
執般地不斷重複去談論自己或他人之私密性事，視同自我之真理
（vérité de soi）。所以，現代西方社會之執迷於性話語之大量生
產，其實指向一種形塑現代人主體性的真理儀式與真理遊戲。
《性史I》之旨趣就是追溯「性設置」在現代西方社會如何形成與
發展的系譜學與考古學，並回溯其根源直至中世紀懺悔儀式的
「肉身告解」（l'aveu de la chair）。
　　傅柯提出一個極其複雜而又曖昧的理論模型，以性話語的生
產作為「輻湊點」如一中繼轉運站，同時匯合交織連結了知識，
權力，真理，主體，快感多條路線軌跡，構成一個多維曲折的網
路界面。吾人發現，傅柯的「性設置」模型不僅蘊含了一套非常
獨特的現代私密主體（sujet privé, private subject）的系譜學，並
且可以進一步延伸到當代，以「性設置」模型解析照明當代文化
之種種光怪陸離。
　　然而，要掌握理解「性設置」模型之複雜曖昧，幾個關鍵點
須先釐清。

　　（一）、首先須釐清sexualité（sexuality）與sexe（sex）的差別。sexe即一般常講的性行為、性愛、性事。Sexualité則是不同的社會文化傳統如何對待sexe的處置方式。類比於馬克思（Karl Marx）之「生產方式」，傅柯之「設置」正是指西方現代社會「將性置於言說」此一複雜曖昧的「處置方式」，同時包括「體制」運作之設置與「技術」操作之裝置。而dispositif在法文日常用語中，除了指「機構單位」與「裝備配置」，還有「軍事部署」之義。所以傅柯的「設置」其實相當於今日台灣常講的「配套」措施，是綜括體制與技術的一整套配置方式與運作機制。在這意義下，當前中文學界將Sexualité譯成「性經驗」或「性意識」其實非常不妥。「意識」、「經驗」這類概念的「現象學」色彩，正是傅柯在《古典時代瘋狂史》（*Histoire de la folie à l 'age classique*）之後所亟思擺脫的。Sexualité作為一種「設置」，不是直接的「意識」與「經驗」，而是產生這些「意識」與「經驗」的一套特定的社會文化機制。

　　（二）、「性設置」模型之提出駁斥了一般通行的「性壓抑」模型，尤其是佛洛依德（Sigmund Freud）的精神分析學說。這當中蘊含了一套新的權力觀。權力的運作施行從來都不只是壓抑禁止的簡單否定。如果權力只是簡單的說No，無法解釋性話語的爆炸泛濫。傅柯進一步舉出性變態者（perverse）之倒錯行為的複雜多樣（50），反證權力的運作施行絕不只是消極的禁止吾人說什麼和做什麼，而是積極的促使規定吾人去說什麼和做什麼。

　　正如同德勒茲與瓜達利（Gilles Deleuze & Félix Guattari）的《反伊底帕斯》（*L'Anti-Œdipe*）主張欲望並非消極的匱乏與需求，而是一種積極的生產與創造，而提出「欲望—生產」（désirproduction）之概念。傅柯的《性史I》似乎也提出某種「權力—生產」（pouvoir-production）之概念：權力並非消極的壓抑禁止，而是一種積極規定的生產與驅動。「性設置」作為性話語的生產，同時也是權力的生產，知識的生產，真理的生產，主體性的生產，快感的生產。

（三）、然而，權力的生產又如何連結到真理的生產與主體性的生產？吾人發現，傅柯所講的「真理」並非一般知識論意義之真理，而是遙承呼應海德格（Martin Heidegger）之「本體論」式的真理。德勒茲的《傅柯》有兩段陳述提示了傅柯與海德格之間的重要思想線索：

> 赫拉克力圖斯式的元素，在傅柯思想中比在海德格思想中更為深刻。因為現象學終究是太和平了，它祝福了太多的事物，神聖化了太多的事物，傅柯因此發現來自域外的元素，此元素就是力量。
>
> 這解釋了傅柯之宣稱的重要性：傅柯說海德格總是令他著迷困惑，但他只能透過尼采來理解海德格，海德格是尼采的潛能，也因為尼采而充分地實現。（Deleuze, 61）

海德格讓傅柯感到著迷困惑的正是其本體論的「真理觀」（concept of truth），而傅柯又是透過尼采（Friedrich Wilhelm Nietzsche）的「權力觀」（concept of power）來理解海德格的「真理觀」。

透過海德格的真理觀，傅柯關於權力與真理，真理與主體之關係的思考定位，皆可豁然開朗，迎刃而解。傅柯之高明處就是結合尼采之權力觀與海德格之真理觀，運用於歷史場域之具體分

析。因此，要真正進入傅柯「性設置」之「權力─真理─主體」複雜糾結之問題核心，海德格的「真理觀」提示了重要的思想線索與理解圖式。

## 貳、海德格的「真理」與尼采的「權力」

依據海德格的〈論真理之本質〉，西方哲學傳統對真理的基本界定：陳述（statement）與事物（thing）的符合一致（accordance）。這是一種符應（correspondence）的真理觀，陳述的內容與事物狀態符合一致就是一個正確（correct）的命題。（Heidegger, 120）

海德格指出，陳述與事物的符合一致或命題的正確性並不是最基本的真理狀態，必須追問窮究符合一致或正確性之內在可能性的根據在哪裡？海德格認為，命題與事物之間能產生符合一致的關係在於命題能呈現（vor-stellt, present）它所陳述的事物，命題是一個呈現性的陳述（presentative statement）：「呈現意謂著讓事物相對而立成為一個對象」（to let the thing stand opposed as object）（Heidegger, 121）。此一呈現之「姿」（comportment）總已站入到一個「開放場域」（open region）（Heidegger, 121）中才得以發生。這個開放場域就是事物得以呈現的最基本真理狀態。正如同先要有光，吾人才可以看見事物之呈現，才可以對事物之呈現作出正確的陳述。陳述作為吾人對事物的呈現方式，總已預設了事物本身在光中之呈現。

真理就是存有揭露開顯其自身（disclosure of Being itself），是讓事物得以呈現的開放場域之開放性。真理之本質就是「自由」，讓事物在一個開放場域如其所是（let beings be the beings they are）（Heidegger, 125）地存在。這裡的「自由」無關乎主體意志之決斷，而是存有自身之揭露開顯，是從原初遮蔽狀態（concealment）釋放出來的「無蔽」（unconcealment），向存在事物敞開展覽（126）。「自由」是一種介入（engagement），一種感應共鳴（attunement），進入到存在物作為一整體（being as a whole）的揭顯之中。（Heidegger, 128-9）「存有」之「無蔽」的「自由」作為「開放之姿」（open comportment）使人之行動成為可能：「人之行動被存在物作為一整體的開放性全面地帶進一種特定的協和共鳴之中。」（Heidegger, 129）

此「存有開顯其自身」的真理觀同時蘊含了一套獨特的歷史哲學：不同的時代，不同的社會，存有自身開顯呈現為不同的真理模式，將存在事物設置為一個整體，決定了這個時代要進入某個開放場域，介入到某種與存在事物的整體關係中。這就是每個時代所獨有的「真理」和「自由」，構成了這個時代的知識典範與行動場域。

傅柯曾說過：「真理」與「自由」始終是他關懷的主題。很明顯的這不是一般意義下的「真理」與「自由」，而是海德格式的「真理」與「自由」。傅柯所說的「真理政權」（régime de vérité）也必須理解為海德格式的「存有之紀元」（epoch of Being）。其重要著作即是探討西方歷史不同的「真理政權」。

然則，此一海德格的「真理」又如何與尼采的「權力」結合？如果說傅柯是通過尼采來理解海德格，那麼，傅柯對尼采的理解則又是通過德勒茲。「權力」就是外在的差異力量關係：「每一種力量關係都構成一個身體（corps, body）──無論是化學的、生物的、社會的還是政治的身體。任何兩種不平衡的力，只

要形成關係，就構成一個身體。……身體是由多元的不可化約的力構成的。」（德勒茲，59-60）

傅柯則進一步指出，身體是權力投注爭奪的戰場。權力是多維動態的力量關係之場域。身體是一個戰場，權力是普遍的戰略策略。傅柯的權力觀以「策略」模型（modèle stratégique）來取代「法律」模型（modèle du droit）。（Foucault, 135）

「真理」作為存有開顯其自身的「開放場域」，「權力」作為多元力量衝突抗拮的「力場」與「戰場」，這兩個「場域」要如何銜接連結呢？

正如德勒茲所言，海德格的真理現象學太平和了！對傅柯而言，真理不會像海德格的「存有」一樣自行開顯，而必須施加力量來迫使其開顯。換言之，真理是在各種力量關係的作用施壓之下被強迫「逼顯」的！「真理」作為存有開顯其自身的「開放場域」，必然已同時進入某種權力策略關係的「力場」與「戰場」，如赫拉克利圖斯的火元素，處於永恆的衝突抗拮，不斷的生成變化！

一個最簡單的比喻：警探要求嫌犯說出真相，但嫌犯不會自動說出真相，如果不對其施加某種壓力。「施壓」方式從最原始的身體暴力到高科技的檢驗儀器、測謊器、審訊技巧、談判策略等等。有一部好萊塢電影敘述兩個年輕人是好友，共同涉嫌一宗謀殺案。警探將二人隔離審訊，運用犯罪心理學原理分別對二人施加心理壓力，威脅利誘，終於迫使二人說出真相。在此，犯罪心理學作為一門科學研究，已納入列為一種權力運作（警察權以及更廣義的公權力）的策略與技術，共同指向犯罪之真理的揭示開顯。

所以，權力之於知識與真理並非負面元素，反而是推動知識

與真理之生產的積極元素。真理不會自行開顯，而是權力之多元
力量關係的策略運作使真理之開顯成為可能。於是傅柯結合海德
格的「真理觀」與尼采的「權力觀」，形成一套獨特的「權力」
史觀：每個時代各自有其「真理」開顯的呈現模式，對應著特有
的權力策略與知識形式。每個時代的「真理」生產都是透過一套
權力策略之力量「圖式」（schema）來產生獨有的知識形式，構
成這個時代的「真理政權」。一個「真理政權」中的各種實踐與
論述都是一種揭露開顯的真理儀式與遊戲，同時也是力量與策略
的權力遊戲。

　　例如，刑事鑑定專家李昌鈺的科學辦案方式，運用尖端的科
技知識儀器對現場物件證據進行精密的偵測檢驗與客觀解析，其
實是西方現代自然科學實證主義典範延伸應用到法律刑事領域所
產生的一種真理開顯的儀式與遊戲。所謂「證據」（evidence），
就是效法實驗室去建構一種物質現象之可觀測、可計算的「明顯
性」（evidence）。此一揭露「明顯性」的真理儀式與遊戲一方面
指向自然科學典範之知識生產（力學，化學、光學、醫學、基因
學、彈道學），另一方面則是現代權力機構直接支持推動的策略
運作。社會大眾會對之著迷崇拜，則見證了他們是屬於實證主義
之「明顯性」的「真理政權」。

## 參、從「性設置」到「肉身告解」

　　回到性設置。它又指向什麼樣真理開顯的儀式與遊戲？性設
置就是透過「將性置於言說」，迫使每個人不斷地去談論性、表
白性，作為一種揭露逼顯真實自我的真理儀式與遊戲！

　　吾人發現，「置於言說」是傅柯自鑄的新詞，其獨特的法文

表達方式mise-en-discours明顯來自法文日常用語mise-en-scene，字面的意思是「置於場景」、「置入場景」，引申為電影與舞台劇的「場景調度」，即「導演」。一旦挪用此「置於X」的表達方式，「置於言說」同時也是「置於場景」之動態「音／畫」並置。這是傅柯的「現代性」，真理之開顯成為「場景調度」般的呈現方式，「性設置」就是一部將性「置於言說」與「置於場景」，連結知識、權力、主體、快感諸元素重新剪輯組合的蒙太奇裝置。

進而言之，傅柯界定「性設置」是一種「歷史設置」：

> 不是有人在背後極力掌控的實在，而是一個宏大的網路表面，在其上，身體的刺激，快感的強化，話語的挑動，知識的形成，控制與抵抗的加強，這些活動根據一些宏大的知識與權力的策略而彼此串聯相互連結。（Foucault, 139）

如此界定的「歷史設置」簡直就是一個「網路」模型！「性設置」就像是一個專門告白私密性事的熱門連結網站，通過性話語的流通泛濫，知識、權力、主體之多重通路交織匯合，構成一個超連結平台。這個「歷史設置」的超連結平台就是十七世紀至十九世紀的西方布爾喬亞社會。

重申「性設置」的基本旨趣：不是性行為、性經驗本身，而是對性行為、性經驗的訴說表白，被視為是對自我最真實的揭露展現。所以對置身於「性設置」的西方人，性不是一般認為的「只能做，不能說」，而是非說不可：「性變成一件必需要說出來的事，而且要說的巨細靡遺，以所有的方式，依照那些多樣而又強制的論述機制。」（Foucault, 45）對性的訴說比性本身更令人

執迷。將性巨細靡遺地「置於言說」，成為一種「自我檢查」的強迫命令。

於是產生了近三個世紀（十七至十九）的性話語爆炸，傅柯將之分為兩大類：一種是對性作客觀的理性論述，即各種「性科學」；另一種則是自我告白式的主觀論述，把訴說性當作揭露挖掘內在真實自我之真理的無上使命，如十九世紀末在英國匿名出版的《我的祕密生活》（31），以及各種情色文學、醜聞文學。佛洛依德的「精神分析」學說可視為這兩大類型的綜合，一方面他宣稱「精神分析」是一種「性科學」，對性作科學考察和理性論述；另一方面，精神分析的實際治療過程則是一種主觀的自我告白。

《性史I》的基本問題意識：為什麼將性「置於言說」會成為一種揭示真理的模式，而且是自我之真理？傅柯發現，唯有西方社會才會將性話語與自我之真理連結在一起，不曾見之於其他社會。傅柯乃提出一個著名的對比，歷史上有兩種生產「性之真理」（vérité du sexe）的偉大程序：東方社會與古代社會具有某種「性藝術」（ars erotica），如中國、印度、日本，羅馬，阿拉伯。「性藝術」以「快感」為原理，從「快感」本身來提取「真理」，奉為一種「實踐」與「經驗」，構成密教式的入教儀式（initiation），如中國道教的房中術。西方社會則奉「說出性之真理」為原理，乃產生「性科學」（scientia sexualis），形成另一套形式的「權力─知識」體系。（Foucault, 76-8）

傅柯回溯此將性「置於言說」之西方根源直至中世紀懺悔制度的「肉身告解」（l'aveu de la chair）。「肉身」（chair, flesh）指身體感官之肉欲淫念（concupiscene），同時也指在良心導引下對這些肉欲淫念的自我檢查（l'examen de soi-même）（80）。所以

「肉身」的概念同時蘊涵著「告解」、「供認」（aveu），亦即對肉
欲淫念的悔過認罪。連結「肉身」與「告解」的中介就是基督教
的「原罪」概念與「罪惡感」。為什麼要對「肉身」的欲望不斷
「供認」、「告解」，因為欲望就是罪惡，尤其是性欲淫念，所謂
「萬惡淫為首」，所以必須悔過認罪。「肉身」概念蘊含的基本圖
式：性欲→罪惡感→告解認罪。眾所周知，中世紀教會懺悔告解
的基本狀況：信徒向神父供認他不為人知的過錯罪惡。透過全盤
告白的悔過認罪，信徒得到上帝的諒解，靈魂獲得救贖。而神父
作為神聖權威的代理人，有責任為告解者保守祕密。

　　我們看到「告解」作為一種語言表述形式的基本弔詭：「告
解」就是向一個權威的他者全盤說出自己最不可告人的祕密。最
不可告人的就是自己因性欲而起的淫念罪行，隱藏在內心深處成
為自我最內在的真實核心。所以，坦承告白自己私密的性欲淫念
成為一種揭露內在真實自我的真理儀式。而所有的供認認罪都預
設了某個神聖權威體制的認可接受。傅柯寫道：

> 個體長時間地藉由指涉他者以及與他人關係的顯示，來證實
> 自己是一個真誠的自我。然後人們根據他能夠也應該持守的
> 對他自己的真實表述來認可證實他的真誠性。真理的告白供
> 認已銘記在權力所形塑的個體化程序（procédures
> d'individualisation）之核心。（Foucault, 78-9）

　　告解的義務如此深入人心，以致於人們忘了它也是權力運作
的結果，而視之為吾人之祕密真理的自發性曝光。（80）告解會
成為自我的命令與義務，其實是來自某個權力體制之權威強制。
肉身的告解作為一種揭露逼顯真實自我的真理儀式，總已指向一

個神聖權威之他者（上帝→教會→神父）的傾聽見證。告解者唯有在神聖權威之他者的傾聽見證之下，鉅細靡遺地訴說暴露自己不可告人的私密淫欲與性事醜聞，才能使自己成為一個真實自我的個體與主體。肉身告解的懺悔儀式作為中世紀教會神權統治之「個體化」與「主體化」模式，預示了西方現代人的私密主體性。

## 肆、羅馬之夜：懺悔儀式的世俗化

西方現代社會之「性設置」正是根源於此中世紀之懺悔制度。換言之，肉身告解儀式在現代社會被轉換為將性「置於言說」之「性設置」，而產生各種性愛色情文學以及「性科學」之性話語爆炸。考察推敲傅柯之旨意，可以這麼說，「性設置」即中世紀之懺悔制度在西方現代社會的「世俗化」。佛洛伊德的「精神分析」可視為肉身告解儀式的「世俗化」替代。精神分析醫師取代了神父牧師角色，病人成為現代社會的告解者，潛意識性欲的「置於言說」成為現代版的肉身告解懺悔。

「世俗化」是「現代性」的基本特徵之一。西方現代社會產生於中世紀教會之神聖信仰體制的解體，如尼采宣告「上帝死亡」或馬克思的共產主義宣言：「所有堅固的都煙消雲散」，而走向一個越來越「世俗化」的社會。但問題並沒有那麼簡單！現代社會的「世俗化」過程並不只是簡單地解消基督教信仰的「神聖性」，還有更深刻的演變轉化。基督教信仰體系的許多元素——理念、價值、制度、表述，其「神聖性」已被解消，但其基本模式卻轉移延伸擴散到社會生活的各個領域層面，以世俗化的方式改頭換面地延續留存下來。例如，「上帝之前，人人平等」之信念轉化為現代民主法治的理念基礎。

　　所以，「世俗化」作為一種「現代性」，在解消神聖事物的同時，也將其中的一些元素與形式從宗教領域釋放出來，轉換延伸散佈到社會各個領域。在這意義下，「世俗化」同時也是一種「去疆域化」與「普遍化」的過程與機制。傅柯的《性史I》重寫了「現代性」的「世俗化」歷史，建構了另一套發人所未發的獨樹一格的系譜學：中世紀的懺悔告解儀式世俗化為現代社會的「性設置」，產生性話語的爆炸泛濫，蔓延散佈到科學、文藝、大眾輿論各領域，懺悔告解並未在現代社會消失，而是世俗化與普遍化，現代人成為不斷強迫自己做性告白的懺悔動物！

　　這當然指向一套權力的系譜學：中世紀教會之神權統治世俗化為現代社會之「生命—權力」（bio-pouvoir, bio-power）的普遍策略運作（179）。但同時更指向一套曲折曖昧的現代私密主體（modern private subject）的系譜學：通過懺悔儀式的肉身告解，以尋求神恩赦免與靈魂救贖之真實自我的基督主體性，已世俗化為現代人的性話語生產，將揭露私人性事當作逼顯真實自我之真理儀式與遊戲，構成現代人獨有的一種「私人化」與「內在化」的私密主體性。「將性置於言說」從懺悔儀式的神聖救贖變成現代人之強迫症的私密儀式。

　　神聖事物的世俗化，這本身就具有喜劇詼諧效果！傅柯的《性史I》冷眼陳述中世紀的懺悔告解如何演變成現代社會的性話語爆炸，其實是相當幽默的。吾人發現傅柯另一有趣觀點：肉身告解作為真理儀式，也會伴隨產生一種獨特的快感。在自我檢察與良心導引之下，對肉身所犯過錯的嚴厲審視過程反而會伴隨產生一種不可控制的快感。

　　此一「真理」與「快感」的辯證可再次回到海德格的真理觀予以解釋：真理就是從遮蔽掩藏的狀態下釋放出來的「自由」。

遮蔽掩藏構成一種無法看穿的「密祕」狀態，真理就是一種「解蔽」與「揭密」。真理引生之快感就是一種揭露密祕真相之快感，揭露那些不可告人的肉身私密的性欲淫念！但是肉身之性欲淫念為什麼會成為不可告人的密祕？關於這點，海德格的希臘真理觀無法回答，而需求之於基督教的「原罪」觀！傅柯的《性史I》並未特別探討原罪問題，然則「肉身告解」卻蘊含了「原罪」觀念。「原罪」觀念使任何性欲淫念都伴隨著罪惡感，成為不可告人的過錯罪行，必須通過嚴厲的自我檢查將之一一揪出，懺悔認罪。在這意義下，如果肉身告解之真理儀式會產生某種快感，這是否意謂著，基督教之「原罪」觀念所產生之罪惡感會轉而產生某種不可控制的奇特快感？

吾人發現，此一「罪惡感」與「快感」之辯證其實指向一種巴耶塔（Georges Bataille）式的「禁忌」與「踰越」（transgression）之辯證：人類社會是建立在神聖領域與世俗領域之畫分，此一畫分形成一禁止踰越之禁忌界限。於是，踰越禁忌之界限就會產生一種神聖性的快感。畫出禁忌之界限就是為了被踰越。反之，如果沒有禁忌之界限，也就沒有任何踰越界限之神聖快感。禁忌與踰越相互預設，相互強化。（Bataille, 10-12）吾人觀察一至兩歲的幼童，大人禁止他去碰觸的事物，他一旦能偷偷碰觸一下，就會快樂興奮的不得了。

如果基督教的肉身告解儀式也蘊含了某種踰越禁忌之快感，那麼，真正最大的快感不在於做出了觸犯禁忌的淫蕩罪行，更在於事後的懺悔告解，悔過認罪。觸犯禁忌的程度越嚴重，罪惡感就越大，懺悔告解的過程就越是嚴格詳盡，巨細靡遺，伴隨產生的快感就越是莫名地興奮強烈。

這不正是《性史I》的喜劇詼諧效果？中世紀基督徒的肉身

告解變成現代人的性告白，強迫症式重複的喃喃自語，喋喋不休！我們發現，賈木許（Jim Jarmusch）的電影《地球之夜》（Night On Earth: New York/Paris/Rome/Helsinki, 1991）的「羅馬」一段（以下簡稱〈羅馬之夜〉），與傅柯的《性史I》形成極有趣的對照印證。

故事發生在羅馬的某夜，一個計程車司機開著車在深夜街頭兜攬生意，遇到一位神父招手叫車。神父上車後，司機一邊開車，一邊忍不住向後座的神父提出請求，想要告解懺悔。神父不太願意，想委婉拒絕，但司機不管，逕自開始訴說他從小到大幹過的所有不可告人的不倫性事姦情，極盡荒淫之能事。神父有心臟病，實在聽不下去，請他不要再說了，但司機越講越興奮，已然得意忘形，沉醉在自己荒淫誇張的細節陳述中。直到回過神來，才發現神父已因心臟病發作，暴斃在後座。司機嚇一跳，連忙停車，將神父屍體移置到路邊長椅上，然後駕車溜之大吉。

這段〈羅馬之夜〉體現了義大利人的犬儒主義之痞子式幽默！眾所周知，義大利是最典型的天主教國家，而也正是天主教精神傳統的世俗化產生了義大利式的犬儒。〈羅馬之夜〉中痞子司機的誇張性告白正體現了懺悔告解制度的世俗化，基於宗教罪惡感之自我檢查的真理儀式轉為巴塔耶式之觸犯禁忌界限的踰越快感。換言之，罪惡感從宗教情操變成一種用來挑動刺激快感產生的興奮劑。罪惡感越大，性告白之快感就越強烈興奮。賈木許的〈羅馬之夜〉可視為傅柯《性史I》一個詼諧縮影寫照的幽默電影版，片中的痞子司機正是《性史I》所刻劃的西方現代人：一種專作性告白的懺悔動物。

真理與快感之辯證，禁忌與踰越之辯證！在此辯證觀點下，傅柯對「壓抑」理論的批判亦極為曲折曖昧。一方面，「壓抑」

理論只是一個表象的俗見輿論，完全無法解釋「性設置」之多樣複雜的性話語生產。但另一方面，「壓抑」理論卻是「性設置」本身所設定產生出來的，在十九世紀末，「壓抑理論將逐步覆蓋整個性設置，賦予它一種普遍化禁制之意義。」（Foucault, 169）可以說，「壓抑」理論提供了一種禁忌的誘惑。必須假定社會規範禁止談論性，才可以挑動刺激更多性話語生產。佛洛伊德的精神分析學說便是建立在「壓抑」假設之上的一套「被壓抑者的回返」的性話語生產。

傅柯據此批判二十世紀的「性解放」論述並未走出「性設置」：

> 在兩次大戰之間，環繞著賴希（Reich）形成一種對於性壓抑的歷史─政治批判。此一批判的價值及其在現實中的效應是很可觀的，但其成功的可能性在於它總是在性設置的範圍內開展，既不外於，亦不反抗性設置。（Foucault, 173）

賴希結合佛洛伊德與馬克思，將性壓抑視為政治權力宰制社會的核心部分，而將性解放視為一種革命解放運動。二十世紀下半葉，馬庫色（Marcuse Herbert的《愛欲與文明》以及德勒茲與瓜達利的《反伊底帕斯》皆屬此「佛洛伊德─馬克思主義」之思想路線，影響六〇及七〇年代之學運與嬉皮結合反戰和平與性解放論述，所謂「要作愛，不要作戰」云云。傅柯批判此「性解放」論述本身就是「性設置」所生產出來的：

> 不要把性置於真實的一邊，把性設置置於混淆幻想的另一邊。性設置是一個非常實在的歷史形象，是它挑動起性概念

成為對其運作有必要的思辨元素。不要相信對性說是，就是
對權力說不。剛好相反，人們是在遵循性設置的普遍線
索。……要反抗性設置，反擊的支點不是性欲望，而是胴體
與快感。（Foucault, 207-8）

　　簡言之，把性設定為自我最核心之真理，這本身就是「性設
置」之產物。而「性設置」一方面是現代資本主義之「生命—權
力」機制的重要組成環節，另一方面則又根源於基督教的懺悔告
解制度。要走出西方現代社會的「性設置」，就必須走出基督教
文明的模式。所以，《性史》第二卷與第三卷，傅柯回到了希臘
與羅馬的古代異教文明中去尋找另一種真理模式，另一套不再以
性為中心，不再將性「置於言說」的主體性生產，不再是懺悔告
解的自我技術。那是一種以快感之享用與節制為原則的「胴體美
學」（esthétique de corps, aesthetics of body）。「美學」的原初涵
義即「感覺學」與「快感學」。美就是一種獨特的快感。所以吾
人建議將corps（body）譯為「胴體」，就是要突顯它是以快感、
美感為原則所形塑之身體。相對的，基督教之「肉身」則是被
「萬惡淫為首」的罪惡感所籠罩之肉慾淫念。

## 伍、未完成的《性史IV》：「性設置」的庸俗化或當代文化的「私密書寫」

　　對吾人而言，《性史II》、《性史III》回到希臘、羅馬的異教
主義與復古主義路線，正如同《性史I》對中國、日本之「性藝
術」的東方主義想像，並不是那麼原創有趣與發人深省。
　　吾人同意傅柯的斷言：我們並未跨越西方現代社會的「性設

置」！所以，真正耐人尋味的問題是：傅柯分析「性設置」形成發展於十七至十九世紀，那麼，延伸至二十世紀直到二十一世紀的今日，此一「性設置」又產生什麼樣的演變轉化？

在此，吾人提出一概括性的假設：**中世紀的懺悔儀式延伸入現代社會，「世俗化」（secularization）為「性設置」，產生性話語爆炸。那麼，「性設置」延伸入當代社會則更進一步「庸俗化」（banalization），性話語的生產變成更加爆炸泛濫，窮極無聊的緋聞醜聞炒作，這就是當代大眾媒體的「八卦化」現象。簡言之，「性設置」是中世紀懺悔儀式的「世俗化」，當代的「八卦」媒體則是「性設置」的「庸俗化」。**從「神聖化」到「世俗化」，從「世俗化」到「庸俗化」，不變的是性告白始終被視為是唯一可以揭露真實自我的真理儀式與遊戲，指向一種「私人化」與「內在化」之私密主體性的生產。無論如何的低俗無聊，當代「八卦」媒體的緋聞醜聞炒作作為性話語生產，仍是追求某種私密主體性的真理儀式與遊戲。

在此，吾人提出「私密書寫」（privée-intimate écriture, private-intimate writing）一詞來形容現代私密主體延伸入當代之表現方式，如何透過媒體將性更進一步「置於言說」與「置於場景」，形成一種極度「私密化」也極度「八卦化」的真理儀式與遊戲。所以「私密書寫」不限於狹義的文學書寫，更涵蓋非文字性的圖像影音媒介，從大眾流行文化到學院派或地下團體的波希米亞文藝。從當代攝影、video錄像藝術到流行樂MV.、漫畫、繪本，從當代文學中的「情欲書寫」到個人網站的心情日記與「自拍照」，到電視上各種論人隱私，說長道短的談話性節目……，皆可列為廣義的當代「私密書寫」，最極端的例子就是將私人家居生活全程錄影，在網路上同步公佈的live-show。

　　然則，從「世俗化」到「庸俗化」，從現代到當代，有沒有可資區別畫分的界限或判準？

　　羅蘭巴特的《明室》界定攝影的本質就是一種需要獨自觀看的私密影像，有別於電影是一種集體共同觀看的公共影像，而提示了一條有趣的思考線索：

> 每一張相片被解讀為其指涉對象的私密表象（l'apparence privée）：攝影的年代正對應於私生活領域（le privé）之突然闖入公共領域，或者更對應於一種新社會價值的創造，即私領域的公眾廣告性（la publicité）：私領域被如此地公然消費……。然則正如私領域不僅僅是一件貨品（落於私有財產的歷史法則之下），私領域是私有財產但也超越私有財產，那正是一個絕對不可剝奪（inaliénable）的場域，在哪，我的影像是自由的（自由的自我取消），它是內在性（l'intériorité）的條件，我相信，此內在性與我的真理疊合為一，或者，更好說，此內在性與構成我的無法面對的創傷疊合為一。我要以一種必要的反抗，來重建公領域與私領域的畫分：我要宣稱內在性，而不暴露我的隱私（l'intimité）。（Barthes, 153）

　　整個問題的關鍵在於：公共領域與私人領域的界限開始模糊混淆！如果現代世界之圖像是遵循笛卡兒「心／物」二元論，並從「心靈／物質」之畫分衍生出「主體／客體」、「內在／外在」、「私人領域／公共領域」之一系列畫分，那麼，巴特反抗私領域被公然消費，堅持重建公領域與私領域之畫分，是站在一個非常「現代」的笛卡兒式「心／物」二元論與「主體中心」論

立場。相對於此「現代」立場，如果有所謂的「當代」或「後現代」，不正是現代二元論體系之界限陷於混淆模糊，「心靈／物質」、「主體／客體」、「內在／外在」、「私人領域／公共領域」相互踰越、相互滲透？

「八卦」作為「個人之私密性事在公共領域的揭露曝光」，正是產生於公共領域與私人領域的界限混淆。「八卦」的本質就是一種公然的「猥褻」（ob-scene），在公共空間暴露私處性器或私密性事。（最具象的例子就是某個名人的「穿幫照」、「性愛光碟」或性告白的話語文字在網路迅速流傳蔓延）。「公／私」界限混淆的當代世界當然是一個「公然猥褻」的八卦社會。

傅柯之性告白的現代私密主體已然指向當代社會的八卦媒體。八卦之為八卦，無非就是在貫徹執行將性「置於言說」與「置於場景」的強迫性指令，作為揭露自我的真理儀式與遊戲！而不要忘了，一切都源自中世紀的懺悔告解。而告解總是指向某個權威的他者在傾聽與審視。對於當代社會，這個傾聽與審視的「權威的他者」就是大眾媒體本身。發生了什麼？如果說中世紀的神父作為上帝與教會的代理，會為信徒的告解保守密祕。現代的精神分析醫師作為科學權威的代理，會為病患的自白保守密祕。然則，大眾媒體作為一個「權威的他者」會替誰保守密祕呢？剛好相反，大眾媒體的「八卦」本質就是要追求巴特所說的「私領域的公眾廣告性」！沒有保密的問題，只有不知伊於胡底的揭密爆料曝光。海德格說希臘人的「真理」觀就是從隱蔽中揭示開顯，大眾媒體正是當代版的「解蔽／揭密」之真理儀式與遊戲的開放場域。日趨「八卦化」的大眾媒體作為一個「權威的他者」，在當代社會的網路世界中開啟了另一個非常奇怪的網站平台，彷彿裝滿了閉路監視鏡頭的私人告解室。每個人都有可能莫

名其妙地進入這個告解室，強迫性地（有的被迫，有的自願）將
私密性事「置於言說」與「置於場景」，透過大眾媒體的窺視來
逼顯出自我最內在真實的私密主體性！「八卦化」已成為當代人
的「個體化」與「主體化」模式？

　　在這意義下，我們可以說，當代文化之「私密書寫」一方面
更加「私密化」與「自戀化」，另一方面也越來越「八卦化」與
「公然猥褻化」，「私密化」與「八卦化」其實是一體兩面，互為
表裡，相互為用，平行互補，正如巴特所說的「私生活突然闖入
公眾領域」、「私領域的公眾廣告性」。

　　相對於傅柯將「性話語」所產生之現代私密主體溯源至中世
紀的懺悔儀式，巴特的《明室》透過攝影影像之「刺點」
（punctum）則揭示了另一種無言哀悼的私密主體形象（「絕對的
主體性唯有在一種沉默的狀態與努力中達到（閉上眼睛，這是讓
影像在沉默中說話）」）（Barthes, 88-9），並溯源至中世紀末期的
私人祈禱儀式：

> 我難以忍受電影的私人放映（沒有足夠的公眾，沒有足夠的
> 匿名性），但在我凝視的照片之前，我需要獨自一人。朝向
> 中世紀的終結，某些信徒取代集體的讀經與祈禱儀式以一種
> 個人的讀經與祈禱儀式，低語的，內在化的，沉思性的。公
> 眾照片的解讀，究極而言，總是一種私人性的解讀。
> （Barthes, 152）

　　巴特的「無言哀悼主體」與傅柯的「性告白主體」形成深刻
有趣的對照。這兩套現代私密主體系譜學皆預示了當代文化走向
一種「自戀化」與「八卦化」的奇特共謀結構。

　　「現代私密主體」的產生必須置於西方近代更廣闊的「個人主義」興起之歷史發展脈絡。有兩個主要脈絡，一是經濟上之「私有財產權」之「私有制」的形成，一是宗教改革運動之新教帶來了基督教信仰的「個人化」與「私人化」。簡言之，財產的「私有化」與宗教信仰的「私人化」促成了西方「個人主義」之興起，從而產生了「意識哲學」的現代思想以及「主觀表現性」（subjective expressionism）的現代文化。「現代私密主體」是西方這一整套「個人主義」，「意識哲學」與「主觀表現性」文化之歷史發展脈絡必然導出的邏輯結果。[1]

　　巴特提及的私人祈禱儀式正反映了新教革命所帶來的基督信仰的「私人化」，其重要意義在於：每個人都可以透過私人祈禱儀式而與上帝耶穌直接溝通，無需再透過任何教會或神父的中介。吾人相信，此一每個人皆可「直達天聽」的私人祈禱儀式，不僅形塑了「內在化」的現代私密主體，並且支持推動了西方社會對「隱私權」的尊重。

　　巴特將攝影的「刺點」經驗所逼顯的「私密主體性」關連到新的「私有權」模式（絕對不可剝奪（inaliénable）的個人私生活領域的「影像所有權」）以及新的「私密化信仰」（面對照片的私密解讀作為一種內在化沉思的私人祈禱儀式）。可以說，巴特透過攝影經驗獨自發展建構出一套「現代私密主體」的文化系譜學。

　　然則，無論是源自中世紀的私人祈禱儀式或懺悔告解儀式，

---

1　參閱萬胥亭，〈從羅蘭巴特《明室》的「現代私密主體」看安東尼奧尼的《春光乍洩》〉，〈中央大學人文學報〉第三十八期，中壢：中央大學人文學院，2009 年 4 月。p.69-90。

「現代私密主體」之系譜作為「私領域」之形成與「隱私權」之尊重，都在「現代」的「世俗化」走向「當代」更進一步的「庸俗化」過程中，演變成一種「八卦化」的「個體化」與「主體化」模式！

## 結論：當代「私密書寫」的「八卦化」

我們已看到，巴特的批判立場就是堅持笛卡兒式的「現代」二元論，不僅堅持公領域與私領域的畫分，並且高標一種區別於「隱私性」（l'intimité）的真實「內在性」（intériorité）：「我要宣稱內在性，而不暴露我的隱私。」此「內在性」作為一個絕對不可侵犯的私領域，構成了自我最核心的不可剝奪的終極「所有權」與「主體性真理」。為了抗拒「私生活闖入公眾領域」，巴特的現代私密主體最後訴諸一種萊布尼茲（Gottfried Wilhelm Leibniz）之「單子」（monad）式的「絕對內在性」作為「自我」絕對不可剝奪異化（inaliénable）的私有空間與終極的「主體權利」。

我們也已看到，傅柯的「性告白主體」總已指向當代社會的八卦媒體，「性設置」作為懺悔儀式的「世俗化」，總已蘊含了它自身更進一步的「庸俗化」。所以巴特是堅持「現代」的私祕主體性來批判反抗「當代」的八卦化主體性，傅柯則索性同時走出「現代」與「當代」的私祕主體系譜，回到古希臘羅馬或東方去尋找另一種主體性模式的可能出路。

而當代社會則不斷生產更多「八卦化」的性話語爆炸，有如續寫傅柯未完成的《性史》第四卷。

我們已看到，賈木許〈羅馬之夜〉的痞子司機的誇張性告白

體現了「肉身告解」儀式的世俗化，可視為嘲諷現代「性設置」的一則諧謔寓言，同時也預示了現代「性設置」在當代更進一步的「庸俗化」與「八卦化」！

朱天心的小說〈古都〉則提供了另一個當代「性話語」生產的有趣例示。作為台灣當代文學中「私密書寫」之典型，〈古都〉的敘述方式充分體現了一種混淆「公／私」領域界限之「肉身告解」的自我真理儀式！小說的敘述人稱雖以「你」作為訴說對象，讀者卻可輕易感受到通篇都是溢於言表的「這就是我！」的急切宣示，就像法國人說：C'est moi！這就是我！這就是最不足為外人道，最私密、最內在、最真實的我！〈古都〉把「我」轉換成「你」來進行傾訴，此一敘述策略使語言產生一種「攬鏡自照」、「顧影自憐」的鏡像效果。然而在這「我／你」對位互換，私密談心所形成的鏡像迴圈的背後，其實呼之欲出一個潛在的大寫的「你」做為真正的傾訴召喚對象！正如傅柯所言，「肉身告解」作為自我真理儀式，總是預設了某個權威他者的傾聽見證，無論那是神父牧師，心理醫生，或是大眾媒體，無名讀者！

所以，朱天心筆下的中年雅痞作為嫉世憤俗，耽溺於私密記憶的「老靈魂」，其實和〈羅馬之夜〉的痞子司機是不謀而合，有志一同的同路人，皆以告解懺悔為人生最大樂事，以自曝隱私為自我真理之試煉！所以痞子司機好不容易載到一個神父，當然不會放過，定要大肆告解一番，把所有不可告人的不倫性事盡數傾吐，將計程車的一方空間轉換成神聖的教堂告解室，誰還管他神父本人願不願意！不難想見，如果痞子司機始終沒有載到神父，那天告解的癮又犯了，有可能隨便抓一個乘客來充當神父。而這正是朱天心的「老靈魂」所做的：不再需要神父，因為所有讀者都是神父；不再需要告解室，因為小說本身的私密敘述語調

就構成一個無處不在的告解室。〈古都〉中的「老靈魂」懷著私密的身世告白漫遊於台北街頭與京都巷道，正如痞子司機駕著計程車漫遊於深夜羅馬，彷彿隨身攜帶可四處移動的告解室任意穿越私人記憶最隱祕瑣碎的角落。「肉身告解」乃成為一種犬儒自戀的強迫性儀式。差別在於，痞子司機的犬儒自戀帶有一種「諧擬」（parody）的自我解嘲調侃的幽默感，「老靈魂」的犬儒自戀則完全缺乏幽默感，其抵抗矜持之姿不免顯得道貌岸然，乖僻淒厲！

〈古都〉中的「你」回憶大學時代談戀愛，與男友XXX沒地方去，向閨中密友A借金華街租房的鑰匙：

> 你和XXX心存僥倖並且不大熟悉避孕的技術，XXX體外射精在木質地板上，你拭了又拭，它融入木縫裡去，XXX翻著A的書，沒興趣，遂放起房東子女的唱片，是坂本久的Sukiyaki，又是在一間空盪盪的大房子錄的，二十歲的坂本久吹著悠揚的口哨，都不知道他會在二十三年後的八月十二日的國內空難裡死掉。（朱天心，204）

這段敘述以閒話家常的瑣碎語調揉合了A片式的體外射精鏡頭與村上春樹式的音樂品味炫耀，見證了當代「私密書寫」已成為愈來愈「八卦化」與「猥褻化」的「肉身告解」，簡直就像是網路上素人自拍的春宮光碟片，供人免費下載！就如巴特所說的「私生活突然闖入公眾領域」，當代「私密書寫」的「八卦化」正如同一個暴露狂突然衝到路過女子面前，出其不意地掀衣露出下體！〈羅馬之夜〉的痞子司機強迫搭車神父聽他的不倫性告白，有異曲同工之妙！

　　回到巴特的「現代」宣稱：「我要宣稱『內在性』，而不暴露我的『隱私』。」當代「私密書寫」的「八卦化」作為「私領域的公眾廣告性」，則作出相反的宣稱：「我要暴露我的『隱私』來宣稱我的『內在性』。」巴特的「現代」宣言提出一個本質性的區分判準：真實的「自我」或「主體性真理」作為不可剝奪異化的「內在性」，並不等同於個人私生活之「隱私」。當代「私密書寫」的「公式」則是：不可告人之「隱私」＝內在真實之「自我」。這是一則可輕易套用的廉價「公式」，職是，自曝不可告人之「隱私」成為揭露最內在真實自我的真理儀式！

　　巴特的《明室》從他母親童年時的一張照片（在某個冬季花園與她哥哥合照），看到「某些事物如同攝影之本質，浮動在這張個別照片中」，而展開其攝影現象學的探索沉思。所以這張冬季花園照成為引領巴特穿越影像迷宮的阿麗安（Ariane）之線（Barthes, 114）！但《明室》一書並沒有刊登它。為什麼呢？因為這只是一張平凡的私人家庭照，它的影像只對巴特個人有意義，對其他人並無意義。而巴特抒寫關於冬季花園照的感懷沉思則是可以和讀者分享與共鳴感動的，如寫逝去的母親之於他「不是不可或缺的，卻是不可替代的。」

　　在這意義下，巴特可說是「公私分明」，而日趨「八卦化」的當代「私密書寫」則是「公私不分」與「公器私用」！

附錄 1

# 我是一個有錢有品味的人
## ——從米克傑格的〈同情惡魔〉看金融海嘯

　　金融海嘯席捲全球，印度孟買又爆發恐怖主義攻擊事件！這世界是怎麼了？人們都還沒想好怎麼渡過哀鴻遍野的大衰退大蕭條，又驚傳風聲鶴唳，草木皆兵的暴亂動盪！

　　近日因為開授一門「前衛藝術與流行文化」的大學課程，介紹學生認識一些老牌搖滾樂，而重看了滾石樂團 1969 年的著名記錄片 Gimme Shelter。看到其中一段 Altamont 演唱會的現場實況，主唱米克傑格演唱〈同情惡魔〉（Sympathy for the Devil）一曲，對照今日世局的混亂動盪，恍然若有所悟。

　　過去對這首歌並無特別感覺，但覺節奏旋律平板無奇，詞意隱晦，不知所云。這次卻突然聽出了滾石慣有的節奏藍調揉合了森巴舞曲，著魔般持續沉醉搖擺的味道與力道！更神奇的是，不知所云的隱晦歌詞卻使我豁然頓悟，歌中敘述的穿梭現代世界，到處製造動亂的撒旦身影，竟使我突然看穿了今日金融海嘯的混亂煙幕，看出了誰是幕後的元兇主謀，誰是造成全世界衰退與動亂的罪魁禍首！

　　歌詞節譯如下：

　　請容我自我介紹　我是一個有錢與有品味的人
　　我長年環遊巡迴　偷走許多人的靈魂與信仰
　　我四處轉　當耶穌基督有他懷疑與痛苦的時刻

很高興遇見你　我希望你猜猜我的名字

一切使你困惑的　正是我遊戲的本質

我轉到聖彼得堡　我看到是改變的時候了

我殺掉沙皇和他的大臣　安娜塔西亞公主徒然尖叫

請讓我遇見你　我希望你猜猜我的名字 oh yeah

一切使你混亂的　正是我遊戲的本質 oh yeah

我看到火燄　當你們的國王與皇后奮戰為他們造的神放下柵門

我吶喊：是誰殺了甘迺迪？終極而言　就是你和我

請容我自我介紹　是的　我是一個有錢與有品味的人

我設下陷阱　讓吟遊詩人被殺害　在他們抵達龐貝城之前

很高興遇見你　寶貝　我希望你猜猜我的名字 oh yeah

一切使你困惑的　正是我遊戲的本質 oh yeah

oh 正如每一個條子都是犯罪者　所有的罪人都是聖徒

在這個無止盡的傳奇故事中　叫我魯西佛

我需要一些箝制

所以　假如你遇見我，有著些許禮貌，同情，品味

請使用你所有的政治敏感　否則我將使你的靈魂荒蕪

　　滾石樂團的歌詞大多有如化外野民，下里巴人，朗朗上口，葷素不拘，如〈我無法獲得滿足〉（I can't get no satisfaction），〈紅糖〉（Brown Sugar），〈歡場女子〉（Honky tonk women）等招牌曲。這首〈同情惡魔〉卻大異其趣，米克傑格突然也想來點鮑伯狄倫式的文藝腔與抗議批判色彩，結果卻寫出一首波特萊爾「惡之華」式的寓言體抒情詩，充滿曲折隱晦的典故象徵與時代影射。

　　最主要的典故借用了俄國作家布爾加可夫（Mikhail Bulgakov）的寓言小說《大師與瑪格麗特》（The Master and Margarita）的敘

事框架：小説開始於1920年代的某一天，撒旦造訪莫斯科，剛好遇到一個詩人和一個評論家在辯論耶穌與撒旦是否存在的問題。撒旦加入他們的辯論，由此展開對當時蘇維埃社會的諷喻批判。〈同情惡魔〉借此「撒旦造訪」的寓言框架影射諷喻了60年代西方社會的動亂不安。而我們是否可透過〈同情惡魔〉來影射諷喻今日的金融海嘯？

歌曲中的敘述者以反諷語調戲仿吟遊詩人自報家門：「在這個無止盡的傳奇故事中／叫我魯西佛」。魯西佛（Lucifer），拉丁文中撒旦之別名也。但不管叫魯西佛或撒旦，歌中的「我」其實象徵著一種無處不在的敗壞世界的不可測的「無名力量」，如存在哲學家雅斯培（Jaspers）所說的，一個永遠無法辨識定位的「無名者」。所以對「無名者」的「命名」乃成為人類一切思想中不可思議之最高思考形式：「請遇見你／我希望你猜猜我的名字／一切使你混亂的／正是我遊戲的本質」。今日的金融海嘯不正是一場使一切都混亂敗壞，卻令人莫名其妙的惡魔遊戲？是誰在制定遊戲規則？誰是我們每個人都猜不到名字，卻不得不遇到的撒旦魯西佛？

答案就在「無名者」一開始的自報家門：「請容我自我介紹／我是一個有錢與有品味的人」。原文a man of wealth and taste簡單傳神，幾乎無法中譯。「有錢有品味」妙極，與中文常講的「官大學問大」有異曲同工之妙。

根據現代社會學的系統理論，資本主義的社會系統有兩個主要的「驅動媒介」：「金錢」與「權力」，分別主導了經濟領域與政治領域的運作。所以掌控「金錢」媒介的資本家與掌控「權力」媒介的政治家成為現代世界的領導人統治者。

什麼是「金融海嘯」？就是一批金融資本家操弄「金錢」媒介成為「買空賣空」的「金錢遊戲」，與一批政治家操弄「權力」媒

介成為「公器私用」、「竊國欺民」的「權力遊戲」，官商勾結，組合成魔法幻術般的「金／權」遊戲，惡搞掏空全世界！

當年馬克思的《資本論》批判工業資本家以僱傭勞動的形式剝削壓榨工人勞動力的剩餘價值，像吸血鬼一樣。今日金融資本家的吸血方式則已非「剝削」、「壓榨」所能形容，簡直就是公然詐騙之巧取豪奪。工業資本家再怎麼狠心剝削，還是要供給工人最基本的生存物質作為工人可以繼續勞動的再生產條件，才得以繼續剝削其剩餘價值。金融資本家則是吃人不吐骨頭，騙死人不償命的超級金光黨。所以金融資本的邪惡運作已遠超乎《資本論》的吸血鬼想像，它是資本的遊戲化，博奕化，詐術化，虛幻化，空洞化。都是吸血鬼，工業資本比起金融資本只算是小巫見大巫，金融資本更澈底的體現了資本主義魔幻虛無的鬼魅本質。如果在西方文化中，撒旦意味著一種純粹虛無否定的精神，金融資本的確是撒旦精神的最佳化身。不必訝異金融資本家與現代民主政客可以一拍即合，狼狽為奸，因為現代民主政客操弄「權力」的手法和金融資本家操弄「金錢」的手法異曲同工，如出一轍，同樣是權力的遊戲化，博奕化，詐術化，空洞化，魔幻鬼魅化。二者都非常的虛，非常的鬼祟空洞，沒有任何真材實學之實質可言，所以只能大玩買空賣空，五鬼搬運的金光黨遊戲。然則，就是這假「全球化」之名的超級金光黨化身為「有錢有品味」與「官大學問大」的現代撒旦，把全世界給搞爛搞垮。

耐人尋味的是，西方文化中的撒旦形象可是風采翩翩，文采斐然，即使邪惡，仍散發令人著魔的魅力，如《浮士德》中的梅菲斯特，連吸血鬼也是優雅高貴的俊美男爵。所以米克傑格唱道：「我是一個有錢與有品味的人」，更顯反諷荒謬。看看今日撒旦的惡搞形象，美國的小布希有「品味」嗎？台灣的阿扁與阿珍有「品味」

嗎？那些出入總統官邸後宮，爭相簇擁著阿珍「扶輪聽政」的金融資本家又有任何的「品味」、「格調」與「素質」可言？

我們忍不住要提出一個最古老的質疑：「何德何能？」環顧當今世界的領導人，有幾個經得起「何德何能？」的質疑，有幾個望之似人君？是的，不要懷疑，領導人素質的普遍低落與嚴重倒退，正是今日世界衰退與動亂的真正「元凶」！

金融海嘯爆發以來，世人惶恐不解之餘，一直期待經濟學家能提供解答，指點迷津，其實是「經濟掛帥」迷思所形成的錯誤期待。真正重要的是，造成金融海嘯的因素以及它所帶來的廣泛影響，都遠遠超過經濟領域本身，因為人不只是經濟的動物，同時也是政治的動物，社會的動物，文化的動物！經濟大衰退絕不只是經濟領域的衰退。在經濟衰退的背後，是政治的倒退。在政治倒退的背後，則是文化的退化，人心的敗壞！

而人心敗壞的始作俑者，在上位者的心術不正，人謀不臧要負最大責任，誠如杜甫詩云：「翻手作雲覆手雨，紛紛輕薄何須數！」金融海嘯造成全球不景氣的大寒冬，無非就是當權領導人紛紛淪為輕薄無行的爛人雜碎，在哪裡翻雲覆雨，喊水會結凍的結果！

所以，透過滾石樂團的〈同情惡魔〉來捕捉金融資本家與民主政客翻雲覆雨的撒旦身影，不是要將他們妖魔化，而是要還原出他們也是人，而且是超級大爛人，這才是對撒旦的除魅化！漢娜阿蘭論及「惡之平庸性」，仍嫌太學究氣與文藝腔。爛就是爛，那來那麼多廢話！今日的撒旦已無任何邪惡的魔性魅力，只是惡質惡搞的爛人。問題是，這些爛人何德何能，憑什麼領導統治我們，胡搞惡搞一番，把世界搞爛搞垮，卻要我們來承受爛攤子？這是什麼玩意兒，算哪門子的旁門左道、邪魔外道？怎不叫人既生氣又好笑！

真的要有足夠的「憤怒」，也要有足夠的「幽默」，才能面對

這個爛人統治的世界局面！什麼樣的人會心甘情願被爛人統治，還要義正辭嚴地為爛人辯護？當然是比爛人更爛的人！所以，拒絕爛人的統治，就是拒絕讓自己變成比爛人更爛的人？這是一個政治的問題，更是一個美學品味的問題！就讓我們像米克傑克一樣諧擬戲唱：「我是一個有錢有品味的人」，拆穿今日領導統治階層「有錢有品味」與「官大學問大」的撒旦假面，揭露他們惡質惡搞的爛人真面目，這是一切政治抗爭的起點！

　　如果連這樣惡質惡搞的爛人都不敢罵他笑他唾棄他，我們還有什麼值得存在下去的理由？還有任何最起碼的格調與尊嚴？

附錄 2
# 二十一世紀的推銷員之死
## ──從鮑伯狄倫的〈像一顆滾石〉看美國債信危機

　　金融海嘯爆發以來，世人紛紛譴責美國金融肥貓與財經政客的尸位素餐與人謀不臧。有一群同樣欠罵，難辭其咎的豬頭卻成為漏網之魚，那就是哈佛、耶魯大學法商學院的財經教授、蛋頭學者。這群號稱是世界級的頂尖學者、王牌教授，其中不乏諾貝爾獎大師，面對這麼嚴重的世紀性經濟大災難，事前既未提出任何預警與防範措施，災難爆發後，連「事後諸葛亮」也不夠格，提不出任何高明像話的病因診斷與解救方案。直至今日，標準普爾公司降低美國債信評等，眼看第二次衰退又將哀鴻再起，席捲全球，這群蛋頭與豬頭仍然還是言不及義，廢話連篇！

　　其實，經濟學家並無法解答金融海嘯與美債危機，因為金融海嘯與美債危機反映的不只是經濟危機與金融崩盤，而是整個人心的敗壞，社會的崩盤！是比經濟危機更深層的「道心惟微，人心惟危」之人文道德危機！

　　美國作為經濟危機的策源地，殃及全球的震央，反映了美國本身的人心敗壞，社會崩盤！美國作為當今唯一的世界超強，號令天下的霸主，就如春秋末期的晉國，已是強弩之末，搖搖欲墜，地位不保！金融海嘯與美債危機造成美國信用的急速貶值，瀕臨破產邊緣，正見證了孔夫子所言：「自古皆有死，民無信不立。」

　　當一個人信用破產，還能怎麼做呢？如果他的拳頭夠大，就可以耍流氓，當無賴！這正是今日美國的寫照：既已走到「民無信不

立」的信用破產邊緣，當然只有憑藉其軍事優勢與政治強勢的大拳頭，以無限拖欠賴帳的無賴方式苟延殘喘，撐一天算一天，直到把全世界拖垮為止！

二戰之後，二十世紀下半葉是美國的黃金時代，美國中產階級家庭追逐物質消費、流行時尚的富裕生活成為全世界雖不能至，心嚮往之的「美國夢」，就如喬治魯卡斯的懷舊名片《美國風情畫》描寫60年代美國小鎮的高中生在周末夜各自開著老爸送的拉風轎車，聽電台播流行搖滾樂，徹夜繞著小鎮街道兜風、尬車兼把妹！想想看，高中生就可以開拉風轎車，那時的美國富成什麼樣子！

然而，早在1949年的百老匯名劇，阿瑟‧米勒的《推銷員之死》卻已無情戳破美國中產階級生活的光鮮脆弱表象，揭開「美國夢」幻滅破產的序曲！

眾所周知，正是美國中產階級家庭寅支卯糧的次級房貸泡沫化引發了金融海嘯！所以，金融海嘯正象徵著二十一世紀的「推銷員之死」，美式中產階級生活的破產，為「美國夢」敲響「自古皆有死」的喪鐘！今日的債信危機則更標示著美國已陷於「民無信不立」的德行腐敗狀態。

腐敗的根源乃在於美式自由主義民主的基本原理與政治架構本身：「自然權利」（natural right）原理與「個人主義／法治體制」架構。「自然權利」即「個人基本權利」，包括個人的生命權，自由權，財產權，然而，最後卻是「財產權」占據最高原則與核心價值，有詩為證：「生命誠可貴，自由價更高，若為財產故，二者皆可拋。」所以「自然權利」的實質內容最後訴諸「功利主義」原理，而「功利主義」其實是一種「快樂主義」之追求與計算，由此可推：「權利＝功利＝快樂＝最大快樂，最小痛苦之理性計算」。

什麼是「美國夢」？就是將此「權利＝功利＝快樂」之自由主

義與功利主義公式套入了美式中產階級生活之消費主義之光鮮外衣：「快樂＝物質消費＝流行時尚」，正如同六〇年代之普普藝術名作〈是什麼使今日的家庭變得如此不同，如此有魅力！〉

　　早在兩千年前的戰國時代，當孟子說：「王何必曰利！上下交征利，則國危矣！」即已明確指出一個政權之成立不能只訴諸功利原理！「美國夢」的神奇正在於此：不僅為功利主義套上消費主義之光鮮外衣，更將「快樂＝物質消費＝流行時尚」之消費公式提昇為盧梭所說的「自驕虛榮」（amour propre）：一種別人有，我也一定要有，「輸人不輸陣」的炫耀誇富！別人家有車子，房子，我也一定要有。別人家的小孩進世界排名的明星大學，我的小孩絕不能去藉藉無名的二三流學校！「美國夢」就是美式中產階級生活追逐「物質消費＝自驕虛榮」之光鮮表象的「誇富宴」！它構成了二十世紀最核心的「奇觀」，一直跨入二十一世紀的今日，終於吹破牛皮！

　　「美國夢」的幻滅，就是這一整套功利，消費，虛榮的美式中產階級生活的泡沫化，二十一世紀的推銷員之死！它見證了美式自由主義民主只是建立在個人主義、功利主義、消費主義之上，而無真實之「德行」作為引領人心，聯結社會之原則，是行不通的，就如儒家格言：「不誠無物」、「民無信不立」！喪失仁義誠信之基本原則與核心價值，即使有客觀運作之法治體制與日新月異之科技進步，也只是徒具形式，「金玉其表，敗絮其中」的空殼子與行屍走肉，必走向腐敗崩壞！在這意義下，普普藝術名言：「是什麼使今日的家庭變得如此不同，如此有魅力？」亦可解讀為一種幽默的調侃解嘲：「是什麼使今日的家庭變得如此不堪一擊，如此空洞無物？」亦如鮑伯狄倫的名曲〈像一顆滾石〉所描寫的：一個自以為前途無量的中產階級在一夕之間一無所有，流落街頭，淪為他向來

鄙視的街友！（今日的時髦稱謂叫「犀利哥」！）

　　最嚴重的問題是，「美國夢」的幻滅不只是美國人玩完了，而是全世界都跟著一起玩完！因為全世界都在做「美國夢」，都在追逐美式中產階級生活之消費與虛榮的光鮮表象！所以全世界都要跟著老美一步步走向「推銷員之死」的破產幻滅！現在流行點歌，就讓我們為今日的老美與世人再點一次〈像一顆滾石〉，祝大家早日加盟犀利哥俱樂部：

　　　當你一無所有　你也沒什麼好失去的
　　　現在你成為隱形人　你沒有什麼祕密好隱藏的
　　　感覺如何　感覺如何
　　　只剩下你自己　和一個沒有方向的家
　　　像一個全然的未知數　像一顆滾石

卷二

# 愛情、時尚、詩意
# 的現代性

# 第三章

# 運動、遭遇、宣言──論巴迪悟的愛情本體論與現代性三法則

　　根據法國哲學家巴迪悟的本體論，愛情並不是純屬主觀個人的情感欲望，而是一個「真理」過程，產生於某個情境中兩個軌道的偶然遭遇。此一純粹遭遇的「事件」構成了「兩個位置的分離選取」：男性位置與女性位置。此「分離」是一種「空」的間距運作，指向踰越整體情境之未知數。愛是一個純粹遭遇的「事件」，通過「空」之間距而構成「雙」的「性別化」過程。愛更是在事後對這兩個位置進行回顧性的命名與宣示，這就是「愛的宣言」：「我愛你」作為兩個位置的宣示命名與固定確認！愛作為一個「真理」過程，就是對純粹遭遇「事件」之事後「宣言」的「忠誠性」過程！

　　延伸巴迪悟的愛情本體論，吾人推演出「現代性」的三個愛情法則：運動，遭遇，宣言。在「現代性」的「內在性平面」上，戀人成為一個純粹在空間場所中移位的運動者，偶然機率碰撞的遭遇者，無可挽回的時間之衰竭疲乏的哀悼者，如一句法國諺語：L'amour fait passer le temps, le temps fait passer l'amour. 愛使時間流逝，時間使愛情流逝！巴迪悟從貝克特的小說發掘此現代戀人的「三合一」形象，推許其為最好的愛情小說。吾人則選擇杜哈斯的小說《愛》，張愛玲的散文〈愛〉，王國維的詞〈蝶

戀花〉（百尺朱樓臨大道），來詮釋印證這三個現代愛情法則。

## 壹、從張愛玲的〈愛〉到巴迪悟的愛情本體論

這是真的。

有個村莊的小康之家的女孩子，生得美，有許多人來做媒，但都沒有說成。那年她不過十五六歲罷，是春天的晚上，她立在後門口，手扶著桃樹。她記得她穿的是一件月白的衫子。對門住的年輕人同她見過面，可是從沒有打過招呼的，他走過來，離得不遠，站定了，輕輕的說了一句：「噢，你也在這裡嗎？」她沒有說什麼，他也沒有再說什麼，站了一會，各自走開了。

就這樣就完了。

後來這女子被親眷拐子賣到他鄉外縣去作妾，又幾次三番地被轉賣，經過無數的驚險的風波。老了的時候她還記得從前那回事，常常說起，在那春天的晚上，在後門口的桃樹下，那年輕人。

於千萬人之中遇見你所遇見的人，於千萬年之中，時間的無涯的荒野裡，沒有早一步，也沒有晚一步，剛巧趕上了，那也沒有別的話可說，惟有輕輕的問一聲：「噢，你也在這裡嗎？」

張愛玲：〈愛〉（張愛玲，75）

　　張愛玲寫過多少曠男怨女愛恨糾纏的傳奇情事，為什麼唯獨這篇三百餘字的小敘事被題為〈愛〉？這樣一段什麼也沒發生，純屬偶然與徒然的無端遭遇也可稱之為「愛」？吾人發現，法國

哲學家阿南・巴迪悟（Alain Badiou）以「事件」為核心的愛情本體論，提示了可與張愛玲的〈愛〉相互對照印證的思考線索。

巴迪悟首先指出：愛並不是個人主觀層面的情感、欲望、思念，而是一個「真理—生產」的過程（processsus de la vérité-production），產生於一個純粹遭遇的事件，作為對「情境狀況」一個偶然與額外的補充（supplément hasardeux à la situation）（Badiou 1992: 263）。在哪裡，兩個軌道遭遇交會，產生兩個位置的分離選取（disjonction des deux positions）（Badiou 1992: 257-258），男性位置與女性位置。此「分離選取」發生在兩個位置的「間距」（intervalle）之「空」（vide）中，有如一個情境狀況中的「未知」（l'insu）。（Badiou 1992: 269）

依照巴迪悟，一個既與的情境狀況，有其「建制之知識」（savoirs établis），而真理之生產作為一個事件性過程，就是在情境之核心如鑿洞般挖出一個逼臨「空」之邊界的「事件性位置」（site au bord du vide），作為該情境之「未知」或「非知識」。（Badiou 1992: 269）在愛情的真理過程中，此「非知識」就是兩個「性別化位置」的分離選取，這意味著：站在男性位置者永遠無法掌握女子位置之「知識」，反之亦然。[1]

---

1　關於兩個性別化位置之選取，有幾點巴迪悟並未明言，但吾人不難推論導出：一，男性位置與女性位置之選取與雙方之生理性別並無必然關係，雖然在大多數狀況中，雙方之生理性別與愛情——真理過程所產生的兩個「性別化位置」往往重疊。二，此模式亦涵蓋同性戀。在「愛情—真理」過程中，同性戀亦進入超乎生理性別之兩個「性別化位置」之選取。所以我們可以理解巴迪悟之宣稱「愛情在本質上是異性戀」：在愛情中，無分異性戀與同性戀，皆須進入兩個性別化位置之分離選取！）（Badiou 1992: 271）關於這點，吾人聯想到一個有趣的例證：羅蘭巴特的《戀人絮語》，眾所周知，巴特是同性戀者，但吾人閱讀《戀人絮語》時，幾乎察覺不出巴特所刻畫的愛

　　準此，「愛」作為「真理─生產」過程，並非「一」的結合，而是「雙」（le Deux）的分離，就是藉由「雙」之間距的「空」所產生的「性別化」過程（sexuation），被一種事後回溯性的命名（nomination rétrospective）所傳喚，一旦遭遇的事件褪色消失。這就是「愛的宣言」（déclaration d'amour）：

> 愛的宣言將一個詞置於情境中流通，這個詞提取於分隔男性位置與女性位置之無端間距（l'intervalle nul），「我愛你」使兩個人稱代名詞連結並列，「我」與「你」，原本依照情境中的分離選取是不能連結並列的。愛的宣言命名般地固定了遭遇事件，如同將分離兩個位置的「空」當作其「存有」。（Badiou 1992: 263）

　　延伸巴迪悟之論點，我們可以說：所有愛的宣言都是後見之明，總是說得太遲，而且近乎空洞多餘，言之無物。如果兩人已確定彼此相愛，心心相印，又何必再說「我愛你」；如果彼此都不確定，或純屬單戀，說「我愛你」則更屬唐突無意義。「我愛你」作為一句表白是近乎無意義的廢話，卻是一句不得不說的廢話。正如巴迪悟指出：

> 愛是對於原初命名的無休止的忠誠性（fidélité）。這是一個實質過程，重新評價經驗的整體，一段一段地遍歷所有情境狀況，依照其與「雙」的命名設定的關連性與去關連性。（Badiou 1992: 263）

---

情狀態和異性戀者有何差別！

　　一切要素都有了，於是我們了解為什麼張愛玲要去敘述一段什麼都沒發生的無端邂逅，並名之為「愛」！反之，巴迪悟的愛情本體論的隱晦奧義亦可透過張愛玲的〈愛〉而得豁然開朗之具體例示！

　　準此，〈愛〉開場的第一句表述「這是真的」就不僅是宣稱一段軼聞之「真人實事」性，更是在宣稱一個愛的「真理─事件」！整篇敘述呈現一段無端邂逅構成了兩個位置之「雙」的場景，作為附加到這名女子一生情境的一個額外偶然的補充。鄰家男孩的唯一對白：「噢，你也在這裡嗎？」蘊含著「我也在這裡」，作為對兩個位置的分離選取予以確認固定的命名活動，是不折不扣的「愛的宣言」！作為一句什麼也沒說的廢話，其空洞多餘正好傳喚見證了兩個位置的間距之「空」以及整個情境之「未知」：「噢，你也在這裡嗎？」發出了最純粹的「愛的宣言」，因為它宣示了兩個位置之分離選取的純粹狀態。而這名女子之後歷盡滄桑，卻仍不斷追憶這段偶然無端的邂逅，因為正是這純屬徒然與枉然的追憶，見證傳喚了對兩個位置之「愛的宣言」無休止的「忠誠性」，作為對她滄桑卑微一生之整體性的重新評價，即使是依循一種與兩個位置之設定純粹「去關連性」的方式！

　　愛是一個純粹遭遇的邂逅事件！我們發現，《詩經》唐風的〈綢繆〉對愛的純粹邂逅作出最淋漓盡致的抒情表達：

　　綢繆束薪，三星在天。今夕何夕？見此良人。子兮子兮，如此良人何！
　　綢繆束芻，三星在隅。今夕何夕？見此邂逅。子兮子兮，如此邂逅何！

綢繆束楚，三星在戶。今夕何夕？見此粲者。子兮子兮，如
此粲者何！

（《詩經》103）

　　這首〈綢繆〉或許是「邂逅」一詞最古老的來源。我們發現，將它與張愛玲的〈愛〉以及巴迪悟的愛情本體論並讀，相互對照印證，足以形成異曲同工，深刻動人的呼應共鳴！

　　根據巴迪悟的本體論的真理—事件觀：真理的生產是一種超乎主觀情感的事件性過程，卻可以產生特有的情感報償。愛的真理過程的情感報償是一種「幸福」（boneur）。[2]「今夕何夕？見此良人」正是表達一場難以置信的「邂逅」所產生的令人驚嘆不已的「幸福」感。「子兮子兮，如此良人何！」正意味著：真是太幸福了，簡直是幸福到不知道該怎麼辦！而產生這無比「幸福感」的，是「今夕何夕」這令人驚嘆的 X。這個 X 首先就是「良人」，就是邂逅的對象本身，那最美好的人兒。然後是「邂逅」的事件本身令人驚嘆（今夕何夕？見此邂逅）。最後是「粲者」。「粲者」是誰？「粲者」，發出燦爛光芒者也。因此「粲者」不是誰，不是某人，而是今夕邂逅的這個「良人」，今夕的這場「邂逅」本身所發出的燦爛光芒，令人驚嘆不已！能發出如此燦爛光芒者，就是巴迪悟所說的「愛之真理」！愛的「真理—生產」作為兩個軌道的純粹遭遇，就是這照亮「今夕何夕」的「粲者」！唯有愛之真理的燦爛光芒才能產生這令人驚嘆不已的「幸福感」，幸福到不知道該怎麼辦：「子兮子兮，如此粲者何！」

---

2　巴迪悟區分四種「類真理」（générique vérité），除了愛情真理，科學真理的報償是「樂趣」，藝術真理是「愉悅」，政治真理的報償是「狂熱」。

　　因此，良人，邂逅，粲者，都是「今夕何夕」中令人驚嘆的X，三者是同一個X，卻是同一個X的三個不同「向度」，構成一種層層剝露的漸進秩序：「良人→邂逅→粲者」，對應著「對象→事件→真理」。換言之，《詩經》〈綢繆〉賦予愛情本體論之「對象→事件→真理」之過程結構一個「良人→邂逅→粲者」的完美抒情形象，張愛玲的〈愛〉則將這「今夕何夕」的完美抒情形象開展為一個完美的敘事：「老了的時候她還記得從前那回事，常常說起，在那春天的晚上，在後門口的桃樹下，那年輕人。」彷彿有一道偶然交會的幸福之光照亮她歷盡滄桑的卑微一生！整個故事就是一個不斷重複「今夕何夕？見此良人」之原始驚豔場景的幸福敘事，不斷回到那令人驚嘆，幸福到不知道該怎麼說的X：「子兮子兮，如此良人何！」「如此邂逅何！」「如此粲者何！」而這不知道該怎麼說的驚嘆最後也只能是沒別的話好說，說了等於沒說的一聲輕嘆與一句廢話：「噢，你也在這裡嗎？」「你也在這裡」作為兩個位置之命名的愛的宣言！

　　這正是張愛玲的「現代性」，平凡無奇的「噢，你也在這裡嗎？」是對愛的真理光芒之「粲者」唯一的命名與定位！

## 貳、運動、遭遇、宣言：現代性的三個法則

> 我要考察人類的激情如同考察幾何學的線、面、體。
>
> 斯賓諾莎（Baruch de Spinoza），《倫理學》

> 我們不能擁有一條線，一個面，一個體，除非當我們的愛意占領它們。
>
> 普魯斯特（Marcel Proust），《追憶似水年華》

　　總結巴迪悟的「真理—事件」的「愛情」本體論，包含三個階段：兩個軌道的漫遊，偶然遭遇邂逅的兩個位置，事後命名兩個位置的「愛的宣言」。

　　延伸巴迪悟之論，我們可推演出「現代性」作為一個「內在性」平面（plan d'immanence）的三個向度：運動、遭遇、宣言。

　　一切開始於運動，開始於無數軌道的任意漫遊。為了產生兩個位置，必須有兩個軌道交會遭遇碰撞，讓運動剎車暫停。為了將兩個位置在事後固定下來，需要說出某種「你也在這裡」的「宣言」來確認命名兩個位置，這就是現代愛情故事的三部曲，三個不可化約的元素。為什麼是這三部曲？正如巴迪悟論貝克特（Beckett）小說，譽之為最好的愛情小說：在哪，總是有一種不斷質問「來去」（aller），「存有」（être），「言說」（dire）的「問題三聯式」（triplicité questionnante），貝克特小說中的「我」穿越這三個問題環節，有如一個被卡住的主體，卡在「來去」，「存有」，「言說」的間隔中，所以貝克特的人物總是同時作為一個軌道者（homme d'un trajet），不動者（homme d'une immobilité），獨白者（homme d'un monologue）。（Badiou 1992: 330）

　　軌道者，不動者，獨白者，剛好對應現代性的三個「內在性」平面：運動的平面、遭遇的平面、宣言的平面。但巴迪悟的「事件」觀完全以「遭遇」為前提，乃有如此的斷言：「在遭遇之前，什麼也沒發生！」（Avant la rencontre, il y a rien.）（Badiou）（Badiou 1992: 265）所以巴迪悟對運動問題本身幾乎不曾著墨。

　　但運動問題卻是最基本的，「現代性」開始於普遍的運動設定：將一切現象都還原化約為運動，將一切運動都還原化約為物體在空間中從A點移至B點的場所運動（local movement）。我們

的身體也只是在空間中運動的一個物體，我們生活在這個世界不外乎是身體與物體在空間中的場所運動。所以在「現代性」的「內在性」平面上，首先開始於兩個基本元素：物體的「形象」（figure）與「運動」。運動是一個最古老的哲學問題，形上學開始於運動之謎的沉思。但唯有「現代性」不再訴諸任何超驗的法則或動因（上帝或諸神之意志、命運之神秘力量），而直接訴諸內在於運動本身的力學定律。「現代性」開始於伽利略的「自然的數學化」，「現代性」就是解消所有神祕奧義與超驗密碼的普遍計算機制，運動力學定律是「現代性」的第一個「解咒除魅」的普遍計算機制，構成第一個「內在性」平面，一個純粹由物體的「形象」與「運動」所組成的幾何平面與運動平面，解消任何超驗幻象，唯有普遍的運算與推演。

這正是霍布斯（Hobbes, Thomas）與斯賓諾莎建立在「自然的運動本體論」（a movement-ontology of the Nature）之上的「激情的幾何學」（geometry of passions），構成了現代倫理學與政治學之真正哲學基礎！一種現代性的「建構主義」：將世界萬物的樣態情狀，包括人的行動與激情，都還原到最基本的平面與元素，運動與速度，再重新組合構成。

德勒茲與瓜達利的《千高原》亦遙承此「運動本體論」之建構主義立場，並延伸運用於二十世紀現代電影與前衛藝術的蒙太奇表現手法（montage）。例如，從齊克果（Kierkegarrd）的哲學思辨方式發掘出電影的元素：

> 一旦發出那塊偉的奇想：我注視的不外乎運動（je ne regarde qu'aux mouvements），他便以一種電影先驅之姿令人驚豔著迷，繁衍不同版本的愛情故事，循著變換的速度與緩

慢。（Deleuze & Guattari 1980: 344）

或是論普魯斯特之書寫風格的運動與速度：

女孩是什麼？一個女孩不外乎是一種「逃逸的存有」（être
de fuite），速度與緩慢的純粹組合，沒有別的。一個女孩總
是在速度與緩慢間姍姍來遲：她做了如許多的事，穿越如許
多的空間，相對於等待她的戀人的時間。於是女孩的看似緩
慢轉換為戀人等待的瘋狂速度。（Deleuze & Guattari 1980:
332）

這不是優美如王家衛電影的蒙太奇運鏡？「現代性」作為一
種激情的幾何學與動力學，有如最純粹的電影蒙太奇，將一切愛
情故事都還原為「形象」與「運動」，「速度」與「緩慢」剪接
組合的節奏與魅力！

一切開始於運動，就像是一部通俗愛情文藝片的典型開頭：
大街上車水馬龍，行人來去匆匆，交叉而過，在十字路口斑馬線
上或大樓的玻璃旋轉門，其倒影交錯，反映在地面積水或店面櫥
窗上。不要小看這個通俗的電影開頭，它的運動影像標誌著「現
代性」的開始。

眾所周知，西方現代政治學開始於某種「自然狀態」（state
of nature）的設定，作為先於「社會狀態」（civil state）的某種原
初狀態，一個可以重新歸零的零度原點。但真正界定「自然狀
態」的，並非霍布斯（Hobbes）的「所有人反對所有人」（all
against all.）的永恆戰爭狀態，亦非洛克（Locke）與盧梭
（Rousseau）的每個人各居一隅，自得其樂，互不相甘的自在和

諧狀態。真正界定「自然狀態」的是天地萬物無間斷的「永恆運動狀態」！但界定此「運動狀態」的，不是天上星體的運行，也不是地表的氣象變化，而是現代都市中往返來去的行人，日以繼夜，周而復始的日常街景。這才是最原始的「自然狀態」，最普遍的「運動—影像」，先於任何自然科學與現代政治學的假設，「現代性」開始於大街人潮川流不息，車水馬龍的普遍運動狀態，正如同一部通俗愛情文藝片的典型開頭！

　　一切開始於運動，一切在開始時不外乎運動。但只有運動是不夠的！想像一部電影，從一開始的行人街車來去匆匆，就這樣一直持續下去，什麼也沒發生，有這麼無聊的電影嗎？不！這是一部沒有開始的不可能的電影！所以，「一切開始於運動」意味著：一切開始於一個「沒有開始」的狀態。正是這「沒有開始的開始」構成了現代「運動」設定的基本詭論，無論是牛頓的古典力學的線性運動，萊布尼茲（Leibniz）的巴洛克世界的曲線運動，謝林（Schelling）的神話學的螺旋循環運動，直至尼采（Niezstche）的「永恆回歸」（eternel return）的萬古常新。而一切開始於現代都會街頭行人來去匆匆的無數漫遊軌道，這才是最普遍原始的「運動」背景，沒有開始也沒有結束的「永恆回歸」狀態！

　　一切開始於運動，但運動本身卻是沒有開始的！正如大街行人來來去去，永遠只是擦身而過，互不相干。那麼，要如何開始呢？我們知道通俗愛情片的慣用手法：必需讓男女主角遭遇撞上，偏離他們既定的軌道。為了讓故事開始，讓事件發生，必須有兩個軌道遭遇交會，讓來去匆匆的運動剎車暫停或減速慢下來，所以通俗愛情片表現男女主角的第一次遭遇，常會使用停格畫面或慢動作鏡頭，一個使「運動—影像」暫停或減速的「頓

挫」！

　　唯有兩個「體」的遭遇碰撞才構成「事件」！然則，從普遍的「運動」法則本身，我們推演不出任何「遭遇」的邏輯必然性。於是，必須引入「現代性」的第二個法則：將「遭遇」的原因歸之於純粹「機遇」的「或然率」計算！

　　所以巴迪悟說：「沒有天使！」這裡的「天使」意味著：存在著某種超乎偶然機遇之外的中介因素在決定安排兩個位置的遭遇邂逅，這樣的「天使」相當於中國傳說中的「月老」。因此，「沒有天使」意味著：不存在任何中介因素來保證兩個軌道必然遭遇相逢，只有純屬偶然的「機遇」碰撞。沒有百分之百的確定性，只有或多或少的「或然率」。「現代性」的第二個「內在性」平面：一個純粹「機遇」碰撞的「或然率」平面，沒有上帝，沒有天使，沒有月老，沒有命運，沒有緣份，沒有任何必然性與確定性，只有隨機巧合的碰運氣！

　　羅蘭巴特（Barthes）的《戀人絮語》寫道：「在我的一生中，我會遇到數百萬個的身體，我會對當中的數百個產生欲望；但在數百個身體當中，我會愛上的只有一個。」（Barthes 101）一個發生在現代街頭的機率碰撞模型：幾百萬分之幾百再乘以幾百分之一，也就是百萬分之一。現代愛情的發生機率大約就是百萬分之一，和中樂透的機率其實也差不多。在機率計算中，不存在100%，也不存在0。但在現實人生中，百萬分之一的機率雖然不等於0，其實是可以當成0來處理。然而，人是活在希望中的，正如每個買樂透的人都相信自己會中獎！巴特說在一生遭遇的數百萬個身體當中只會愛上一個，而照張愛玲的講法則機率更低：「於千萬人之中遇見你所遇見的人，於千萬年之中，時間的無涯的荒野裡，沒有早一步，也沒有晚一步」，其實對於現實人

生而言，千萬分之一和百萬分之一並無太大差別，都是趨近於0的不可能。

　　而且，怎樣才算是真正的「遭遇—邂逅」？王家衛電影《墮落天使》有一句台詞：「有些人你經常都會遇到，但你就是不想去認識他！」頗為好笑與無釐頭，可列為現代「機遇」法則的滑稽愛情公式！每天每天，在大街上，地鐵中，便利商店裡，我們有時就是會莫名其妙遇到一些不相甘的人，純屬巧合，沒有任何意義，有沒有遇到都沒差。這能叫做「遭遇」嗎？如果將「遭遇」界定為兩個身體，兩個軌道偶然的交會碰撞，這樣的交會碰撞必須產生一種「震驚」，讓兩個軌道產生瞬間的「頓挫」，餘波盪漾，形成兩個「驚豔」（choc）的位置。「現代性」的「愛情」公式：如何在一個普遍的「運動」平面上構成一個純粹的「遭遇」事件，一種猝不及防的「驚豔」？「運動」是使「遭遇」得以發生的先在條件，但只有「運動」是不夠的。一切開始於運動，但運動本身卻是沒有開始的！

## 參、杜哈絲的《愛》：沒有愛的純粹運動平面

　　我們已看到張愛玲的〈愛〉呈現了一個純粹的「遭遇」事件。在此，我們發現另一個有趣的反例：杜哈絲（Duras）的中篇小說《愛》（L'amour）呈現了一個純粹的「運動」平面，卻排除任何「遭遇」，任何「事件」，任何的「邂逅」與「驚豔」！

　　小說的開展進行採取電影蒙太奇的運鏡方式，所有的行動敘事都還原為人物與場景之間運動與靜止，速度與緩慢的純粹關係：一個男子看著沙灘和海，站著不動；遠處，另一個男子在海邊行走，什麼也不看。在看著海的男子的左邊，一個女子閉眼坐

著。這三個人自持如三角形的三個端點：「基於行走的男子不斷地，以同等步伐的緩慢，這個三角形自我解形，又重新成形，卻從未破碎。」「三個，他們三個在昏晦的光中，緩慢的網路中。」而他們在哪呢？「這裡是聖塔拉（S. Thala）直到那條河，...那整體，那沙灘，那海，那藍色城市，那白色城市，然後另一個也是白色城市，又是另一個：都一樣，他補充道，在那條河之後，這仍是聖塔拉。」整篇小說無關乎三個人物之間發生了什麼故事，而只是對三者位置之三角形變化進行純粹「形象—運動」的描述。聖塔拉就是這個不斷移形換位的三角形所在的「普遍平面」，它才是小說的真正主角，而非那三個無聊男女。聖塔拉就是「整體」（totalité），斯賓諾莎式的永恆的世界實體，運動與靜止，速度與緩慢之無限樣態變化（modification），身體與事物無限連鎖之情狀（affection）。（Duras: 1-10）

「我注視的不外乎運動！」杜哈絲小說的人物只做這件事，只注視運動，注視到無物可再注視！因此杜哈絲的《愛》是齊克果之愛情蒙太奇的實現，一旦達到一個純粹的運動平面，如同斯賓諾莎之無限實體的樣態情狀變化。斯賓諾莎的《政治論》（traité politique）寫道：「我考要察人類激情，諸如愛、恨、忿怒、妒嫉、野心，卑躬，以及其他的心靈擾亂騷動，不是視為人性之惡行，而是視為人性的一部分屬性，就如同冷熱，風雨，雷霆以及一切氣象皆屬於自然之大氣現象，即使令人不適，卻是必然的。」（Spinoza 1951: 288-9）杜哈絲亦何妨視為一種斯賓諾莎主義？

不，只有運動是不夠的！沒有遭遇，就什麼也沒發生，也就沒有事件，沒有愛。標題《愛》是一個反諷，在杜哈絲的《愛》中，我們看不到愛，甚至連性都沒有，因為所有的欲望與激情都

還原為大海，沙灘，海鷗，煙，以及整個大氣氣象的運動與變化。

## 肆、愛的宣言：時間與灰燼的法則

回到「現代性」的三個平面：「運動」，「遭遇」，「宣言」。我們已看到相應於前兩個平面，不再訴諸任何超驗幻象的「內在性」法則：「運動」的力學法則與「遭遇」的「或然率」法則。那麼，相應於「宣言」的又是什麼法則？

對於巴迪悟，事件就是真理之生產，「愛的宣言」作為「事後」的「忠誠性」過程，就是以「貫徹一致」（consistency）的堅持作為對愛的真理持續不斷的固定。巴迪悟的戀人作出「愛的宣言」，有如一個數學家一旦選定某套公理定理，必須貫徹一致地堅持奉行，以推演開展其研究探索，構成一個「吾道一以貫之」的強迫過程（forcing）。簡言之，對「愛的宣言」的忠誠是一種數學公理般貫徹一致的推演追尋。

所以巴迪悟不諱言將其「真理」觀設定為柏拉圖主義，指向無時間性的永恆與無限，進而主張：正是「時間性」與「有限性」的本體論設定困住了現代思想，衍生出各種頹廢主義、虛無主義與犬儒主義。（Badiou 1992: 90）

然則，「愛的宣言」作為事後的回顧命名，總是來的太遲！這個「事後」、「太遲」總已指向某種不可逆的「時間」法則，我們發現這就是熱力學第二定律「能趨疲」（entropy）！

我們知道「能趨疲」是熱能與時間的法則，是時間之不可逆的過渡（passage）與熱能之無可挽回的耗損，指向終極熱平衡之「絕對無差別」（indifference）的冷。而熱能是一種可以轉化

物體狀態之「差異」。假設有一物體X從A點移動至B點，轉變的不僅是X的空間位置，X本身的狀態也轉變了，這已不再是同一個X，同一個物體，乃至於A點與B點之間的整個狀態亦因X的移動而產生轉變。同理可推，假設X與Y在C點遭遇，那也不再是同一個X亦非同一個Y，因為不僅是兩個物體之間的運動量的傳遞，更關乎兩個物體之熱能狀態的相互轉換，因此也是不可計算，無法修復的熱能之喪失、浪費、耗損！而這就是遭遇邂逅之「驚豔」：為了構成兩個位置，兩個軌道的瞬間交會將碰撞磨擦出多少不可計算的熱能與耗損！

所有的事物都在時間中發生，所有的時間都是不可逆的過渡，無可挽回的耗損，無法避免的浪費！將時間之矢引入普遍的「運動」平面，熱力學第二定律「能趨疲」將現代世界轉換為一個傾斜平面，在其上，一切都走向老去，衰敗，死亡。就如曹丕〈典論〉云：「日月逝於上，體貌衰於下。」可這並不是抽象玄奧的科學公式或形上學原理，而是現代人的日常經驗，隨處皆可聽到的無奈感嘆：「好累啊！」「太疲倦了！」「睏死了！」

費滋傑羅將這日常的「好累啊！」推到極致，說出「當然，所有的生命都是一個崩潰的過程！」「現代性」成為無處不在，無可遏止的「大疲倦」與「大耗竭」，這是最後一個「內在性」平面，純粹的時間與死亡的平面，不斷耗散與傾斜的平面，不再有任何彼岸他生的寄托，就如李商隱詩云：「海外徒聞更九州，他生未卜此生休。」「能趨疲」是「現代性」的最後一個運算法則，去計算那無可計算的耗損與浪費，能量的耗損，時間的耗損，生命的耗損。

這「現代性」的「大疲倦」與「大耗竭」是斯賓諾莎之「神或自然」的永恆無限實體所不知道的，是尼采意識到並力圖以

「永恆回歸」學說來超越克服的。這並非偶然，十九世紀是發現熱能的熱力學時代，蒸汽機與工業革命的時代。但十九世紀同時也發現了熱力學第二定律「熵」（entropy），發現一切存在與生命都將走向能量的耗竭衰亡。所以十九世紀同時也是世紀末的頹廢時代，虛無主義與無政府主義的時代。根據法國哲學家瑟赫（Michel Serres），十九世紀的浪漫主義者力圖回歸自然與生命之本源，包括尼采的「永恆回歸」，都是為了超越克服熱力學第二定律的「能趨疲」時間。

　　延伸瑟赫之說，吾人可再添一筆：直到佛洛伊德的「死亡本能」（生命有機體的發展最終都是為了一再回歸到無生命的無機狀態，成為一種超越快樂原理的強迫性重複），仍是在重寫「能趨疲」的時間法則。[3]

**　　尼采的「永恆回歸」與佛洛伊德的「死亡本能」，二十世紀西方思潮兩個最大的謎，都是為了穿越這無處不在的熱力學時間之「大疲倦」與「大耗竭」！**

　　所以在杜哈絲的小說中，總是有一個非常疲倦的女子，隨時隨處不擇地皆可睏睡，沙灘，堤岸，草地，廢棄的空屋…。也總是有一個非常疲倦的男子，卻總是睡不著，飽受失眠之苦，終夜終日來回漫走如行屍與遊魂！持續將自我置於一種半睡不醒狀態，有如要死不活的活死人，持續一種無止盡的疲倦欲絕卻總是不會耗竭殆盡，這或許是杜哈絲超越「能趨疲時間」的方式，她獨有的「永恆回歸」的逃逸路線：「棲身在他的逃逸運動中，那無知者自我忘懷於無知。（L'ignorant, s'ignorant.）」

　　根據巴迪悟的愛情本體論，愛作為一個貫徹「真理—生產」

---

3　Serres, Michel, *La distribution*,（Paris: Minuit, 1977), 123.

的「忠誠性」過程是無時間性的。然則，一旦置於「能趨疲」法則下，我們必須說：愛的真理必然是一種時間的真理，愛的「真理—生產」過程必然產生於不斷消逝的時間過程中！逝者如斯夫，不舍晝夜！日月逝於上，體貌衰於下！愛的「真理—生產」同時是一種不可逆的時間耗費——生命的耗費，能量的耗費，青春與肉體的耗費。

巴迪悟的柏拉圖主義設定是無時間性的，但我們卻無法不面對時間，無法抗拒生命與青春的耗費。如果愛無可避免地產生於時間的耗費，它怎能不是一種有限的真理，不斷消磨耗損的真理，令人疲倦欲絕的真理？

在巴迪悟的「愛情—真理」過程中，我們必須加入普魯斯特式的「時間」要素，而且是「失落的時間」。依據德勒茲的神奇詮釋：愛就是「失落的時間」（le temps perdu），我們不可免俗地要耗費大量時間，來學習解讀愛情的符號與真理：「是愛情的符號蘊含著最純粹的失落的時間。」「愛情無間斷地預示它自身的消亡，導出它自身的解體。」（Deleuze 1964, 18-9）

因此，現代性的愛情法則最終必然是時間與能趨疲的法則。一個法國作家寫道：「愛情使時間飛逝，時間使愛情飛逝。」（l'amour fait passer le temps, le temps fait passer l'amour），準確地置定了普魯斯特之「愛＝失落時間」的現代方程式。如果愛的宣言總是不可避免地來得太遲，那是因為人們總是在愛情中莫名其妙，不知不覺地虛擲時光。所以愛情也在時光的虛擲中，莫名其妙，不知不覺地消磨殆盡，飛逝無蹤。所有愛的宣言都是時間的痕跡，衰颯的徵兆，遲來的見證，見證著愛情與時間比翼飛逝中驀然驚覺的無謂呼嘆哀悼！

**運動，遭遇，宣言。軌道者，不動者，獨白者。現代世界的
戀人只能是一個在空間場所中運動移位的純粹漫遊者，偶然機率
碰撞的純粹遭遇者，無可挽回的時間之衰竭疲乏的純粹宣言者。**

　　再次借用德勒茲的電影哲學：如何從「運動—影像」走向
「時間—影像」？愛的宣言是一個純粹的「時間—影像」，但不再
是德勒茲的「結晶—影像」，而是德希達的「灰燼—痕跡」。正
如愛情肥皂劇的台詞：愛是鑽石，還是灰燼？
　　也許鑽石留給德勒茲，因為在德勒茲的時間中，總是有一個
當下的「現在」在不斷成為「過去」。但也總是有一個潛存的
（virtuel）純粹的「過去」，與「現在」共存同在（co-
existence），永遠也不會「過去」。所以實際的「現在」與潛存的
「過去」同時並置，進入一個「不可區辨」的界面，成為可相互
交換溝通，相互攝入鑲嵌的晶體迴路（circuit）。每一個當下的
「現在」都是「逝者如斯」，無間斷地「過去」。但有一個潛存的
「過去」卻像一面移動的鏡子總是伴隨著「現在」，使每一個
「現在」在當下分裂為它自身的鏡像與分身，成為它自己的記
憶。透過時間的「結晶—影像」，我們看到每一個「現在」在
「逝者如斯」的同時也通過時間的晶體迴路，遁入純粹「過去」
的鏡面，留下永恆潛存的記憶影像，永遠也不會過去（Deleuze
1985: 111），這就是德勒茲的鑽石。
　　而德希達的「逝者如斯」只留下灰燼，因為德希達的時間是
熱力學的「能趨疲」時間，是能量與熱的不斷耗散，燃燒殆盡。
存有即時間，時間卻是無可挽回的燃燒耗散消亡。德希達說：
「沒有灰燼是沒有火的。」（Derrida, 46）灰燼預設了火與燃燒。
一切存在，一切生命，在不斷燃燒耗散的熱力學時間中，就如元

人劉因的散曲〈黃鐘人月圓〉所描述的：「茫茫大塊洪爐裡，何物不寒灰？」

　　愛等於「失落的時間」，愛的宣言作為純粹的「時間─影像」只能是德希達的灰燼。王國維的〈蝶戀花〉呈現了這樣一則「愛情＝時間＝灰燼」的愛的宣言：

> 百尺朱樓臨大道。樓外輕雷，不問昏和曉。獨倚闌干人窈窕，閒中數盡行人小。一霎車塵生樹杪，陌上樓頭，都向塵中老。薄晚西風吹雨到，明日又是傷流潦。
>
> （王國維，74）

　　整首詞有如現代愛情片的場景調度與蒙太奇運鏡，展現一幅時間法則與愛情法則下的現代生活圖像：如何從街車行人川流不息的現代都會的普遍「運動─影像」中（百尺朱樓臨大道。樓外輕雷，不問昏和曉），構成一個愛情的「時間─影像」。整個故事推演著「愛＝失落時間」的現代方程式：愛情使時間飛逝，時間使愛情飛逝。但在這裡，愛的宣言的「遲來」不再指向「過去式」，而是指向一種「假設未來式」（futur conditionnel）的奇異時態。兩個位置的確認命名作為「事後」的回顧，在此轉換為對未來的無盡等待。「假設未來式」是一種等待的時間，對不確定未來的無止盡等待，等待那近乎不可能的「邂逅─驚豔」（獨倚闌干人窈窕，閒中數盡行人小）：它或將永遠不來，或將來得太晚！戀人的時間就是等待的時間：閒中數盡行人小！這是何等空虛無聊的消磨時光，因此是最純粹的時間形式本身，我們的一生不就在某些漫無止境的空洞等待中消磨殆盡？而即使真有那麼一天，等待的人終於來了，卻總是來的太遲太晚了！兩個軌道，兩

個位置（「陌上」與「樓頭」）在瞬間的「邂逅—驚豔」，終究只是徒然與茫然的車塵飛揚（一霎車塵生樹杪，陌上樓頭，都向塵中老）！這是最純粹的時間的灰燼，愛情的灰燼。命名兩個位置的「愛的宣言」，也只能從漫無止境的空洞等待轉換為無限憾恨的哀傷悲悼：「薄晚西風吹雨到，明日又是傷流潦。」就如德勒茲所言：「愛情無間斷地預示它自身的消亡，導出它自身的解體。」戀人等待的時間作為一種「假設未來式」，從不確定的無聊焦慮轉換為一種「明日又是」的確定語氣，卻是宿命絕望，無盡哀傷悲悼的「傷流潦」，以此宣洩淨化時間與愛情的灰燼！

## 伍、結語：另一種「遭遇」與「重複」

如果王國維的〈蝶戀花〉太悲觀絕望了，何妨一讀蘇東坡的〈蝶戀花〉：

> 花褪殘紅青杏小。燕子飛時，綠水人家繞。枝上柳綿吹又少，天涯何處無芳草！
> 牆裡秋千牆外道，牆外行人，牆裡佳人笑。笑聲不聞聲漸杳，多情卻被無情惱。

（蘇軾，86）

現代愛情文藝片典型的平行蒙太奇鏡頭：牆裡盪秋千的佳人與牆外路過的行人，兩個各自漫遊的軌道偶然漸行漸近，看似就要交會，卻並未發生真正的遭遇邂逅，因此牆裡與牆外並未形成兩個位置成「雙」之「驚豔」場景，而仍是各自漫遊的兩個軌道，終至漸行漸遠，互不相干（笑聲不聞聲漸杳）。問題似乎是

因為有一牆之隔，但其實不是。正如王家衛的電影台詞：「有些人你經常都會遇到，但你就是不想去認識他！」同理可推：「有些人你很想遇到，但別人就是不想認識你！」所以才會「多情卻被無情惱」！

怎麼排遣這無端惱人的挫折懊悔呢？曠達的蘇學士已預先給了一個眾人耳熟能詳的幽默解答：「天涯何處無芳草！」期待預約下一次「邂逅－驚豔」的無限可能性。不要小看這解嘲調侃的玩笑話，它蘊涵著另一種「愛情－真理」觀，將巴迪悟的一次性「遭遇」的「忠誠性」事件轉換為普魯斯特的可無限重複的「愛的系列」，就如德勒茲所提示的：「本質被體現在愛情的符號中，但必然以一種系列的形式，因此是普遍的形式。」（Deleuze 1964: 75）愛是一個無稽的重複系列，每一段愛情都是對前一段愛情的重複與模仿，甚至是對他人愛情的重複與模仿，所以包括初戀都已然是一種重複：

> 每一次，我們所重複的是一種特殊的痛苦，但重複本身卻是愉悅的，重複的現象形成一種普遍的愉悅。更好說，現象總是不快的與特殊的，但從其中抽取的觀念卻是普遍的與愉悅的。關於所重複者有某種悲劇性，但重複本身卻是喜劇性的。我們從我們的絕望中抽取一個普遍的理念；這是因為理念是原初的，總已在那裡，作為系列的法則就在其初始項目中。（74）

> 我們所愛的人使我們痛苦，一個接一個地，但他們所形成的斷裂之鍊卻是一種智識上的愉悅奇觀。然後，由於智識力，我們發現我們一開始所不知道的事物，我們總是在學習解讀

符號的學徒過程中，當我們認為正在虛擲時光。（24）

「天涯何處無芳草」意味著，愛的重複是一個無稽的喜劇系列！

現代世界的戀人只能是一個在空間場所中運動移位的純粹漫遊者，偶然機率碰撞的純粹遭遇者，無可挽回的時間之衰竭疲乏的純粹宣言者。但透過「天涯何處無芳草」的不限定的重複與期待，他可以將這一切都轉化為一個不斷驚豔的愛情喜劇系列！

### 附錄
# 懷人──代擬臉書戀歌一首

　　　　　　　　　　　西北有高樓，上與浮雲齊
　　　　　　　　　　　　　　　──古詩十九首

　　　　　　　　我走過許多的橋　看過許多的雲
　　　　　　　　我卻在妳最好的年齡遇見了妳
　　　　　　　　　　　　　　　　　──沈從文

我有一個心愛的女孩
她有一隻貓

她的貓喜歡整天傍著窗邊　凝望窗外的行雲
我心愛的女孩喜歡整天打開她的臉書視窗
晾曬她雲淡風輕的幸福　飄揚如衣的心事

（那時　我正穿過車塵飛揚的陸橋
眺望　敻藍的雲空
以及雲那邊　迢遙縹緲的高樓）

我有一個心愛的女孩　她的臉書是一隻無端凝望的貓
貓眼時時變幻著　深敻飄渺的天光雲影

長日悠悠　她在雲那邊　懸起一條　無端的曬衣繩
晾著她悵然欲滴的思念　靜待風乾的閒愁

（那時　我正傍著車窗上滑過的　暮色霞影　萬家燈火
凝望窗那邊　自己的側影
以及雲那邊　她縹緲的樓台　如夢的欄杆人影）

我有一個心愛的女孩
也不知道她整天在想什麼
她有一隻貓
也不知道牠整天在看著窗外的什麼

（我走過許多的橋　看過許多的雲
有一天　我將偶然走過她的樓下　走進她的貓凝望著的窗外風景
我將在她最好的年齡遇見她　走進她如夢的陽台欄杆）

有許多女孩在臉書上曬幸福
有許多隻貓在長日悠悠的無端閒愁裡
只有我會遇見她和她的貓

如果有一天　她把她心愛的貓送走了
魚與魚相忘於江湖
她和她的貓將相忘於　雲漢悠悠的無垠藍空

（那時　我將化身為她遺忘的貓　悄悄走出
她的臉書　她的視窗　她縹緲如夢的陽台欄杆

回到一個永遠不再的年代　在無垠的藍空下
去走許多的橋　去看許多的雲
在另一個最好的年齡　重新遇見她）

——重讀瘂弦詩〈懷人〉有感，借用 mv 手法，蓉子、夏宇詩句，
陳昇歌詞，僅記。

第四章

# 從波特萊爾的「時尚現代性」走向現代藝術的四種「詩意現代性」

　　如果「現代性」（modernity）即現代社會與現代生活之普遍特性，那麼，西方歷史上推動現代社會演化的各種思潮運動──文藝復興、巴洛克、啟蒙運動、洛可哥、浪漫主義、現代主義，皆形塑了「現代性」的某一面相。

　　如果說十九世紀浪漫主義是對十八世紀啟蒙運動之反動，那麼，產生於十九世紀末的「現代主義」則是「後浪漫主義」的產物，將「現代性」問題帶入一個「左批啟蒙／右批浪漫」之二律背反的複雜辯證。被視為現代主義之父，波特萊爾的偉大在於提出了一個廣袤開放的現代主義典範，指向一種與時俱遷，無所不包的「時尚現代性」（modernity à la mode），幾乎預示涵蓋了二十世紀所有文學藝術的潮流運動。

　　波特萊爾之後，吾人進一步區分出蘊含在現代文藝思潮運動中的四種「詩意現代性」：根據巴迪悟之詮釋，馬拉梅的狹義現代主義指向一種刪減還原的「抽象現代性」，追求藝術之內在本質的「純粹城堡」；韓波的前衛運動指向一種「行動現代性」，打破任何體制與領域之區隔藩籬，將藝術重新帶回生活；根據海德格之詮釋，賀德林之「終極浪漫主義」的「深淵現代性」；根據德勒茲與瓜達利之詮釋，克利之「宇宙現代性」同時釋放物質

之能量與人民之集體爆發力。

## 導論：「啟蒙／浪漫」的「二律背反」

我們可將「現代主義」（modernism）界定一個基本的「問題性」（problematic）：如何批判啟蒙運動的全面「理性化」（rationalisation），而又不落入浪漫主義的非理性深淵？

在這意義下，黑格爾是第一個現代主義者。他同時批判啟蒙運動流於形式化與抽象化的理性主義，以及浪漫主義的非理性反理性訴求，而訴諸一種更為整全、實質、具體的辯證理性（dialectical reason）來超越啟蒙運動與浪漫主義。哈伯瑪斯的「溝通行動理論」則是黑格爾式現代主義一個著名的當代版：他同時批判西方現代社會之「理性化」過程所蘊含的「主體中心」的工具理性的系統宰製，以及後現代主義中各種「脫中心化主體性」的反理性潮流，而高標「溝通理性」（communicative reason）的「共同主體性」作為「現代性方案」未完成的一面，以同時超越現代化的弊病與後現代主義的反動潮流。

我們未必要接受黑格爾與哈伯瑪斯此一「左批啟蒙運動的抽象理性，右批浪漫主義的非理性，而訴諸一種更整全的理性主義以超越之」的解決方案，但「啟蒙 vs. 浪漫」「理性 vs. 非理性」的「兩難」（dilemma）則構成一個無可回避的基本「問題性」。所以，「現代性」（modernity）不能只是狹義地界定為啟蒙運動式的理性主義，還應包括反啟蒙的浪漫主義。「現代性」既是啟蒙理性的「解咒除魅」，同時也是浪漫主義的「再魔魅化」。浪漫主義是伴隨著「現代化」過程的一種「反現代」的現象徵候，是「現代性」獨有的悖論吊詭。浪漫主義是「現代性」揮之不去

的「陰影」，一個如影隨形，陰魂不散的「分身」（double）與「複像」，如同梅菲司特伴隨著浮士德。《魔戒》或《哈力波特》的流行均可視為一種浪漫主義現象，在「解咒除魅」的現代社會重新喚回一種「再魔魅化」的「分身」。

　　在這意義下，「現代主義」作為在文學、藝術、思想上回應「現代性」的一種姿態與策略，其重點就不只是批判啟蒙以降的理性化過程，同時更要超克作為啟蒙對立面的反理性非理性的浪漫主義潮流。啟蒙運動與浪漫主義作為現代性的一體兩面，構成了一個不可解的「理性／非理性」的「二律背反」（antinomy）。存在哲學家雅斯培賦予這個「二律背反」一個通俗而詩意的形象：「白日的法則vs.黑夜的激情」（Jaspers: 321），正如同喬哀斯的《尤理西斯》是一本「白日之書」，《芬尼根守夜人》則是一本「黑夜之書」。雅斯培說，這是人的「存在」（existence）面對「超越性」（transcendence）的一種基本姿態：法則、形式、秩序vs.無形式的混亂渾沌。這個「二律背反」的基本存在姿態不只是思辯問題的「悖論」，更構成實際生活中進退維谷的「兩難」，人的「存在」總是永遠擺蕩於理性的根據、基礎與非理性，「不知伊于胡底」的深淵、地獄。現代主義就是在「白日法則vs.黑夜激情」的「兩難」煎熬下，所採取的各種回應的姿態、策略、方案，所寫下的各種「白日之書」與「黑夜之書」。

　　所以大部分的現代主義都萌生於浪漫主義的土壤，與其有錯綜糾結的血緣系譜關係。往往一開始時都曾沈浸在某種「不知伊于胡底」的激情深淵中，但也都經歷過一個「告別浪漫」的決裂與轉向過程。尼采的反華格納是一個典型的例子，象徵著尼采本人與整個德國浪漫主義傳統的決裂。他批評華格納歌劇是「歇斯底里」，神經質官能症，正是在批判浪漫主義作為一種現代性症

候。波特萊爾與馬拉梅也都是通過某種「告別浪漫」才產生他們
獨特的現代主義風貌。我們可以說，告別浪漫主義的黑夜激情，
是成就現代主義必須付出的思想賭注與存在代價。但浪漫主義絕
不因此遠離，它成為一個不斷回返，揮之不去的陰影。所以，如
何面對浪漫的激情與陰影，是現代主義永遠的賭注與冒險。

## 一、波特萊爾：一種「時尚現代性」

在今日，談論文藝領域的「現代性」問題，不可能不指涉波
特萊爾（Charles Baudelaire）。[1]我們知道他的著名定義：「現代
性，這是瞬息萬變者（le transitoire）、易逝者（le fugitif）、偶發
者，這是藝術的一半，它的另一半則是永恆者與不變者。」「它關
乎從時尚流行（la mode）中釋放出其所能包含的歷史中的詩意，
從瞬息萬變中提取永恆。」（Baudelaire, 355, 354）這一切似乎指
向一種居於「現代性」核心的「事件性」（événementialité）——
瞬息萬變者、易逝者、偶發者、時尚流行者，同時也指向一種居
於「事件性」核心的「空虛性」（nullité）。波特萊爾的現代性包
含著此一基本姿態：要從瞬息萬變的時尚流行中提取永恆的美。

---

1　吾人在此只探討波特萊爾在其藝評中所呈現之「現代性」模型。至於波特賴
　爾的詩（《惡之華》、《巴黎的憂鬱》）所呈現的則是另一種「現代性」模
　型。吾人發現它可歸為班雅明（Walter Benjamin）在《德國哀悼劇之起源》
　中所重構的巴羅克廢墟美學之「頹廢現代性」，包含三個環節：「廢墟」
　（「存在」整體之崩塌），「寓言」（破碎迷離之「表徵」形式），「憂鬱」（哀
　莫大於心死之主觀意識）。班雅明提示了一種「後浪漫主義」之「寓言體現
　代主義」（allegoric modernism），波特賴爾，普魯斯特，卡夫卡，喬哀斯
　（Joyce, James, 1882-1941），艾略特（Eliot, Thomas, 1888-1965）均屬之。參
　考，萬胥亭：〈班雅明的廢墟美學〉，《德勒茲‧巴羅克‧全球化》，臺北：
　唐山書局。2009年。

〈現代生活的畫家〉指出：「群眾是他的領域，如同天空是鳥的領域，水是魚的領域。他的激情與他的專業，就是結合群眾（épouser la foule）！」此結合群眾之姿態標示了「現代性」必須作為一種「群眾」原理與「人民」原理。而能推動「結合群眾」者，正是 la mode，時尚流行。

波特萊爾是真正的現代主義之父，不是馬拉美（Mallarmé）或格林柏格（Greenberg）式的狹義現代派，而是一種普遍的現代主義，正如同馬克思與恩格斯的〈共產黨宣言〉可被解讀成第一篇〈現代主義宣言〉：

> 馬克思，波特萊爾等人致力於捕捉此一正運作於人類的世界性—歷史性過程：將社會與經濟的混沌能量轉換為一種新的意義形式與美感形式，新的自由形式與團結形式：幫助他們的同胞與他們自己同時成為現代化的主體與對象。（Berman, 175）

正是從此一現代生活之混沌能量的核心，波特萊爾樹立了一種普遍的現代主義，有如一篇「對所有未來藝術之序論」（Prolegomena）。「結合群眾」是前衛先鋒派（avant-garde）的卓越令式。「一種龐大的至樂，直如安居樂業，在數字中，在閃光中，在運動中，在逃逸與無限中」，這不正是前衛先鋒運動作為二十世紀初「群眾—物質」團塊（masse）動能之集結與釋放？而從瞬息萬變的時尚流行中釋放出永恆的美不正是普普藝術之理想？「因此這普遍生活的熱愛者走入群眾就如同通向一巨大的電力貯存所（immense reservoir d'electricité）。吾人亦可將之比擬於一面與群眾等大的鏡子，或一個被賦予意識的萬花筒，在每一運

動中，表現多采多姿的生活以及生活中所有元素動態的優美。這
是一個不滿足的非我之我，在每一瞬間用比生活本身更生動的影
像促成之，表現之，總是不定與逃逸。」（Baudelaire, 1976: 352）
韓國錄像藝術家白南準曾說：「杜象預見了一切，除了錄影藝
術。」而當波特萊爾寫道：「走進群眾就如同通向一座巨大的電
力貯存所」、「一面與群眾等大的鏡子，或一個被賦予意識的萬
花筒，在每一運動中，表現多采多姿的生活以及生活中所有元素
動態的優美。」他確乎預見了二十世紀六〇年代的多媒體錄像藝
術。此外，設定一種「哲學藝術」：「那些場所，裝飾，傢俱，
用具，一切都是寓言，引述，象形文字，字謎。」並將藝術哲學
家Chenavard視為「頹廢時代的偉大心靈」「時代的妖異符號」，
他也預見了一種較之杜象與柯述思（Kosuth）都更為深刻的「概
念藝術」。描述現代畫家：「這個賦有主動想像力的孤獨者，總
是旅行穿越人性的偉大荒漠」，他幾乎預見了六〇、七〇年代美
國的「地景藝術」（Land Art）與垮掉一代（Beat Generation），
如李察朗（Richard Long）穿越秘魯沙漠，凱魯亞克（Kerouac）
的公路小說《在路上》，溫德斯（Wenders）的公路電影。波特
萊爾的確以一種較之杜象更為深刻複雜的方式，預見了未來所有
的藝術！

　　然而，波特萊爾的「瞬息／永恆」二元張力，似乎仍顯得過
於古典，也過於浪漫。在此，吾人嘗試將波特萊爾的「瞬息／永
恆」二元張力重新寫入德勒茲（Gilles Deleuze）之「事件本體
論」更為現代之理論脈絡。

　　1.「現實／潛在」（actuel/virtuel）：現代性切分為兩半，不是
「瞬息／永恆」，而是「現實／潛在」。「現實」指實際的情境狀
況，某個獨特場域，「潛在」指一普遍結構。現代性作為一自我

批判事件，一方面實現於不同領域部門，在不同時代，不同國度，但另一方面又包含一潛在的普遍事件，穿越所有的領域，所有的國度，所有的時代，如德勒茲所言：「這些事件是理想的特異性，溝通傳播於唯一與同一的大事件。」

2.「特異／普遍」（singulier/universel）：現代性作為一個特異事件，發生在西方近代—文藝復興，宗教改革，啟蒙運動，現代科學，資本主義，民主政治，工業革命等等；而作為一個普遍事件，現代性穿越所有時代，所有國度。人們總是可以在古代與東方發現某些非常「現代」的事物，就如波特萊爾所言：「對每一個古代畫家，存在著一種現代性。」

而現實獨特之情境與普遍潛在之結構在「時間的空洞形式」中疊合為一：「一切事物皆在時間的形式中變滅，但時間的形式本身卻是不變的。」唯有時間可以「同時」是現實的與潛在的。因此波特萊爾的現代性正是一個德勒茲式的時間「晶體—影像」（image-cristal）之雙面體，在其中「現實面／潛在面」不斷地相互重迭，相互交換！

3.「精采／尋常」（remarquable/ordinaire）：人們常說的「永恆」往往是指某個非比尋常的精采時刻，一種強度的時間，超乎世俗時間的神聖時刻，而世俗時間是短暫易逝的，偶然過渡的。因此波特萊爾的「瞬息／永恆」指向一種現代性的轉換：人們發現精采的強度時間，並非超越於，而是內在於日常世俗時間！

4.「差異／重複」（différence/répétition）：所有問題可寫進此一主要詭論：一方面，現代性是新穎，創造，反叛，與所有傳統的決裂；另一方面，如果它是真正的新穎與創造，它本身即成為一個「傳統」，一個「創新的傳統」、「反叛的傳統」、「決裂的傳統」。用波特萊爾的話說，它成為「永恆」。更有甚者，假如

對每一個古代畫家存在著一種現代性，我們可以反過來說，一個現代畫家的現代性總已在重複一個古代畫家的現代性，正如馬克思所說的：法國大革命在重復古羅馬共和革命，正如同時尚流行在重複古代服飾。

在法國當代的「差異哲學」中，有兩種方式來置定「差異／重複」之詭論：德勒茲與德希達（Jacques Derrida）。德勒茲說：唯有差異才能重複，一首好的樂曲必然被不斷重複，以不同的詮釋方式。一個好的詮釋應該本身就是一種創造，一個真實的重複應該標誌它的差異，否則就不值得重複。所有的重複做出差異，所有的重複都是第一次被執行。

德希達則說：所有的差異總已經是一種重複，總已經是對某一傳統，某一語言之延異地引述。所有的原創都是重複，所有的原本都是痕跡。並不存在所謂的「第一次」，一切總已經是第二次，第三次……。

現代性因此是一個「差異／重複」之詭論，被不限定的重複與延異。

## 二、韓波vs.馬拉梅，先鋒派vs.現代派

假如波特萊爾值得名為現代主義之父，那是因為他提示了一種美學與詩意的現代性，比他的追隨者更為廣泛、深刻、複雜。在波特萊爾之後，韓波與馬拉梅重複此詩意的現代性問題，發展出兩條分歧的路線，界定了現代藝術的兩大潮流：先鋒派（avant-garde）與現代派（modernism）。換言之，韓波與馬拉梅的差異標示了現代藝術流派系譜學最原始的支派分流。法國哲學家巴迪悟（Alain Badiou）有兩篇有趣的論文：〈韓波的方法〉與〈馬拉梅的方法〉，吾人從中發現了最直接，最快速的「方法」來分析現

代藝術系譜之原始分流。按照巴迪悟的說法，韓波的方法是「中斷」（interruption），馬拉梅的方法則是「刪減」（soustraction）：

> 因為二者皆是事件之詩人—思想家，思考其懸而未決性。二者皆在巴黎公社工人革命之碾碎中所開啟的無調時間中，以詩的思考尋找一種乍現，痕跡，啟蒙之堅持，以一種純粹呈現，即使是第二度啟蒙。二者皆在一種「已然發生」的事件神聖性中發現詩的起源，此「已然發生」異質於存有之瘖啞與晦暗的陳列。（Badiou: 151）

　　面對事件的懸而未決，二者採取不同的決定。馬拉梅的「刪減」是一種分離與孤立的運作，反對連繫、關係、熟悉、相似、鄰近之黏著幻覺（俗見本身）。它歸於「例外」之國度，在哪，思想堅持一種保持距離的永恆性。擲骰子者的懸而未決使一個星座乍現。遺忘與廢棄之冷的星座，它正是在數字中的存有之靈視。它被一種長遠的精准推算所征服，因此整個馬拉梅的事業是一套「耐煩」的設置（dispositif），它關乎一種工作，一種「局限行動」（action restreinte），諸如詩，以一種懸而未決改變思想，將事件隱喻化。藉由此「局限行動」，一種「類真理」（véréité générique）自承為真，如同一種耐煩之特異性，在其程式之孤立中，從不自我消解於它所寄存的情境中。馬拉梅乃成就一種絕對耐煩之詩學形象。

　　相反的，韓波的「中斷」屬於「不耐煩」之法則。「不耐煩」作為一種思想姿態，無法滿足於局限行動與類真理，而是要延伸至與整個情境共同擴延的真理，要不就消失於它的中斷。此一中斷是真理在整個經驗廣度中的瞬間擴散，一種宇宙的選取，

藉由它，純粹呈現來到表象的盡頭。它關乎一種猛烈的速度之設置：「快，還有別的生活嗎？」巴迪悟寫道：「為什麼要快，如非為了統一其力量以抗拒污泥與公廁之引力，其為平息與廢棄的存有之詩，這就是不耐煩之指令嗎？」中斷是一種不耐煩，運用於抓住與懸置懸而未決性。（Badiou: 151）

　　此韓波式的猛烈中斷能挑起最快速的前衛運動急先鋒，使藝術去疆域化，將藝術帶離其邊界，直到整個社會場域，甚至整個存有場域，即使是平息與廢棄之存有，在革命的碾碎之後。「快，還有別的生活嗎？」為什麼要快？若非為了「改變生活」？這就是速度與不耐煩之指令，為所有未來的先鋒前衛派，不管是前衛藝術還是前衛政治，做出猛烈決定要打碎任何領域部門之框框，中斷任何局限行動，釋放出無止盡的去疆域化運動，朝向絕對的域外（dehors）。這並非偶然，「改變生活」曾是巴黎68五月革命的口號標語。68五月無非是整個社會場域之所有局限行動的大中斷，因而是二十世紀最大的一場前衛運動！所有的革命來自一種不耐煩的中斷，為了採取最快可能的路線，相反於改革主義。韓波的不耐煩使他自己成為詩的逃兵與叛離者，但也使他成為二十世紀所有前衛運動的「昏暗前鋒」（précurseur sombre）！

　　馬拉梅的耐煩詩學則是站在現代主義這一邊，就其關乎工作，關乎一種緩慢與無止盡的勞動，要建構一個「格柵」（grille）來護衛藝術之本質，藝術之純粹性與自主性。相反于前衛先鋒派的打破框架與去疆域化，現代派則是過度框架與過度疆域化，朝向藝術的絕對內在，一「純粹城堡」。馬拉梅的「刪減」提供了現代主義最深刻的定義：反對連繫之幻象的分離與孤立，堅持一種保持距離之永恆的例外，遺忘與廢棄之冷酷星座作

為數字中的存有之靈視，所有這些不正是抽象藝術與概念藝術的最佳定義？巴迪悟說：馬拉梅的勝利是「字」（lettre）的全面擴張，「為了永恆的羊皮紙」。二十世紀的現代派，包括馬拉梅自己的純粹詩學，格林柏格的純粹繪畫，柯述思的概念藝術作為定義藝術之概念的純粹套套邏輯命題，都是「為了永恆的羊皮紙」！

馬拉梅的極度耐煩的「刪減」可視為一種「抽象」（abstraction），堅持藝術作為一種局限行動之自主性，不惜隔離還原藝術之純粹內在本質。韓波的極度不耐煩的「中斷」則可視為一種「行動」（action），為了中斷包括藝術在內的所有局限行動的區隔藩籬，打破任何體制領域之框架，不僅要將藝術帶回生活，更要將生活從所有的框架區隔中解放出來：「改變生活」「快，還有別的生活嗎？」，亦如一句通俗廣告詞：「心動不如馬上行動！」

## 三、「大地」或「宇宙」

作為先鋒派的「昏暗前鋒」，韓波的不耐煩詩學提示了一種「行動現代性」，走向打破任何區隔界限的「域外」（outside）；作為現代派的「昏暗前鋒」，馬拉梅的耐煩詩學提示了一種「抽象現代性」，指向純粹的「內在」（inside）。這是現代藝術流派系譜學兩個最基本的分支。然則，是否還有其他的可能路線？

在此，我們不妨回到浪漫主義。晚期海德格透過賀德林（Holderlin）的詩歌，在普遍的現代主義背景下，重構了一種極端的浪漫主義（ultra-romanticism）形象：不是走向「域外」，也不是指向「內在」，而是走入「大地」的「深度」如同一種「無底」（sans-fond），海德格透過賀德林的詩歌詮釋此「無底」的

浪漫現代性：浪漫主義的時代是世界之夜，由於諸神的缺席潰敗（défaut），在哪，神明不再聚集，神聖性的輝煌世界的歷史性熄滅。伴隨此缺席隱退，是世界的「基底」（fond）本身造成缺席潰敗。這就是浪漫主義的Abgrund，無底深淵，原初意指土地與地基，朝向它，懸掛在懸崖絕壁之邊緣。一個無底的時代就懸置於深淵之上、這是世界之夜的時代，深淵應該被體驗與延續。因此，應該有某些人到達深淵。（Heidegger: 324）

　　這就是浪漫主義主義的英雄：恩培克利圖斯跳入火山口，浮士德走下地獄，在梅菲斯特的伴隨下。不再是上帝，而是英雄發出他的挑戰，他不認同「創造」，而是認同「奠基」（fondation），是「基底」本身變成創造性的。但此「奠基」動作會冒險落入深淵，直到不知伊于胡底之「無底」！

　　為什麼浪漫主義回歸「大地」之「奠基」會淪為「無底」？我們可以從另一角度來思考：一切開始於西方「古典表象」（classic representation）之破裂，此古典表像是以亞理斯多德的「形式／材質」（form/matter）二元論形上學為模型，這是源于古希臘的雕塑與工匠模型：雕塑就是賦予材質以可理解之形式，一切存有物皆可視為一「形式＋材質」之「作品」。此模型主導了整個西方的古典表象思維。所以就如法國哲學家瑟赫所言，整個西方歷史可視為一部「雕塑史」，所有的藝術，科學，知識，甚至政治，都是一種廣義的「形式＋材質」之製作形塑，如同製作雕像。（Serres: 100）

　　在這意義下，浪漫主義之「大地」就是亞理斯多德形上學中先於任何「形式」規定的「原始材質」（matière première），不可名狀之「非形式」（informel）。所以作為一切存在事物之「基底」，它自身成為不可思議之「無底」！浪漫主義的「大地」就

是「原始材質」之回返，「非形式」的「無底之底」的重新浮現，使一切「形式／材質」模型之「古典表象」破裂解體，正如德勒茲指出：「當基底浮升上表面，人類的臉在這鏡中解體」，此人臉之摧毀解形就是一種「妖異怪獸」（monstre），可見之於表現主義，超現實主義，哥雅，孟克，培根的畫中。「為了產生一個妖異怪獸，去堆砌積聚各種偏離變異之動物型態是一種貧乏的手法。較高明的方式就是讓基底浮現，形式自行融解。」（Deleuze: 44）一切現代藝術中的「妖異怪獸」—表現主義，超現實主義，非形式藝術（informel art），抽象表現主義，皆來自浪漫主義的「大地」作為「無底深淵」，而一個會融解人臉與任何生命形式的「無底深淵」到底是什麼呢？當然就是「地獄」，正如同羅丹的最後名作〈地獄門〉，可視為浪漫雕塑與現代雕塑之原型。所有的「妖異怪獸」當然皆來自地獄。浪漫主義在本質上都是一種扣訪地獄之門的「黑色浪漫主義」，觸及黑色虛無的無差別（indifference），黑夜的激情。現代作為世界之夜，是諸神黃昏的地獄之夜，釋放出牛鬼蛇神，群魔亂舞。

　　浪漫主義回歸「大地」之「奠基」雖會滑向「無底」之深淵地獄，但其初始動機卻是為了「居住」，正如海德格最常引述的賀德林詩句：

　　　人詩意地居住於大地之上

　　所以浪漫主義走入地下與地獄的「奠基」動作是為了重新「居住」於「大地」之上，重新發現某個原鄉與祖國。然而，巴迪悟從賀德林的詩中發現了一則祖國原鄉之吊詭：祖國原鄉首先是人們欲離開者，沒有一個祖國是人們不離開她，人們不逃離，

此「逃離」構成了對祖國的「原鄉忠誠度」，正如同一條大河，其存在就是要強制地粉碎所有阻礙，逃向平原，因此其源頭之位置也即是空。浪漫主義之祖國原鄉正是這樣一個吊詭位置：同時是源頭以及對源頭之逃離。所以德勒茲與瓜達利寫道：「疆域是德國的，但大地卻是希臘的。」浪漫主義總是將某個遙遠陌生的國度當成其失去的精神祖國，將無止盡的遷徙與遊蕩當成「居住」。

然則，如果現代藝術開始於「古典表象」破裂解體所釋放出來的「非形式」之原始材質，此「非形式」元素是否只能理解為「無底之基底」，浪漫主義的大地，深淵，地獄？是否有其他可能性？

德勒茲重構傅柯之思想體系，指出在知識的形式之外，存在著純粹外在的力量關係，構成一種「非形式」之「域外」，比所有的外在世界都更遙遠。此「非形式」之「域外」不再是浪漫主義之深淵與地獄，而是一種大氣、天空、海洋之非形式，如同湍流區或風暴區，一純粹力量關係之戰場自行延展于上方，在其下的知識之岩層只能承接視覺之塵末與聽覺之回聲。此天空大氣之「非形式域外」指向另一種更為遼闊開放的宇宙性的現代性（modernité cosmique），德勒茲與瓜達利在《千高原》中如此界定：

> 假如存在著一種現代，它當然是宇宙性的。保羅·克利自我宣稱是反浮士德主義：「動物與所有其他生物，我不喜歡它們帶有地上之誠摯，地表的事物令我感興趣遠小於宇宙的事物。」裝置不再面對混沌的力量，它也不再深入大地的力量，而是向宇宙的力量開放。它在此呈現為一種直接的「物

質―力量」關係。物質就是材質的微分子化，應叫它「捕捉力量」，此力量無非就是宇宙之力量。（Deleuze & Guattari, 1980: 422）

關於古典主義，浪漫主義，現代主義之區分，德勒茲與瓜達利提出新的界定：「古典主義」面對的是「混沌」（chaos）的力量，由「形式―材質」關係所界定；「浪漫主義」面對的是「大地」（terre）的力量，由「疆域―大地」關係所界定；「現代主義」面對的是「宇宙」（cosmos）的力量，由「物質―力量」關係所界定：「物質的微分子化、原子化連結於物質中之力量的宇宙化。」（Deleuze & Guattari, 1980: 426）

此捕捉宇宙力量的「現代主義」不僅指向「物質」（masse）的「團結一致」，更同時召喚「群眾」（masse）的「團結一致」。「物質運動」之「恍兮惚兮，其中有物」的「繁多性」維度（multiplicity），同時也蘊涵著「此中有人，呼之欲出」之「群眾運動」的「眾生相」（multitude）。克利的包浩斯宣言：「我們仍欠缺終極的力量，我們尋找一個人民。」（Deleuze & Guattari, 1980: 416）藝術所欠缺的就是「人民」的力量，藝術在召喚一個「未來的人民」，一個「將要到來的人民」（a people to come）。這也正呼應了波特萊爾的「現代性」宣言：「結合群眾！」讓我們再次引述〈現代生活之畫家〉的經典描述：「因此這普遍生活的熱愛者走入群眾就如同進入一巨大的電力貯存所。吾人亦可將之比擬於一面與群眾等大的鏡子，或一個被賦予意識的萬花筒，在每一運動中，表現多采多姿的生活以及生活中所有元素動態的優美。」（Baudelaire, 1976: 352）

吾人相信這並非偶然巧合，從波特萊爾到克利皆不約而同地

將「現代性」界定為物質能量與群眾力量之龐大動能的解放，而高標一種「宇宙精神的現代主義」。我們看到一種世界主義（cosmopolitism）的浮現，在哪，社會體（Socius）成為宇宙，全世界所有人都成為世界公民，甚至宇宙公民。這樣一種現代藝術的世界主義，曾在德國的包浩斯，蘇聯的構成主義，大氣與海洋的地景藝術中驚鴻一瞥！

　　吾人認為，此一召喚「未來人民」的「宇宙精神」，可對照比擬于宋儒張載「民吾同胞，物吾與也」之「天下大同」理想。

第五章

# 「表面」的昇華與崩潰：麥可‧傑可森作為一個「愛麗絲童話事件」

　　麥可傑克森喜歡自比為小飛俠彼得潘，並將他的夢幻莊園命名為彼得潘的 Neverland。本研究則嘗試指出，麥可的一生事業其實更像是一則愛麗絲夢遊仙境之變形童話的 Wonderland！

　　英國作家卡羅爾的《愛麗絲夢遊仙境》與《愛麗絲鏡中游》以一系列字謎密語悖論營造出一個幾乎不可解的童話世界。幸有法國哲學家德勒茲寫了《意義的邏輯》一書，透過佛洛伊德的《性學三論》，斯多亞學派的邏輯學，以及克萊茵的「客體」分析學派，解讀出愛麗絲童話的「性變態」之謎，由此建構出一套「事件—意義—幻象」的「表面形上學」。

　　本研究試圖透過德勒茲對愛麗絲童話的解讀來解讀麥可一生的三個「特異點」事件：1. 月球漫步的酷炫歌舞奇觀；2. 整型漂白，日趨中性化的「臉」與「聲音」；3. 戀童癖的官司醜聞。

　　性變態者是從地下上升至表面的愛麗絲，看似無厘頭的冒險其實是希臘大力士赫克勒斯的艱難事業，同時力抗「本我」衝動之深度「擬像」與「超我」之「偶像」的高壓監視，為了修復「自我」之創傷裂痕，透過某個「幻象」＝X 的投影掃瞄，重新綴補縫合出一光鮮而又脆弱的「表面」！

　　麥可乖異迷離的一生事業是奉獻給愛麗絲童話事件的「道成

肉身」，為了打造出一個酷炫神奇的「表面幻象世界」，使「症狀」昇華為「作品」！其一生之成敗盛衰可視為「表面」的昇華與墮落，建構與崩潰的過程！

## 壹、導論：「麥可傑克森」作為一個「事件」與「奇觀」

麥可傑克森喜歡自比為小飛俠彼得潘，並將他的夢幻莊園命名為彼得潘的Neverland。然而，與其比為小飛俠，吾人發現麥可的個案狀況（case）其實更像愛麗絲夢遊仙境。正如同愛麗絲的身體可以忽大忽小，變幻莫測，來去無端，麥可的整型漂白傳奇不也是一則愛麗絲的變形童話？麥可的一生與事業就像是用愛麗絲的變形逃逸軌跡畫出一個乖異迷離，匪夷所思的Wonderland！

童話世界其實是成人眼光難以理解的，英國作家卡羅爾（Lewis Carroll）的《愛麗絲夢遊仙境》與《愛麗絲鏡中游》更以一系列的字謎密語悖論，營造出一個滿紙荒唐言，幾乎不可解的Wonderland！幸有法國哲學家德勒茲寫了一本《意義之邏輯》（*Logique du sens*），透過佛洛伊德的《性學三論》，克萊茵（Klein）的「客體」派分析理論，以及斯多亞學派（Stoicism）的邏輯學，解讀出愛麗絲童話以及卡羅爾本人的「性變態」（perversion）之謎，由此建構出一套「事件—意義—幻象」（event-sense-phantasm）之邏輯的「表面形上學」（metaphysics of the surface）。

關於麥可的傳奇一生，世人津津樂道三個謎樣的「特異」事件：一，獨創一格的月球漫步舞藝，打造出如機簧彈轉，空靈流麗的酷炫歌舞奇觀；二，黑人之臉的整型漂白，以及日趨中性化，模糊種族、性別、年齡界限的「臉」與「聲音」；三，戀童

癖的官司醜聞。

如果將麥可的一生事業視為一個「事件」系列，這三個「特異」事件構成麥可乖異迷離一生的三個「特異點」或「精采點」，進而成為萬眾矚目，話題不斷，既酷炫而又變態的世紀「奇觀」！誰能穿透解讀這世紀奇觀的酷炫變態之謎，有如穿越鏡面的愛麗絲鏡中游？

吾人試圖透過德勒茲對愛麗絲童話的解讀來解讀麥可乖異迷離的一生事業，將之詮釋為一則「愛麗絲童話事件」的「道成肉身」（incarnation），一個世紀「奇觀」作為一個酷炫神奇的「表面幻象」昇華與墮落，建構與崩潰的過程！

## 貳、《性學三論》與「性變態」之謎

《性學三論》以探討「性反常」行為（sexual aberration），而在佛洛伊德的著作中洛陽紙貴，膾炙人口。為了清楚界定「性反常」，佛洛伊德首先區別「性對象」（sexual object）與「性目的」（sexual aim）。「性對象」即具有性吸引力之對象。「性目的」則是性本能之活動所朝向者。準此，「性反常」作為正常性行為（normal sexuality）之「偏差」（deviation），可分為兩大類：1，偏離正常的「性對象」選擇（成熟的異性對象），稱為「性倒錯」（inversion）（Freud, 1953: 136），包括同性戀，戀童癖，獸姦癖。2，偏離正常的「性目的」滿足（男女性器官之結合），而採取其他方法與手段，稱為「性變態」（perversion）（Freud, 1953: 149）。此類品種繁多，花樣千奇百怪，包括戀物癖，偷窺狂，暴露狂，施虐狂，被虐狂，甚至食人魔，族繁不及備載。

　　縱觀《性學三論》，不難發現真正的重點不在「性倒錯」，而在「性變態」。佛洛伊德批評戀童癖者與獸姦癖者的對象選擇，竟然可以變異到如此漫無界限，如此廉價的程度（跨越年齡，甚至跨越物種之界限），簡直比動物的饑餓本能更為「饑不擇食」。然而，正是透過性本能此一「饑不擇食」狀態，佛洛伊德由此反推出：性對象的特性與重要性必須大打折扣，退居幕後。對於性本能，真正的重點不在性對象之選擇，而在性目的之偏離變異。（Freud, 1953: 149）

　　德勒茲與瓜達利的《反伊底帕斯》指出：猶如亞當斯密的勞動經濟學解放了勞動力之主觀與抽象的本質，佛洛伊德的欲望經濟學也解放了原欲力（Libido）之主觀與抽象的本質，「性變態」正突顯了性本能擺脫對象之束縛局限而自主發展之主觀與抽象的本質。佛洛伊德定義正常的性目的：「性器官結合，一般所知的性交行為，可導至性緊張感（sexual tension）的紓解與性本能的暫時熄火——一種滿足感可類比於饑餓感的消除。」準此，舉凡賦予身體其他部位器官或外在物件以過度性價值（sexual overvaluation），以取代性器官，或以其他手段動作來取代性器官結合，以達至性滿足者，皆可視為「變態」：「變態是如此之性行為，或是超過性器官之外，身體解剖學部位之踰越變位（anatomical transgression）；或是久久逗留（linger）在與性對象朝向最終性目的之前的過渡關係上。」[1]（Freud, 1953: 150）理論上，由於對性對象的過度評價（overvaluation of the sexual object），性對象身體的任何部位或與之相關的任何物件，皆可被賦予高度的性愛價值，成為性器官之替代品。（150-151）然而，

----

1　按，即一般所謂的「前戲」。

在身體諸部位器官中，為黏膜（mucous remembrance）包圍之孔洞，如口腔與肛門，仍最易成為性器官之替代品。（Freud, 1953: 152）佛洛伊德乃提出兩個驚世駭俗的論點：

A 所謂「正常」與「變態」之界限，並非一般人所想像的那麼涇渭分明。例如「接吻」──嘴唇黏膜之接觸，亦可視為取代正常性目的與性器官的一種「變態」（嘴唇原本不屬於性器官，而是消化道的入口），但在大多數文明社會中被賦予相當的性價值，視為情人之間再正常不過的性行為。由此推出一普遍性愛觀：「沒有一個正常人於其正常的性目的之外，會不再包含某些足以視為性變態之附屬目的；性變態之內涵既然如此廣泛地存在著，我們又何苦加之以可恥的罪名！」（160）「愛的無所不能或許沒有比在那些反常行為中更強烈地被證明。在性生活的領域中，最高尚與最低級總是彼此比鄰相近。誠如詩云：

從天堂，橫越世界，到達地獄。（歌德《浮士德》序曲）

B 關於性變態的除罪化與去污名化，佛洛伊德更進一步將性變態的起源回溯至吾人之童年時期，提出驚世駭俗的「兒童性生活」（infantile sexuality）之組織與發展理論。佛洛伊德指出，吾人之性本能在性器官發育成熟之前的童年時期即已存在，而表現為一種沒有對象的「自體性愛」模式（auto-erotism）：性本能並不朝向他人，而是從自己身體的某個部位獲得滿足。換言之，兒童將其性慾能量投注在自己身體的某個器官或部位，使之成為具有性愛意味的「性感帶」或「快感區」（erotogenic zone）。例如，嬰兒吃完奶後，其嘴唇仍持續吸吮之動作，此吸吮動作實已脫離攝食需求，而帶有性意味之滿足感。嬰兒之嘴唇已成為一

「性感帶」。

正如同性變態者賦予口腔與肛門之孔洞以強烈的性意義（sexual signification），成為性器官之替代品，兒童的性生活就是圍繞著口腔與肛門，以之為「性感區」而組織發展起來的。我們每個人直到青春期性器官發育成熟之前，都是廣義的性變態者！對應於口腔、肛門、性器官三個「性感區」，佛洛伊德提出了口腔期、肛門期、性器期作為吾人性生活發展必經的三個階段。「區帶」（zone）關乎性本能投資於空間對象的「疆域」概念，「時期」或「階段」（phase）則關乎性本能之發展成長的「生命史」概念。

我們每個人的「性史」都必須經過口腔期與肛門期之「局部本能組成」（component instinct）之組織與發展，最終通過青春期之性器官發育成熟，走向正常的性目的，使性本能從「自體性愛」走向性對象之發現。性器期具有一種統合功能，賦予口腔期與肛門期之「局部本能組成」以終極的統一性。在這意義下，口腔期與肛門期就如同吾人性生活發展的「前戲階段」，為了到達最終的性目的與性對象而做的長久準備。

而所謂「性變態」就是性生活之發展遭到阻礙停滯，未能通過性器期之發育門檻，所導致的性本能「退化」（regression）與「固著」現象（fixation）——退化到前性器期的口腔期或肛門期，固著在性器官之外的其他器官、物件、手段，而建構出匪夷所思的「性感區」。例如，「在窺淫狂與暴露狂中，眼睛也對應於一個性感帶。」或是「表皮，身體的部位分化為感覺器官與衍生為黏膜，是最卓越之性感帶。」（Freud, 1953: 169）

我們看到，佛洛伊德不只解構了「正常」與「變態」之界限，而且逆轉了「正常」與「變態」之位階：「變態」並非從

「正常」偏離出來的偏差例外，反之，「正常」才是從「變態」衍生出來的「特例」──成人的「正常」性生活其實皆是通過童年口腔期與肛門期之普遍「變態」狀態而逐步演化出來的。

延伸佛洛伊德的說法，兒童可說是早熟的性變態，反之，性變態則是性的「童稚主義」（infantilism of sexuality）──性本能退化與固著的返童現象！

德勒茲在《意義之邏輯》中，將《性學三論》的「變態」理論連結於佛洛伊德後來提出的「本我─自我─超我」之欲望的三重人格論。「本我」是身體內在的本能衝動，「超我」則是父母親所代表的外在社會權威與道德禁忌，「自我」作為一知覺與意識系統，則是夾在「本我」與「超我」之間，內在衝動與外在權威對抗折衝之下所形成的一個「界面」或「表層」，所以佛洛伊德界定「自我」是身體表面的投射影像：「意識是心理結構的表皮：也就是說，我們已把它作為一種能劃歸在空間上最靠近外部世界的系統。」（佛洛伊德，215）「一個人的身體本身，首先是它的外表，是外部知覺與內部知覺皆可由此產生的一個地方。……我們在病痛期間藉以獲得的關於我們器官的新知識的方式或許就是我們一般據以獲得自己身體觀念的原型。」「自我首先是一個身體的自我；它不僅是一個表面的實體，而且它本身還是一種表面的投射。如果我們想為它找一種解剖學上的類比，就可以很容納地把它等同於解剖學家所謂『大腦皮層上的小人』（cortical homunculus），」（佛洛伊德，222）「自我是本我的那麼一部分，即通過前意識知覺─意識媒介已被外部世界的直接影響所改變的那一部分；在一定意義上說它是表面─分化的一種擴展。再者，自我有一種把外界的影響施加給本我的傾向，並努力用現實原則代替在本我中占主導地位的快樂原則。」（佛洛伊

德，221）

　　德勒茲進而援引克萊茵（Melanie Klein）的「客體」分析學派的三個欲望位置，作為「本我—自我—超我」三重人格論的延伸與深化。

## 參、欲望的三個位置：深度，高度，表面

　　按照德勒茲，「本我」作為內在的本能衝動，指向一種身體的深度感。在精神病理學的臨床診斷表上，身體深度感之發現正是精神分裂症之事業。佛洛伊德最早注意到，精神分裂症患者覺得自己的皮膚被刺穿無數個小洞，身體變成一個「漏斗」（corps-passoire），挾帶所有事物掉入裂開的深淵。精神分裂症患者的身體經驗反映了一種表皮的爆裂。這是一種精神分裂症的「崇高」經驗，表皮的撕裂，壓碎，崩壞，一切區分界限都崩潰了！

　　克萊茵追溯此身體深度感之起源直至童年最初期，在其中，食物同時是主角，佈景，情節，構成吾人生命史之原始場景：口腔與乳房首先是某種無底之深度，嬰兒的衝動是混合性的，同時是攝食—維生本能，毀滅—攻擊本能，性愛—自戀本能，一切事物皆是可以吸食吞噬與撕裂破壞的，乳房以及母親身體的全部亦可成為攻擊撕裂的對象，如同食物之撕成碎片。排泄物亦可與食物相互穿透混合，成為原始衝動的「局部對象」（objet partiel, partial object），既是口腔性又是肛門性，同時貫注交織著攝食本能，毀滅本能，性愛本能，如同會爆炸的有毒物，自爆亦使身體爆裂，互相追擊迫害，時而從嬰兒的體內發出威脅，又投射在母體身上不斷重構，形成一個物我不分的「內注／投射」系統

（introjection/projection），在身體的深度感中傳播溝通。（Deleuze, 1969: 218）

這個殘酷恐怖惡心的兒童「原始世界」，德勒茲稱之為「擬像」（simulacrum）的世界。克萊茵則將之描述為一種「妄想症—精神分裂症」位置，這是兒童還無法區分物我之前的「它」的位置，「本我」的原欲深淵與殘酷劇場。

接下來則是一個「抑鬱的位置」，在哪，兒童致力於重構一個「好的對象」，以一種完整的樣式。「好的對象」是一個由雙親身體排列組合而成的理想意象：母親的乳房與父親的陽具。不再是一個內射於身體深度的局部對象，而是一個完整對象投射到另一向度，垂直的高度。在高度上，它在自我撤離中自我構成，總已自我遁逃如一失落的對象。這個總已失落的完美對象是一個挫人心志的超我，如一獵鷹的鳥瞰巡視，冷血無情，一個「躁進—抑鬱的位置」，愛恨交織。（Deleuze, 1969: 220）

然而，還有第三個位置，「性變態的表面位置」。這是佛洛伊德的「性感區」與「自我＝身體表面的投影」的奇特綜合。口腔，肛門，性器，每一個「性感區」是一個切割畫分的表面，環繞著一個黏膜包圍的孔洞。每一個「性感帶」可視為一個表面空間的動力形構（formation dynamique），環繞著一個由孔洞所構成的「特異點」，可延伸至另一個「區帶」之「鄰域」（voisinage）。吾人之性生活正是一種穿越這些「性感區」的「表面」的生產與組織，以一種銜接縫合的樣式（mode de raccordement）。此外，內器官亦可變成「性感帶」，如同一種身體的自發拓樸學，西蒙東（Simondon）寫道：「所有內部空間的內容，在生物體的界限上拓樸學般地與外部空間的內容相接觸。」（Deleuze, 1969: 230）

　　前性器官期的性生活是局部表面的生產，透過對象在表面的投影以及自戀自我的默觀（contemplation）而產生一種「自體性愛」之「疆域」。從前性器官期走向性器期的問題可公式化如下：如何組織這些局部表面，操作普遍的銜接縫合？這是陽具之象徵通過伊底帕斯階段，在操作執行這些性感區的銜接縫合！兒童接受陽具如一理想性器官投影在他身體上的性器區。在哪，陽具的角色不只是器官，而是投射在性感區的理想意象，不是生理層次的陰莖，而象徵秩序的陽具。透過投影在性感區的陽具意象，得以綴補統合其他的性感區。伊底帕斯因而是希臘大力士赫克勒（Hercule）類型的和平英雄，同時驅逐「本我」之無底深度，並力抗「超我」之無情高度，只為了索回一小塊「表面」。從童年到青春期的「性史」就是一場「表面」的征服與冒險。

　　「性」的構成發展作為性感區之「表面」的銜接縫合，同時也就是「自我」的構成發展。正如佛洛伊德指出，吾人是透過自己的身體外觀來形塑「自我」之意識與形象，所以「自我」只是身體表面的投影，一個如同「表皮」的「意識—知覺」系統，「大腦皮層上的小人」（cortical homunculus）。所謂「伊底帕斯情結」作為一件關乎「自我」之構成發展的事業，就是在「本我」之深度與「超我」之高度之間建構一個「表面」。

　　按照佛洛伊德的診療表，伊底帕斯情結的挫敗構成了精神官能症，性變態則是精神官能症的相反形象，性變態所做的正是精神官能症想做而不敢做的！一切都可以變成「性感區」，如同一「自體性愛」之「疆域」，被本能所貫注投資，被自戀之自我所默觀冥思，有如愛麗絲夢遊仙境與鏡中遊！

　　德勒茲由此引申建構出一套愛麗絲童話世界的表面形上學：一，身體內在的「本我」衝動指向一個精神分裂的「深度」位

置，如一無底的深淵地獄，在哪，攝食本能，性愛本能，毀滅破壞之死亡本能皆相互撕裂穿透混合，形成破碎解體之恐怖「擬像」。二，「超我」之權威則指向一個精神官能症的「高度」位置，如撤離遠揚的聲音或高空巡視的鷹眼，形成權威崇拜與高壓統治的「偶像」（idol），所以精神官能症的「高度」位置其實是一種極度壓抑的抑鬱沮喪挫敗。三，性變態指向既非「深度」，亦非「高度」的第三個位置：一個「自我」的「表面」位置！它產生於某個局部欲望對象投影在身體表面所形成的「幻象」（phantasm），將身體深度的原欲能量「去性化」，轉換昇華為一種「中性化」、「中立化」的膚淺能量，投注在身體表面的各個性感區，開展建構出一片「光鮮亮麗」之表面，「自我」就是默觀享樂這光鮮表面的微小自戀者。「幻象」既非想像，亦非現實，而是逸離身體狀態的純粹事件與表面效應。性變態將性愛從肉欲沉淪之無底深淵釋放出來，昇華為一種純粹的表面幻象，更進一步從「身體表面」跳躍至「心理表面」與「形上學表面」，釋放出一種純粹的事件與意義，使「症候」昇華為「作品」。

性變態者就是從地下上升至表面的愛麗絲，一個「表面世界」的征服者與生產者，一種從「深度」翻轉為「表面」的拓樸學事件。愛麗絲不斷變形逃逸的無厘頭冒險，乍看似輕薄胡鬧的兒童自戀症，其實是希臘大力士赫克勒斯的艱難事業，要同時力克「本我」衝動之深度「擬像」，不被其反撲吞噬，並力抗「超我」之「偶像」的高壓監視。「表面」的生產與組織其實是一件龐大費力的「修復」工程，修復「本我」衝動所造成的創傷裂痕。「幻象」是一個對象＝X，透過這個X的投影掃瞄，銜接連結，綴補縫合出一片光鮮亮麗而又光怪陸離之「表面」，如一件五顏六色的小丑服。

## 肆、斯多亞邏輯：事件＝意義＝無意義

愛麗絲童話的「性變態」之謎與「自我」之謎，可表述為如下方程式：

**性＝表面＝自我＝幻象＝事件＝意義**

但關於事件與意義的問題，德勒茲則重新引入復興了西方古代哲學之斯多亞學派的邏輯學。這是《意義之邏輯》的一大創見：卡羅爾本身是一位邏輯學家與數學家，愛麗絲童話中的一系列字謎密語悖論，看似童言童語，胡扯瞎編，其實呼應暗合了斯多亞學派的邏輯學。在日常語言中，吾人會問某個「事件」具有什麼「意義」。《意義之邏輯》開始於此一弔詭悖論：事件即事件之意義（sens, sense）。根據斯多亞學派的「命題」理論，「命題」之「意義」是一種產生於「字詞」與「事物」之「邊界」的弔詭「效應」，它同時是命題之「所表達者」（l'exprimé, the expressed）與事物之「屬性」（attribute），同時是「字」＝X與「物」＝X。作為區分「字」與「物」之弔詭「邊界」，此「意義」＝X只能是產生於「物」之「表面」的一種「表面效應」，同時掃瞄穿梭於「字」與「物」兩個異質的平行系列，使兩個系列既交會又分叉，至於它自身，則是非「字」亦非「物」的「第三者」，永不平衡地關連於自身！這樣一種非「字」亦非「物」的「意義」＝X，有如一個「無意義」（non-sens, non-sense）的迫切懇求（instance），卻決定各種「意義」的生產流通。它同時是一個「空格」（case vide, void square）與一個「多出物」，一個沒有占據者的空位與沒有位置的占據者，既是隱私密語又是外顯

暴露物，白字與黑物。德勒茲寫道：「空是意義與事件之場域，是意義與其特有之無意義組構而成，在哪，事件之發生就是場域本身。空本身是一弔詭元素，一種表面的無意義，一總是移位的隨機點，事件作為意義由此汲取愉悅。」（Deleuze, 1969: 93）

透過無意義之「空格」的不斷移位，乃有「意義」之生產流通！「事件」＝「意義」，而「意義」＝「無意義」。不能產生「意義」者，不能稱為「事件」。而不是產生自「無意義」，不能逼顯「無意義」之弔詭者，也不能稱為「意義」！事件之邏輯作為意義之邏輯，必然是一系列無意義之弔詭悖論。如同在一個遊戲中，每一步驟、每一策略皆有其意義，但遊戲本身卻是無意義的。「意義」是棋盤上每一棋子移動流通的「位置─策略」效應，但每一棋子得以移動流通，預設了一個不斷移位的「空格」，一個沒有占據者的空位與沒有位置的占據者！

然則，是否也有一種關於non-sense的sense，關於「空」的敏感度？德勒茲說，這不是存在主義的「荒謬」，而是一種「幽默」，更好說一種「幽默感」，斯多亞主義與犬儒主義之「幽默」，亦如禪宗的「空」之頓悟：「幽默的冒險，對高度與深度的雙重粉碎，首先是斯多亞智者的冒險，之後在另一脈絡中，一種禪宗的冒險，反對婆羅門的深度與佛陀的高度。著名的公案證明意義之乖謬，顯示指稱之無意義。棒子是普遍的工具，質疑的大師。」（Deleuze, 1969: 103）而卡羅爾的愛麗絲童話也展現了同一種「幽默感」，可與斯多亞學派與禪宗並列為幽默大師，其無意義無厘頭的字謎密語亦如當頭棒喝之禪宗公案！

「幽默」是表面的藝術，無意義的敏感度，一種真正的「睿智」（sage）！怎麼說呢？如果「幽默」就是使人一笑，無論是會心一笑，一笑置之，或啞然失笑。人們何時一笑？一旦事物的高

度與深度瞬間瓦解，翻轉為表面，變得毫無意義。生活在一個沒有高度也沒有深度的世界，如同滑行在一個無意義的表面。還能做什麼，除了一笑，以一種「幽默感」有如最深刻的「睿智」！梵樂希說：「最深刻的，就是表皮！」吾人亦可說：最睿智的，就是幽默。

德勒茲關於「幽默」的探討仍有其佛洛伊德之思想淵源。大約與《性學三論》同時，佛洛伊德有另一較被被忽略之名作《笑話及其與無意識之關係》（*Jokes and their relation to the unconscious*），給予「幽默」極高評價：「幽默是人類最高的心理成就之一，配享思想家之殊榮。」（Freud, 1976: 293）

晚年的短文〈論幽默〉，更將之置於雲端：

> 幽默具有莊嚴和高尚的東西。這個莊嚴存在於自戀的勝利中，在自我的無慚可擊的勝利的主張中。自我不因現實的挑釁所痛苦，拒絕使自己被迫忍受痛苦。它堅持它不能被外部世界的創傷所影響，實際上，它顯示的是，這樣的創傷只不過是它獲得快樂的機會。

> 幽默不是屈從的，它是反叛的。它不僅僅表示自我的勝利，而且也表示了快樂原則的勝利，這一快樂原則在這裡能使自己反抗現實環境的不友好。最後這兩個特徵——對現實要求的拒絕和對快樂原則的貫徹，將幽默帶到接近退化或反動的過程，這使我們的注意力集中在精神病理學領域中。（佛洛伊德，2003：335）幽默使人放鬆和昇華：「瞧！這就是看來危險的世界！這只不過是孩子們的遊戲——僅僅是值得開個玩笑而已！」（339）

## 伍、「深度」與「表面」的「拓樸學轉換」

關於愛麗絲之謎的方程式，可總結表述如下：

**性＝表面＝自我＝幻象＝事件＝意義＝無意義＝空＝幽默＝
創傷之超越**

關鍵性之思想機制，就是從「深度」翻轉為「表面」的「拓樸學轉換」。這當中蘊涵了笛卡兒之「心靈／物質」或「心靈／身體」二元論之逆轉解構。「心／物」二元論決定了現代世界觀之基本架構：物體或身體（body）是占據外在空間之「廣延體」（extension），心靈或意識則是不占據空間，無廣延性的純粹內在之「思維」，由此導出「精神／物質」、「主體／客體」、「主觀／客觀」、「內在／外在」、「自我／世界」之現代世界二元架構。

斯賓諾莎說：「構成人心靈之觀念的對象就是身體。」（Spinoza, 117）換言之，「心靈是身體之觀念。」這當中已蘊含了笛卡兒「心／物」二元觀之逆轉。佛洛伊德界定「自我」是身體表面的投射影像，則更明確解構了笛卡兒「心／物」二元觀。「自我」不再是純粹內在的思維主體，而是依附於身體的表皮外觀，與外界空間接觸而形成的一個最外層表皮的「知覺—意識」系統，一個「大腦皮層上的小人」。

德勒茲則更進一步以斯多亞學派的「事／體」（event/body）二元形上學澈底解構笛卡兒的「心／物」（mind/body）二元形上學！

對斯多亞學派，最基本的區分不是「心靈」與「物質」或「心靈」與「身體」，而是「身體」與「事件」，或「物體狀態」

與「事件」。「身體」或「物體狀態」屬於物理的體積與力量，各種「體」相互混合穿透，相互施力影響，這是廣延與張力的空間，力量動因的世界，充滿作用力與反作用力，主動與被動，行動與激情的原始「深度」空間！

「事件」則屬另一層面，不再是物體狀態，而是發生在物體表面的一種「非物質性效應」（incorporel effet, incorporeal effect）。不是物理性質，而是一種邏輯屬性，不是名詞或形容詞，而是不定詞動詞。「事件」是逸離了物體狀態，從力量動因系列中釋放出來的「無動於衷」（impassible）的純粹結果與表面效應，有如一「沒有貓的笑」。

德勒茲將斯多亞的「身體／事件」二元觀結合佛洛伊德的「自我—表皮」理論與「性感區」理論，導出了一套以「性」為模型的「思想」理論。**正如同「性」之構成是穿越串連各個「性感區」之「表面」的統合與修復，為了修復縫合「本我」與「超我」造成的創傷裂痕，「思想」之構成也是一種「表面」的生產與昇華，但不再是「身體表面」，而是「形上學表面」。戲仿「性感區」之生產構成，「思想」之「變形」是真正的榮耀與昇華，它將「去性化」之能量投資轉化，投射在自己的「表面」上，一切身體深度的衝動—吃，攻擊，性交，都「昇華」與「象徵化」，成為純粹的事件，意義，幻象。「思想」是「形上學表面」的「純粹事件」，非物體性之璀璨酷炫。**

「性」的「身體表面」與「思想」的「形上學表面」不只是一種模擬類比關係，更根本的是，「性」的「表面」是介乎「身體深度」與「形上學表面」之間的中間過渡區域。所以「性」的發展方向可以向上提昇，昇華為思想與藝術創造的「形上學表面」，亦可向下沉淪，重新墮回「本我」衝動之深淵「擬像」，

淪為各種精神症狀——精神官能症，性變態，精神分裂。

「性」與「思想」之構成都是從「深度」翻轉為「表面」的「拓樸學」轉換，都是圍繞著某個創傷裂痕所進行的「表面」的修復與縫合。「性」之「表面」圍繞著伊底帕斯情結的「閹割」，「思想」之「表面」圍繞著「無意義」的「空」之裂痕。

這是一場「表面」與「深度」的恐怖「搏鬥」！正如同《愛麗絲夢遊仙境》原本名為《愛麗絲的地底冒險》，而卡羅爾並未保留此名，因為重點是如何從「深度」上昇至「表面」，如何發現與征服「表面」，所以原來的「深度的動物」讓位給沒有厚度的撲克牌形象。一切都變成在「表面」滑行的水平運動，如滑行在鏡面與棋盤上。但「深度」的世界從未平息遠離，總是在「表面」之下沉吼低嚎，隨時威脅要衝破撕毀「表面」，如地底岩漿爆發！

「表面」與「深度」的「搏鬥」是兩種「無意義」的「搏鬥」。「擬象」是一種「深度」的「無意義」，如無底深淵吞沒一切「意義」。「幻象」則是產生在「表面」上的「無意義」，構成了「字」與「物」之邊界，使「意義」之生產成為可能。必須建構一「無意義」之「表面」，以免墜入「無意義」之「深淵」。**「意義」在「無意義」之「表面」上生產流通，一如棋子移走於棋盤，鏡象滑行於鏡面。這就是「事件」與「幻象」，發生在「字」與「物」，「意義」與「無意義」之邊界上的弔詭遊戲，如一脆弱之鏡面。**

所以，梵樂希說：最深刻的就是表皮！德勒茲則說：沒有什麼比「表面」更脆弱！

「表面」與「深度」的「搏鬥」，究極而言，就是超克「症狀」，不被「症狀」所淹沒吞噬，使「症狀」昇華為純粹之「事

件」與「意義」的「形上學表面」，思想與藝術之「作品」！

　　而在「表面」與「深度」的「搏鬥」中，「高度」扮演曖昧的雙重性角色，一方面提供一個「向上提昇」之典範方向，使得從「深度」上升至「表面」的愛麗絲冒險成為可能。另一方面亦形成極度的高壓威脅，使「表面」隨時可能崩塌陷落。斯多亞主義的悲劇英雄是力士赫克勒（Hercule），總處於三重向度的煎熬：

> 地獄之深淵，天體之高度，大地之表面。在深度，他只發現可怖的混合，在天空，他只發現空，甚至天上怪獸在複製地底怪獸。但他是大地的平衡者與丈量者，他疏導水面，他以所有的方式在表面上重新昇降起落。不再是地底的酒神戴奧尼索斯，亦非高處的日神阿波羅，而是表面上的力士赫克勒，反抗深度與高度的雙重抗爭。（Deleuze, 1969: 157）

　　愛麗絲之謎的方程式，可再總結表述如下：

**性＝表面＝自我＝幻象＝事件＝意義＝無意義＝空＝幽默＝創傷之超越＝症狀之昇華與象徵化＝思想＝作品**

## 陸、麥可傑可森：「表面」的昇華與崩潰

　　眾所周知，麥可傑克森有一個極不正常，極不快樂的童年，從小就活在表演舞台上的光彩與掌聲中，以及父親之權威與家暴的高壓陰影下。幸好麥可熱愛舞台，舞台是他最大的補償與救贖。1982年發行《顫慄》（*Thriller*）專輯，全球銷售破億，達到顛峰極點，此後再難超越。關於麥可生命史的詳情細故尚未公諸

於世，但有一點可以推定：童年創傷的原始場景始終伴隨著他，他的一生作為一個「事件」就是為了修復童年創傷而努力縫合出的一系列光輝「表面」，無論臉部整型[2]或舞台表演都是麥可致力建構與征服之光輝「表面」！

構成麥可一生的三個「特異點」或「精采點」：1.月球漫步的酷炫歌舞奇觀；2.整型漂白傳聞；3.戀童癖醜聞[3]，可解讀成性變態退化到前性器期的「返童現象」症候群[4]，以及此症候的「昇華」與「象徵化」。

麥可乖異迷離的一生事業是奉獻給愛麗絲童話事件的「道成肉身」，為了征服打造出一個光鮮亮麗，酷炫神奇的「表面幻

---

2 關於麥可的整型傳聞，其母凱薩琳近日在著名主持人歐普拉的節目中公開承認，「歐普拉前往麥可家中採訪，包括麥可的母親凱薩琳及幾位子女，對他仍有著深深的思念，凱薩琳也承認麥可整形上了癮。」（2010/11/10 聯合報）

3 傑克遜在 1993 年和 2003 年分別兩次受到兒童性侵害案件的指控。1993 年一案，在經過重重調查後，因原告提出證據不足，全案不起訴並和解落幕。而 2003 年一案，傑克森受到四項指控，最終在 2005 年 6 月 13 日，法院宣判傑克遜所有罪名均不成立。此兩案對傑克森的形象與事業造成巨大負面影響。另外，有媒體報導稱 93 年一案當事兒童喬迪‧錢德勒承認自己受父親埃文‧錢德勒指使誣告傑克遜，但並未被證實。傑克遜去世 4 個月後，埃文‧錢德勒也於美國當地時間 2009 年 11 月 5 日自殺身亡，但目前也無證據證明自殺是否與傑克遜有關。（http://zh.wikipedia.org/zh-tw）

4 維基百科：「麥可傑克森身邊的朋友們、以及性侵孩童案期間前來評估的臨床心理醫生 Stan Katz 都認為，他是一個心理年齡滯留在 12 歲的大男孩（12 歲，恰巧就是麥可第一次獲得排行榜冠軍、開始大紅大紫的年齡），他把孩童視為同儕，而不是成人教育小孩的關係。

傑克森作品《Childhood》歌詞：「在你斷定我之前，請努力嘗試欣賞我、客觀看待我，看著自己的內心，然後問問：你是否瞭解我的童年？我喜歡孩子，我總是在試著尋找、未曾擁有過的童年。因為我從不知道那是什麼…」（http://zh.wikipedia.org/zh-tw）

象」世界，而犧牲了他的具體人生，他的正常幸福，甚至他的血肉之軀！

麥可之臉的整型漂白是「表面幻象」邏輯名副其實的「道成肉身」，不惜以真實外科手術之血肉凌遲縫合綴補出一片愛麗絲童話般穿越種族、性別、年齡界限之永恆中性容顏的光鮮幻麗「表面」。

法國女藝術家歐儂（Orlan）曾數度臉部整型，成為當代身體藝術與行動藝術的代表作，但比起麥可只算小巫見大巫。而無論是麥可或歐儂之整型，皆可視為一種從「深度」翻轉為「表面」的「拓樸學」轉換，從「擬象」昇華為「幻象」的愛麗絲冒險。

性變態從身體深度的「無意義」上升至身體表面的「無意義」，創造了幻象事件的表面位置。然則，正如德勒茲的強調，不能只停留在「身體表面」，須進一步跳躍至「形上學表面」。性變態是一種兒童自戀症的退化與固著，但亦可提升為一個愛麗絲變形逃逸的純粹事件與表面藝術，使「症狀」昇華為「作品」。反之，性變態之「症狀」亦可進一步墮落激化為錯亂覆滅（subversion）的性犯罪。

所以「自我」作為一個「表面」位置其實是非常脆弱的，是必須努力維持建構的「表面和諧」與「暫時幻象」，隨時可能崩潰壓垮。麥可一生之成敗盛衰就是「表面」的建構與崩潰，昇華與墮落的歷程，正如其整型漂白，一方面撐起一片光鮮表面，另一方面也使麥可之臉潰不成形，慘不忍睹。麥可的整型漂白固可視為一種當代的「身體藝術」，但過於固著在「身體表面」而已落於下乘，格調不高。至於戀童癖傳聞與沉迷藥物，則更是等而下之，墮入身體深度的恐怖「擬像」。

麥可真正的偉大與輝煌，當然是他獨創一格的酷炫歌舞奇觀！空靈流麗，如機簧彈轉的月球漫步與機械舞步，正指向一種純屬「表面」的昇華與跳躍，一個思想與藝術的「形上學表面」！在哪，一切恐怖殘酷噁心的「擬像」都翻轉為炫目而無傷的「幻象」，昇華為一個「去性化」、「中立化」的純粹事件，正如代表作〈戰慄〉（Thriller）的MV，從地底爬出的僵屍狼人吸血鬼都突然大跳酷炫歌舞，一切都變成無傷的玩笑與幽默，如愛麗斯童話中的「沒有貓的笑」。

麥可最精采的作品大多屬愛麗絲童話般的兒童矯飾主義，呈現出純粹「無意義」之璀璨「表面」的強度與律動，如Beat it, Thriller, Billy Jean。時有猥褻挑逗動作，如觸摸下體，其實更像是退回到前性器期的兒童自體性愛。1987年的The way you make me feel是少見的例外，也許是麥可唯一真正進入青春期與性器期的成熟之作，描寫青春期少男向異性對象勇敢求愛，大膽表白，MV以黑人貧民區街頭混混為場景，活力洋溢，麥可追繞著一個亮麗高傲的黑妞正妹邊唱邊跳，舞步身段極盡神采帥勁，纏綿挑逗之能事，結尾的間奏與群舞還出現直喻性交的動作與吟叫：

*The way you make me feel,*
*You really turn me on,*
*You knock me out of my feet,*
*My lonely days are gone.*

這件作品無論曲風，歌詞，舞蹈，MV，可算是麥可通過性器期之伊底帕斯情結的真正成熟圓美之作，可惜未能繼續發展下去。

　　無論如何，麥可的一生事業作為愛麗絲童話事件的「道成肉身」，這本身即已構成一不可思議之「世紀奇觀」！德勒茲引述法國作家布斯可特（Joe Bousquet）之警句：「我的傷口存在於我出生之前，我出生就是為了以我的肉身來實現它。」這正是斯多亞主義的「命運之愛」（l'amor fati）：

> 在所有的事件中有這麼多我的不幸，但也有這麼多的輝煌與燦爛來風乾不幸，使得事件被意志地實現於最凝縮之端點上，於手術刀之刃尖上。事件之輝煌與燦爛，這就是意義。事件不是所發生的事，而是在所發生的事中所表達者，它在提示我們，等待我們。……面對發生在我們身上之事件，成為值得應受之人，因此意志那事件，釋放那事件，成為他獨有的事件的兒子，在哪獲得重生，使自己再次誕生，與肉體之誕生決裂。成為事件之子，而非作品之子。因為作品只能產生於事件之子。
>
> 在此，「命運之愛」與「自由人之搏鬥」是同一件事，一種整個身體的原地跳躍，以一種生命機體的意志來換取一種精神的意志。（Deleuze, 1969: 174-6）

　　事件就是發生在我們身上的事件所造成的意志，意志那在事件中所表達的中立的意義，超越共相與殊相，集體與私人。而中立的意義就是幻象：「既非主動，亦非被動，既非內在，亦非外在，既非想像，亦非真實，幻象具有一種事件的無動於衷（impassibility）與理想性。」

　　就是這表面幻象事件的「無動於衷」構成了麥可歌舞奇觀的「酷」與「炫」！麥可說：「我們居住的世界是造物主的舞蹈，舞

者來來去去，舞蹈仍在繼續。跳舞時，我成了日月星辰、愛人也被愛、是成王也是敗寇、是主人也是奴隸…。我一直跳舞，跳那支永恆的萬物之舞。」

**跳吧，麥可！在天河璀璨的酷炫表面上，成為自己所創造的事件的兒子！**

## 柒、結論：「奇觀社會」或「愛麗絲世紀」

當代文化，從前衛文學藝術到大眾流行文化，從辛蒂雪曼（Cindy Sherman）的自拍攝影，酷兒文學（Queer Literature），日本漫畫卡通，瑪當娜（Madonna），冰島女歌手碧玉，日本爵士女歌手椎林名擒，直到今日的女神卡卡（Lady Gaga），皆可視為愛麗斯童話的當代變種版，現代人之精神官能症所投射出來的變態與變形之童話想像，畫出「表面幻象」之逃逸路線，光怪陸離，荒唐無稽。

眾所周知，傅柯在〈哲學劇場〉一文提出「德勒茲世紀」一詞！使得傅柯發此驚人之語的正是《意義之邏輯》的「事件─幻象」理論：「什麼是這個世紀最需要被思考者，如果不是事件與幻象？」

延伸傅柯的說法，如果有所謂的「德勒茲世紀」，那當然是一個充斥著「事件與幻象」的「愛麗斯童話世紀」。

如果資本主義社會發展至今日，已成為一個不斷打造集體影像消費之「誇富宴」的「奇觀社會」（society of spectacle），那麼，在各種爭奇鬥艷的「奇觀」中，愛麗斯童話的「表面幻象」無疑是最眩目引人的「奇觀」之一，因為它直接觸及了潛藏在現

代人身上的兒童自戀症之變態與變形欲望的昇華與跳躍！麥可傑克森仍是這個「愛麗斯世紀」道成肉身的群星會中最炫最酷的一顆星！

　　「德勒茲世紀」，「愛麗斯世紀」，「傑克森世紀」，麥可之死正標示著愛麗斯世紀的式微與終結！其實，無須等到實際的死亡，麥可後來的退步與沉淪，已標示著愛麗斯世紀的倒退式微。麥可之後，從瑪當娜到今日的女神卡卡，其實並無太多新意創意，有點近乎硬拗瞎掰，強撐門面，就如麥可之臉一樣浮腫虛泡，終究無法久撐！

## 附錄 1

# 黃色小鴨：「玩這麼大」的兒童鏡像

　　很久很久以前，有一隻漂浮在嬰兒洗澡盆中的塑膠黃色小鴨，有一天突然膨脹放大如一艘船艦，停泊在港口海灣。這不是童話，而是今日的國際熱門新聞，萬眾矚目的世界奇觀。西諺云：「倒洗澡盆的水，連嬰兒一起倒掉！」沒關係，只要留下黃色小鴨，把它無限放大，彷彿倒掉的嬰兒連同洗澡水都一起收回來了！

　　而這又有什麼意義呢？黃色小鴨真的觸動了某一世代的童年共同記憶？就算是，也只是嬰兒與幼稚園水平的小趣味，不像小叮噹與史奴比的「可愛」包含了許多故事與意義。一個沒有故事，沒有意義的黃色小鴨值得「玩這麼大」嗎？

　　我知之矣，黃色小鴨的「意義」就在於它的「沒有意義」。它的瑣碎無謂、空洞貧乏更勝凱蒂貓與憤怒鳥。黃色小鴨就是拉岡所說的「小對象」（petit objet α），是吾人無可滿足又無法直面的欲望的一個暫時的「替代物」。它可以是任何對象，並隨時可被其他對象所替代，「濫竽充數」就是它的選擇原理，「窮極無聊」就是它的欲望法則。愈是瑣碎無謂的事物，愈可被一種強迫症的偏執轉化為欲望的固著對象，表現為強迫重複儀式，就如潔癖患者不斷洗手，問題不在手髒，而是藉洗手來轉移掩飾無意識欲望深層無法處理的骯髒齷齪感。強迫症是一種微小差異的自戀狂，透過某個瑣碎對象的無謂重複來轉移焦點，逃避真正的問題與焦慮，一種避重就輕，捨本逐末的轉移逃避策略。

　　要轉移逃避到哪裡去呢？逃避到兒童鏡像階段，轉移到想像秩

序。拉岡說：八個月大的嬰兒尚無法控制自己的肢體動作，卻偶然發現鏡中影像可隨自己意欲而動作，乃產生一種操控自如的「自主幻覺」，形成「這就是我！」（C'est moi!）的想像投射的自我形象與主體命名儀式。黃色小鴨作為一個童年記憶的「小對象」，正是一個瑣碎無謂，卻可簡易操作的兒童鏡像，所以可以「玩這麼大」，在想像投射中無限膨風放大，成為強迫症般廉價操作的集體自戀儀式，藉以逃避這世界沒有意義、沒有方向的空虛無聊感。黃色小鴨反映出全世界的智力水平都已退化到兒童鏡像階段，以美其名曰「童真」、「單純」的廉價裝可愛來逃避問題，粉飾太平，完成「自我感覺良好」的主體命名儀式：C'est moi! 黃色小鴨就是我！我就是洗澡盆裡的小王子，全世界都是我的洗澡盆！

　　莫再嘲笑小馬哥，大哥不笑二哥，大家不都在「自我感覺良好」？不管是小馬哥、小王子還是村上春樹，全世界都在追尋一個裝可愛的「小對象」！黃色小鴨更讓這個「小對象」小到不能再小，同時又讓它無限膨風到「殺很大」，教人忍不住想罵一聲「X小」！

附錄2
# 圓仔與黃小鴨的「可愛現象學」

看夠了政客的面目可憎與人性卑劣，最近卻有兩個「非人類」以「可愛」之名竄升崛起，成為台灣的超人氣明星：圓仔與黃小鴨，就是這兩個寶使「可愛」成為一種「奇觀」與「產業」！

「可愛」其實是一個被忽視的情感類型與美學範疇。什麼樣的對象會讓人感動直呼「好可愛」？圓仔是典型範例：圓滾滾的卡通造型與笨拙動作，真是個活寶，令人見了就忍不住想笑，想摸摸牠的頭。圓仔的可愛與小叮噹、史奴比屬同一類型——卡通寵物型，而寵物其實是嬰兒或兒童的替代。以此類推，「可愛」是幼小生命特有的魅力，它們笨拙活寶的樣子其實反映了為生存而努力掙扎的弱小孤伶無助。孔子說：「老者安之，少者懷之。」幼小生命的可愛喚起人性最原始的愛心，想把它們抱在懷裡呵護照顧。「少者懷之」喚起的「監護人意識」是道德責任感的起源，擴充延伸就是孟子的「幼吾幼以及人之幼」，張載的「民吾同胞，物吾與也」。

千萬不要小看「可愛」！人性中兩種最重要、最強烈的情感——親情與愛情皆是以「可愛」為對象。在父母眼中，子女都是可愛的。孩子的可愛就是父母愛心的最大回報。可愛也是愛情投注的對象。什麼性質構成戀人的「所愛」？當然就是「可愛」，不可愛怎能成為戀人的最愛？情人眼裡未必出西施，但一定要可愛。

人性之初，可愛無敵！可愛的力量就在於它的脆弱易受傷，喚起無限的溫柔與耐心，要守護著它成長獨立。所以可愛總是個活寶，而活寶不只是好玩好笑的造型，如小叮噹與史奴比，更是幼小

生命在這個世界努力掙扎，跌撞探索的成長軌跡，如圓仔學爬。所以小叮噹與史奴比的可愛包含許多活寶的故事，反映了東西方社會的兒童的不同成長狀況。

康德說：「審美」是一種品味判斷。「可愛」當然也需要一種品味判斷，而審美品味的最終判準在於生命力與生命感的增進提升。就此而言，圓仔是「真可愛」，黃小鴨則是「裝可愛」。有如一個莫名放大的「兒童鏡像」，黃小鴨反映了觀眾本身已退化到兒童鏡像階段，故作阿達笨童狀的「裝可愛」：平板僵化的造型，毫無內涵的空洞無聊，幼稚弱智的廉價小趣味，黃小鴨「裝可愛」的廉價虛矯品味，就如同廉價塑膠玩具被發現「有毒」，是生命力與生命感的自我麻痺與衰退敗壞。

圓仔的「真可愛」喚起「少者懷之」的愛心與溫柔，則可視為一種道德情感教育，正如讓兒童養寵物可培養其愛心與責任感。擴而充之就是「幼吾幼以及人之幼」、「民吾同胞，物吾與也」的仁民愛物精神，這是人類社會得以延續與進步的終極動力。

附錄3
# 冰桶名人效應的「上流美」奇觀與「誇富宴」人類學

## 一　冰桶灌頂秀的「上流美」奇觀

看著不同領域、不同國籍、不同等級的社會名流，一個接一個走馬燈上演冰桶灌頂的落湯雞溼背秀，看得人一頭霧水：這是在演哪一齣？是八卦綜藝節目的Kuso整人秀？

突然想起一個早被淡忘的台灣怪咖——許純美，以及她的兩句警世名言：「人家我是上流社會」、「人家我是學佛的」。何謂「上流社會」就無須解釋了，所謂「學佛」當然就是一心向佛，學習佛陀的慈悲為懷，普渡眾生。重點在慈悲，把「佛陀」代換成「耶穌」、「阿拉」、「達賴喇嘛」、「白龍王」、「仁波切」，皆異曲同工。所以整齣冰桶秀就是一個speech-act，一種「言說—行動」，以「冰桶灌頂」之乖異舉動向世人宣示：「人家我是上流社會，人家我很慈悲，很有愛心。」這的確是一場非常另類的名人星光大道，每個被點名的名流皆以落湯雞的狼狽姿態來賣力展現自己的「上流美」形象！

別再嘲笑許純美的「上流美」有多可笑、多不入流，這一波冰桶灌頂溼背秀激起的全球化熱潮充分見證：其實整個資本主義的上流社會本身才是最可笑、最不入流的「上流美」本尊。所以這絕不會最後一次，日後必將推出另一波更可笑，更不入流的「上流美」奇觀秀！

　　「上流美」現象其實是一種「幽默」，而根據佛洛伊德的研究，「幽默」其實是一種弔詭的「自戀」，在自我標榜的同時也自我解構。這一波冰桶濕背秀正是今日資本主義的上流社會自我標榜同時又自我解構的幽默宣示：「人家我是上流社會！人家我是有水準，有格調的！」所謂「上流」、「名流」全都成為八卦綜藝節目Kuso整人秀的唬爛通告咖！

## 二　冰桶名人效應的「誇富宴」人類學

　　冰桶挑戰挑起了一連串名人效應之全球化奇觀！可惜大多數輿論缺乏幽默感，講來講去不外乎「網路行銷、媒體炒作名人效應」云云。其實這裡觸及一個極深層微妙的問題：在現代資本主義社會，所謂「名人效應」到底是怎麼一回事？

　　大家都聽過安迪沃荷的名言：「在未來的世界，每個人都將成名十五分鐘。」大家都知道，這已不是未來的世界，而是現在的世界。我們早已生活在一個「成名十五分鐘」的浮名世界。這一波冰桶秀正是一段「十五分鐘」的全球名人星光大道！問題是：何謂「名人」？何謂「成名」？

　　人們常講「追逐名利」，將「名」與「利」視為可相互轉換的範疇。正如同談「富貴」，將「富」與「貴」視為同一件事。其實「富」與「貴」是不同的價值範疇，正如同「貧」與「賤」不同。以「財富」來定義「高貴」，把「高貴」、「尊榮」等同於「財富」，其實是資本主義化的現代社會才會有的價值觀。現代人早已忘了在傳統社會中，無論是原始部落、貴族城邦、帝國王朝，社會地位的高貴卑賤並不等於財富的多寡。高貴作為一個社會所崇尚的最高價值，必然表現為崇高神聖的尊榮，名譽，聲望。而現代社會崇尚的最高價值就是金錢財富，資本的無窮累積才是最終目的，其

他一切皆只是手段。套用尼采的講法，這是最高價值的崩潰解體，現代社會早已喪失了「高貴」，現代人的價值觀已不識真正高貴的名譽與榮耀，乃至將「成名」也只視為獲利的手段，所以許多名人可以為了一點利益就出賣其名譽。反之，現代人也只能以金錢來購買榮耀，以媒體炒作、市場行銷來製造名譽。

法國社會學家布迪厄（Boudieu）區別四種資本：經濟資本，文化資本（廣義的知識能力之掌握），社會資本（社會人脈資源），象徵資本（名譽聲望）。四種資本當然相互影響，可以相互連結轉換，但象徵資本似乎和另三種資本不在同一層次。如果説權力就是在某一領域的影響力與主導力，那麼，財力、知識能力、人脈資源都是獲得權力的方法手段，但名譽聲望本身就是一種影響力與主導力，所以古代社會常將「權力與榮耀」並稱。所以，今日所謂的「名人效應」作為一種名譽聲望之「象徵資本」，不能簡單化約為媒體炒作與市場行銷，它總是溢出經濟資本之利益關係，指向某種「不可計算」之象徵意義向度。所以一旦身為名人，絕不能顯得「唯利是圖」，一定要表現出「熱心公益」，這是成為一個名人必須付出的「代價」。

法國人類學家摩斯（Mauss）的《禮物》描寫原始部落社會之「誇富宴」，參與者不僅有慷慨贈禮之義務，還不惜將屯積的財貨食物全數毀去，以示慷慨大度。英國人類學家馬凌諾夫斯基（Malinowski）的《西太平洋的航海人》描寫跨越遠洋諸島的「庫拉交易圈」，庫拉是一種項圈與臂鐲之交換儀式，不能直接做商業交易，而是在庫拉圈內流傳、收藏、展示。無論庫拉交易或禮物制度皆無法以現代市場經濟之商品交換來理解，而是透過某種象徵性的流通交換體系，追求凌駕於利益關係之上的普遍名譽聲望，這正是古人的權力與榮耀。

　　在這觀點下，這場冰桶挑戰之名人效應其實頗具人類學意義，可視為一場網路時代的無厘頭「誇富宴」。正如莫斯的理論指出：禮物做為象徵交換物，具有某種「禮物之靈」，「它」強制贈禮者有慷慨贈禮之義務，收禮者有不得拒絕的收禮之義務，更強制收禮者必須將禮物轉贈出去之義務，「禮物之靈」是推動整個禮物流通交換無限延伸之原動者。冰桶挑戰之遊戲規則無疑具有類似的「禮物之靈」，挑戰的邀約就是一個不容拒絕之的「禮物」，被點名的人淋完冰桶，再點名另外三人。雖然按照規則，也可以用捐款來代替淋冰桶，但那一點也不重要，因為被點名的人必然都是名人，名人怎麼會放棄走星光大道的十五分鐘，即使要淋成落湯雞。正如同可以參與誇富宴者都是部落的酋長頭目與兄弟會。

　　這場冰桶名人秀作為網路時代的誇富宴，其根本弔詭在於：在現代商品社會的市場經濟與媒體炒作的框架中，重新包裝塑造古代社會無私贈禮的高貴與榮耀。雖然聲勢規模空前浩大，這場冰桶名人誇富宴終也只能成就一則全球化的「上流美」笑話。

卷三

# 溝通與詮釋的兩個模型

第六章

# 「溝通」理論的兩個模型——從哈伯瑪斯的「理性對話」到德勒茲的「自由間接表述」之精神分裂

　　哈伯瑪斯與德勒茲？兩個永不可能相提並論的名字！吾人嘗試指出一條另類的思想系譜學線索：二氏皆通過「語言學轉向」之典範來批判超越笛卡兒與康德的意識哲學，將現代歐陸哲學之「後笛卡兒」與「後康德」發展推到極致。二氏皆通過奧斯丁的「言說─行動」理論而各自建構出兩套大異其趣的「溝通」理論。哈伯瑪斯訴諸「對話」模型建立了一套「溝通理性」與「共同主體性」的「溝通行動理論」，可視為一「我們說」之「先驗統覺的語用學」。德勒茲則以「自由間接表述」模型解構了先驗統覺的「我們說」，建立了一套「他們說」或「人們說」之謠言耳語、眾聲喧嘩，如意識流小說與精神分裂之「溝通」模型。最後，哈伯瑪斯指向一「我們說」之「可能世界」存有學，德勒茲指向一「他們說」之「潛在真實」存有學。

## 導論

　　哈伯瑪斯（Habermas, Jürgen）與德勒茲（Deleuze, Gilles）？兩個似乎永遠不可能相提並論的名字，兩套看來剛好反其道而行

的思想體系與哲學風格！一個是宣揚「溝通」與「共識」的理性哲學家，捍衛重建民主、人權、公共領域之基本原則與普世價值。一個則批判「溝通」與「共識」不遺餘力，強烈質疑西方民主人權理念的偽善犬儒與媒體輿論的庸俗統治（Deleuze & Guattari, 1991: 103），而不諱言尼采式的反人文主義！

　　然則，如此的思想對立印象不正落入一種輿論俗見（opinion），訴諸簡單標誌來畫分對立陣營？其實，如果將二氏的思想體系置於現代歐陸哲學傳統更廣闊深遠的視域場景，將發現在表面的「對立」背後，蘊含了更深刻的「差異」與「同一」！正如德勒茲所言，「差異」不是「對立」，「差異」才是最根本的，「對立」只是「差異」的顛倒形象。系譜學是「差異」與「區別」的藝術，是高貴的藝術。（德勒茲，2001: 82）

　　吾人嘗試勾畫出另一條「差異」與「區別」的系譜學思考線索，穿越更廣闊深遠的現代歐陸哲學場景，串連連結德勒茲與哈伯瑪斯理論體系更深刻的「差異」與「同一」，建構出一套更複雜微妙的當代思想系譜！

　　借用德勒茲的術語，此思考線索包含幾個關鍵的「特異點」（point singulier）或「精采點」（point remarquable）：

　　一，現代歐陸哲學之發展可以總括涵攝在「後笛卡兒」與「後康德」的「問題架構」（the problematic）中，力圖超越笛卡兒與康德的意識哲學典範。德勒茲與哈伯瑪斯皆不滿意於德國觀念論與胡賽爾現象學的解決方案，二氏之思想體系可視為是回應「後笛卡兒」與「後康德」問題的兩套當代版解決方案。

　　二，二氏皆吸納了二十世紀的「語言學轉向」（linguistic turn），以及後期維根斯坦更進一步的「語用學轉向」（pragmatic turn）來超越意識哲學典範，並直接挪用轉化奧斯丁（Austin,

John L）的「言說──行動」理論（speech act），分別建構出兩套大異其趣的「語用學」與「溝通理論」模型。（我們將看到，德勒茲所建構的「語用學」更適合稱為「語境學」。）

　　三，這兩套「語用學」與「溝通理論」模型同時蘊含了兩套「社會──語言」存有學（socio-linguistic ontology）以及社會演化理論。所以德勒茲與哈伯瑪斯仍可定位為「後康德」的歐陸哲學背景中兩個「大理論」（grand theory）的代表。

## 壹、歐陸哲學的後笛卡兒與後康德

### 一、從笛卡兒「我思」到康德「統覺」

　　一切問題開始於笛卡兒的「我思故我在」！構成現代哲學與現代世界觀的「笛卡兒主義」包含了兩個基本架構。一是以「我思」（cogito, I think）為中心的意識哲學典範，開啟了「主體性」與「反思性」之現代思想路線。二是區分「物質＝廣延／心靈＝無廣延之思維」的「心物二元論」。整個現代哲學可界定為一種「後笛卡兒主義」的發展：1.如何既肯定「我思」的意識哲學解放，同時又要批判超越「我思」所蘊含的主觀主義，懷疑論，甚至獨我論（solipsism）之難局。2.如何既肯定區分「心／物」二元所開啟的現代科學世界觀，同時又要批判超越「心物二元論」的難局。

　　對於「我思」的主觀懷疑問題，笛卡兒提出了「惡意邪靈」（génie malin）的著名想像：我怎知我所看到的這世界的一切事物，不是一個神通廣大的惡意邪靈傾其全力來欺騙我：「我將視天空，大氣，大地，顏色，形狀，聲音，所有外界事物皆如無

物，都只是夢中的迷惑騙局，是他設下的陷阱，我將視自己沒有手，沒有眼睛，沒有血肉或任何感官，但卻錯誤地相信我擁有這一切。」（Descartes, 1998: 62）好萊塢電影《駭客任務》（Matrix）的「母體世界」即可視為當代通俗科幻版的笛卡兒式「惡意邪靈」。

對於「心物二元」問題，笛卡兒則提出了「松果腺」作為連結心靈之思維與身體之運動的中介者與第三者。現代哲學作為一廣義的「後笛卡兒主義」之發展，就是環繞著「惡意邪靈」與「松果腺」這兩大「問題結」而開展的：1.闡明解釋「我思」之解放所建構之主體性的世界坐標，並尋找「我思」背後的「惡意邪靈」＝X，以超越懷疑論與唯我論之難局：2.闡明解釋「心物二元」之因果關係與人文意義，並尋找既連結又超越「心物二元」的某種「松果腺」＝X。

在這意義下，不僅斯賓諾莎，萊布尼茲，巴斯卡是「後笛卡兒主義」，康德亦是，而且將「後笛卡兒」發展帶至一新境界。康德之「先驗批判」一方面繼承貫徹笛卡兒「我思」之「主體性」與「反思性」之思想路線，同時更極力證成此「主體性」與「反思性」本身就具有普遍必然之有效性，可以作為一切經驗與知識成立之可能性條件。

康德之「先驗批判」得以超越笛卡兒之主觀懷疑論，最重要的關鍵就是康德之「我思」不再是笛卡兒「我思」之個體自我意識，而是吾人之認知活動必須預設的一種普遍的純粹思維形式與最高級的「綜合統一」功能，置定一個先驗對象＝X來統攝經驗表象之雜多而成為一認知對象，吾人知識體系之普遍有效性正是建立在「我思」之「綜合統一」功能所賦予的「對象性」與「整體性」（譚家哲，2006: 415）。眾所周知，康德稱這個純粹思維形

式的「我思」為「先驗統覺」（transcendental apperception），一個相對於先驗對象＝X之先驗主體＝X。它其實就是康德體系中的génie malin，一個潛藏在每個自我意識背後之神通廣大的無名思想機制，創造營建出我們所看到的這個世界！對於笛卡兒的懷疑：我怎知這世界的一切不是一個神通廣大的邪靈在欺騙我？康德給了一個回歸常識的回答：因為一切經驗與知識的成立都預設了「人同此心，心同此理」的共同思考形式與感覺形式。（朱光潛，1982: 16）在個體意識的「我思」背後，有一個普遍潛存的「我們」作為共同思考背景之「先驗視域」（transcendental horizon）。這個「我們」並不只是個別的「我」的集合，而是先於「我」的思考，使「我」的思考成為可能的主體性條件與存有學預設。

借用哈伯瑪斯的術語，康德之「統覺」作為這樣一個「先驗視域」的「我們」，一方面將笛卡兒「我思」所開啟之「反思理性」（reflective reason）推到一個純粹自我反射（self-reflection）之極致，成為一種空掉任何內容之純粹意識形式的空洞主體性。（現代文學藝術中的「後設」表現手法亦可視為「反思理性」在文藝領域中所產生之自我反射之空洞主體性）；另一方面也同時開啟了「溝通理性」（communicative reason）的「互為主體性」（intersubjectivity）之路。

## 二、「先驗統覺」的當代轉化：

因此，現代歐陸哲學進入「後康德」之發展，一個最主要的問題就是：如何重新置定「先驗統覺」？

一是「先驗統覺」的「實體化」與「形上學化」，這是十九世紀上半葉德國觀念論所採取的思考路線，黑格爾的「絕對精

神」是「先驗統覺」走向「實體化」之集大成者。

　　一是「先驗統覺」的「去先驗化」，將普遍潛存的抽象的「我們」予以現實化與具體化，歷史化與社會化，這是十九世紀下半葉直至今日之發展。如馬克思的歷史唯物論宣稱：「存在決定意識」，即可視為「先驗統覺」的歷史化與社會化，成為社會生產模式所形構的「我們」，是這個社會存在的「我們」在決定個人意識的「我思」。叔本華、尼采、齊克果則可視為「先驗統覺」的生命化、存在化、身體化。

　　胡賽爾的現象學則企圖貫徹笛卡兒「我思」之直接意識經驗描述方法之「自我學」（egology）來重建康德「統覺」之「共同主體性」之先驗哲學方案。

　　而社會學之興起，從韋伯、涂爾幹到哈伯瑪斯，則可視為康德「三大批判」之社會學化。

　　二十世紀哲學的重要發展「語言學轉向」，亦可納入「後康德」之發展脈絡，視為「先驗統覺」的「語言化」：「先驗統覺」作為使吾人經驗成為可能的純粹思維形式，同時也就是使意義成為可能的普遍語言結構。其實康德的先驗批判將「知識如何可能？」「道德如何可能？」「審美如何可能？」化約為「知識判斷如何可能？」「道德判斷如何可能？」「審美判斷如何可能？」已預示了二十世紀哲學的「語言學轉向」。語言之運作是「我們」先於「我思」並決定「我思」的最佳例證，「我思」作為「我說」預設了「我們說」。「先驗統覺」的「我們思考」（We think）可直接透過「我們說」（We speak）而逼顯出來。於是，這個「我們說」的無名語言機制成為二十世紀哲學中最能魅惑與解構「我思」的 génie malin，它化身為幾個派系：1. 佛萊格（Frege, Friedrich Ludwig Gottlob）、羅素（Russell, Bertrand Arthur

William）、維根斯坦的邏輯語言分析哲學。2.索緒爾（Saussure, Ferdinand de）的符號學所開啟的法國結構主義與捷克形式主義。3.海德格（Heidegger, Martin）與迦達瑪（Gadamer, George）之「現象學──詮釋學」的語言本體論。4.後期維根斯坦的「語言遊戲」理論與奧斯丁的「言說──行動」理論所開啟的「語用學」轉向（pragmatic turn）。

然則，相對於哲學領域中的「語言學轉向」，二十世紀之科學領域也興起一種將語言「資訊化」，「數學化」，「模型化」之新典範，如香農（Shannon, Claude）之資訊數學模型（mathematical model of information）（G. Chang, 1996: 175），由此產生各種資訊論、傳播論、控制論，系統論等廣義的科學化之系統理論思潮。結構主義與形式主義亦可視為此系統理論思潮之分支流派。

德勒茲與哈伯瑪斯的「溝通理論」模型亦須置於此「先驗統覺的語言化」與「語言的資訊化、數學化」兩大世紀性語言學思潮來理解定位。二者皆基於「語用學」與「言說──行動」理論來批判系統論之「資訊──傳播」（information-communication）數學化模型。

## 貳、「先驗統覺」的語用學

### 一、先驗批判的語用學證成

康德的先驗批判的論證方式：首先肯定吾人經驗之成立須具有某種普遍有效的先天概念，然後追問使經驗成為可能的主觀先驗條件，經驗的普遍有效性成為不容置疑，無須證明的「事實」。所謂「先驗演繹」（transcendental deduction）就是要證明

經驗必然遵循吾人之先天概念，相對的，先天概念必然應用於經驗。（Deleuze, 1963: 222）

批評者大多認為康德之論證是一種「丐題」（begging question）式之循環論證，將須要證明者設定無須證明之基本前提。而當代語用學之興起，正可為康德之循環論證解套。

從語言學轉向進一步發展至語用學轉向，最重要轉折就是語言從普遍抽象的「語句」系統變成具體使用之「話語」（utterance），正在發生之「言說」（speech）。語言之意義須求之於具體使用，而使用某種表達就如同參與某種遊戲之進行，須知道如何遵循規則（維根斯坦）。奧斯丁更進一步指出，語句的作用不只是陳述事實，有許多「履行話語」（performative utterances）不只是說出某事，更是履行（perform）某一特定行動，或是藉由說話來履行某事（perlocutionary act），或是說話本身就是在履行某事（illocutionary act）。這就是著名的「言說—行動」（speech act）理論。按照此新典範，一句「話語」之意義不僅在於語句本身之內容，而在於語言使用之脈絡語境（context），更直接關聯到整個行動脈絡（action-context）之生活情境背景。仿照傅科《性史》所說的將性「置於言說」（mise-en-discours），我們亦可說，語用學轉向就是將言說「置於行動」（mise-en-action）與「置於脈絡」、「置於語境」（mise-en-context）。

準此，語用學導出了一種新的論證方式，對於一套理論命題，不只是考察其命題內容之真假對錯，更要將之「置於行動」與「置於脈絡」，以反顯其是否蘊含了「言行自相矛盾」（performative contradiction）之謬誤！（安德魯．埃德加．2009: 119-120）

康德的先驗批判納入此一「置於行動」與「置於脈絡」的語

用學論證：如果不承認經驗的普遍有效性，不承認「人同此心，心同此理」之基本預設，吾人關於經驗的一切言說討論都將陷於「言行自相矛盾」，而變得沒有意義。當我在一家百貨公司詢問一位店員：「這件款式的服裝還有沒有其他顏色？」此一日常發生之「話語」已預設了我們都具有相同的感覺與視覺結構（不是盲人也不是色盲），相同的認知思考模式，說相同的語言。

語用學論證即是從「我在說話」或「有人在說話」之發生事實，推論出必然隱含預設了某個「我們在說話」作為普遍潛在運作的脈絡語境與原理規則。後期維根斯坦的《哲學研究》駁斥「私有語言」之可能性，就是反顯出：肯定「我在說話」卻否認「我們在說話」，此「言說」本身已陷於「言行自相矛盾」之荒謬。而駁斥「私有語言」亦即間接駁斥了笛卡兒的「獨我論」，因為如有任何人作出「獨我論」之宣稱，也只能是一種「言行自相矛盾」之「私有語言」。

## 二、「普遍語用學」或「語境學」

所以，相對於笛卡兒的「我思，故我在」，當代的語用學轉向則揭示了「我說，故我們在」，哈伯瑪斯之「普遍語用學」（universal pragmatics）之思路旨趣正是從「我在說話」或「有人在說話」之事實推論出「我們在說話」之普遍規則，這不啻是康德先驗批判的「語用學化」，所謂「普遍語用學」（《溝通行動理論》則改稱「形式語用學」）其實不啻是一套「先驗統覺」的語用學，亦即「我們在思考」變成「我們在說話」之先驗演繹。這其中包含了方法論上的幾個轉折發展。

1. 康德三大批判追問「知識判斷如何可能？」「道德判斷如何可能？」「審美判斷如何可能？」，被轉化為一個成功的溝通

行動中，言旨效力（illocutionary force）須訴求的三種「有效性宣稱」（validity claim）：命題之真值（truth of the proposition），規範之正當性（rightness of the norm），表達之真誠性（authenticity of the expression）（Habermas, 1979: 65-66），可視為康德三大批判之語用學化。

2. 從「我在說話」之事實推論出「我們在說話」之潛在的普遍規則，如果不是一種邏輯上的「循環論證」，那是因為此一「推論」過程與其說是一種邏輯推論，更好說是對於某類經驗現象的「闡明揭示」（explication），使「隱含的」、「蘊涵的」（implicit）成為「明顯的」（explict）。此「從隱到顯」的「闡明揭示」過程其實就是一種「詮釋學」（hermeneutics），所要闡明揭示之事正是早已隱含預設之前提，這不是邏輯上的「循環論證」，而是一個「詮釋學循環」（hermeneutic circle）。在詮釋學的啟發下，吾人發現，所謂哲學的推論或論證，在大部分情況下其實並非一般所認為的「從已知推論未知」，而是「從明顯的已知推論隱含的已知」，這個「隱含的已知」卻往往是「百姓日用而不自知」甚至嚴重誤解曲解者。康德的先驗演繹亦可視為一種「詮釋學循環」而跳出邏輯上的「循環論證」。

3. 此一「從隱到顯」之「闡明揭示」過程，哈氏稱為「理性重建」（rational reconstruction）。他界定「普遍語用學」是一種「重建科學」，有別於一般的經驗研究：「一種研究方案企圖重構言說的普遍有效性基礎」（the universal validity basis of speech）（Habermas: 1979, 3）、「辨識與重構可能理解的普遍條件」、「重構溝通行動的普遍預設」（Habermas: 1979, 1）哈氏的「重構性科學」作為一種「詮釋學循環」突顯一重要意義：當代歐陸哲學之「後康德」發展中對於「先驗統覺」的「去先驗化」，哈伯瑪

斯誠為典型代表，其「普遍語用學」與「溝通行動理論」可視為「先驗統覺」的社會學化與語用學化，但這並不意味著「去先驗化」就是將哲學領域化約為經驗研究或歷史研究。哈伯瑪斯有時會自我定位為「半先驗」或「準先驗」，此類說辭恐亦難逃「言行自相矛盾」。吾人認為，當代歐陸哲學「後康德」之真正意義也許不在於「先驗統覺」的「去先驗化」，而在於「先驗統覺」的轉移、轉化、變形！從海德格的「在世存有」，梅洛龐帝的「身體—主體」到哈伯瑪斯的「溝通理性」，皆可視為「先驗統覺」的變形轉化。

4. 三種「有效性宣稱」各自分立，須通過「溝通理性」與「語言媒介」之綜合統一與區分定位，予以各自領域之有效性與相互連結貫穿之可能性。所以「溝通理性」與「語言媒介」在哈伯瑪斯體系中之角色相當於康德先驗批判中的「先驗統覺」與「知性範疇」。

5. 延續維根斯坦語言遊戲理論之「意義即使用」與「使用即遵循規則」，哈伯瑪斯進一步強調：「遵循一個規則意味著在每一獨特個案中遵循同一規則」。「規則的同一性」（Identity of the rule）在於「共同主觀之有效性」（intersubjective validity），換言之，一個話詞之意義的同一性是建立在說話者共同遵循規則，相互確認之有效性。至少兩個說話者彼此具有遵循規則之能力，同時伴隨著判斷是否違規之批判能力。（Habermas, 1987: 18）

相對於哈伯瑪斯的「普遍語用學」欲重構「言說—行動」之普遍規則與結構，而較接近維根斯坦，德勒茲與瓜達利在《千高原》（*Mille Plateaux*）所建立之語用學則特別突顯「言說—行動」之事件性，將奧斯丁之 speech-act 之 act 的一面發揮到極致。在英

文中，act既是指一般的行動舉止，亦指法律上的法令、條款、判決、決議、訂約協定，亦指戲劇演出之一幕。德勒茲與瓜達利之「言說─行動」亦同時涵蓋一般行動、法律、戲劇三個面向，但特別強調法律面向。他們貫徹奧斯丁的「言說不只是陳述事實，更是執行一特定行動」，並結合杜扣（Ducrot, Oswald）之法律模型的社會語言學，而導出一極端論點：語言「表述」（énoncé）[1]之基本功能並不在於資訊之傳播溝通，而在於「命令」之傳遞。所有的「表述」都是一個潛在的「命令句」（mot d'ordre），它未必需要具有文法上的「命令句」形式，但卻預設了使用語言時一種內在的「強制性」。一個小學老師教授文法並不是單純地傳達關於文法的「資訊」，而是在強制學生必須接受這套文法規則的支配。文法規則是權力之標記，在成為語法標記之前。「命令」不是「資訊」之傳播，反之，「資訊」是為了傳遞「命令」之最低限條件。（Deleuze & Guattari, 1980: 100）進入一種語言就是接受這套語言系統的內在強制性，正如學習電腦就是熟悉各種程式運用的「指令」。

回到奧斯丁的「言說不只是陳述事實，更是執行一特定行動」之「言說─行動」，語言表述與行動之關係應如何界定？德勒茲與瓜達利界定「行動」是內在於「表述」之隱含的「非語言預設」，表述與行動之關係並非同一，而是一種直接相連伴隨的「複述」（redondance）（Deleuze & Guattari, 1980: 100）。德勒茲與瓜達利進一步引用斯多亞學派邏輯學之「意義─事件」理論作

---

1　相當於言說（speech）或話語（utterance），指實際運用而產生效應之字詞語句。

為「言說—行動」之存有學定位。「意義」是一個「非物理性」、「非實體性」（incorporeal）之「事件」，它不屬於物體、身體之間的力學作用層面，卻作為語言命題之「所表達者」（l'exprimé, the expressed）而可歸附於某一個「體」。「言說—行動」之「行動」作為非語言性之隱含預設，即是這樣一種所表達的意義與事件，它不是身體層面之action，而是一個純粹事件之act，德勒茲與瓜達利引用杜叩所舉的法學例子：在法庭上，當法官宣判一個被告有罪，此一判決作為一純粹語言事件之act，原本並不屬於被告的身體，但當它被歸附於被告的身體時，在被告「身上」發生一種瞬間的、直接的、非物質性之轉換（incorporelles transformations），使被告從「罪嫌之身」瞬間轉換成「有罪之身」。[2]

於是我們看到奧斯丁的「言說—行動」理論與斯多亞學派的「事件」形上學被納入別樹一格的奇特綜合。在此，我建議將德勒茲與瓜達利的「語用學」特別譯為「語境學」。因為對他們而言，語言不只是抽象封閉的符號系統與規則結構，而是貫穿不同情境場合，不斷發生變化的事件之流。中國大陸學界將context譯為「語境」，成為流行用語，而有浮泛濫用之嫌。context原指決定語文意義之「上下文脈絡」，引申為一般行為與事情之發生

---

2　斯多亞學派對於「體」（corps, body）的界定非常廣義，不只是物體與身體。這在日常語言中反而容易了解，例如說某政治人物發言不當，有辱「國體」云云，這裡的「國體」就是一種斯多亞學派的body。英文常講social body, political body，中文常講一個社會的「體質」，一個政黨的「體質」，金融的「體質」，乃至孟子談心之「大體」與「小體」皆是「體」。按照德勒茲對尼采的詮釋，「體」是各種實質力量運作的場域、組織、體制，包括物理力量、心理力量、社會力量、政治力量、經濟力量。所以貨幣與資本也是一種「體」。

脈絡。至於德勒茲與瓜達利所設想的「言說─行動」則蘊含了比context更強的向度，一種「去脈絡化」（dé-context）的運作如同一種「去符碼化」（décodage）與「去疆域化」（déterrorialisation）。一個語言表述作為一個事件，不僅在於它產生於某一實際脈絡語境，更在於它能「去脈絡化」，穿越不同的脈絡語境，不斷產生意義的轉化與變調。德勒茲與瓜達利常引用社會語言學家拉伯甫（Labov, William）所舉之例：「在同一天內，一個人不斷從一種語言過渡到另一種語言。接續地，他說話如一個父親應有的樣子，接著像一個老闆；對著所愛的情人，他說一種稚氣無謂的語言。在睡眠中，他深陷於一種夢魘囈語，當電話鈴響，他猛然回到專業的語言。」（Deleuze & Guattari, 1980: 119）

　　相對於維根斯坦與哈伯瑪斯強調意義產生於規則的同一性，德勒茲與瓜達利則突顯意義作為一個事件的差異性與變化性，他們不僅將語言「置於行動」與「置於脈絡」，更將語言「置於變奏」（mise-en-variation），視語言之運行如一首不斷變奏的樂曲。（Deleuze & Guattari, 1980: 123）所以，意義之同一性就是通過不斷變奏所表現之「主題」。

　　這就是德勒茲與瓜達利的「語境學」！它同時也是一種「語言政治學」，研究在某個社會場域的實際情境中，某個命令如何發生形成，歸附於「社會體」而產生瞬間的轉換變化！（Deleuze & Guattari, 1980: 105）所有的表述都是潛在的命令，而所有的命令都是一個小型的死刑判決，如卡夫卡所說。（Deleuze & Guattari, 1980: 96）但「命令」之發佈傳遞既隱含對「命令」的遵從與執行，同時也隱含著違抗「命令」，形成逃脫「命令」掌控之「口令」（mot de passe），畫出語言之「去疆域化」運動的「逃逸路線」。德勒茲與瓜達利的「語言政治學」既關乎「命令」

之傳遞，更指向逃脫「命令」的「口令」。

　　吾人發現，哈伯瑪斯與德勒茲皆預設了後期維根斯坦「意義即使用」與「使用即遵循規則」之基本語用學原理，差別在於，德勒茲將「遵循規則」視同服從命令，承受權力之宰制，而亟思反抗逃脫之。所以二者發展出兩套反其道而行的語用學。

## 參、溝通理論的兩個模型

### 一、哈伯瑪斯：「我與你」的「對話」模型

　　根據奧斯丁之「言說—行動」模型，哈伯瑪斯的「普遍語用學」可直接導出「溝通行動理論」，從「我在說話」之個別言說—行動推演出「我們在說話」之普遍溝通情境。從「我說」到「我們說」，這本身就形成一個「詮釋學循環」，一個個體與集體，「我思」與「統覺」的「詮釋學循環」。哈伯瑪斯在此採取米德（Mead, George Herbert）之符號媒介的互動理論：「一個人因為屬於一個共同體而成為個性人格，他接受這個共同體的體制，納入自行的行為導向，他採取它的語言作為媒介而獲得個性人格，……一個人必須是一個共同體的成員才能成為自我。」（Habermas, 1987: 24）

　　在這意義下，「我們說」既是使「我說」成為可能之前提預設與必要條件，同時也是「我說」企圖努力達到之理想目標與境界。而從「我說」通向「我們說」之中介環節就是「我與你」之「對話」關係。「我」在「我與你」的對話中溝通互動，學習成長，成為一獨立主體，同時「我與你」也在對話的溝通互動中達到相互理解，進而形成共同理解與認可的「共識」，使「我與

你」成為一個「我們」。

　　「對話」是哈伯瑪斯「溝通理論」的基本模型，是連結個別之「我思」與普遍之「統覺」的基本想像圖式，可還原為一句日常表述之公式：「讓我們坐下來好好談談。」進而言之，哈伯瑪斯的「對話」模型還是一種學術研討會模型，參與對話者皆能夠如學者般客觀理性，就事論事，針對談論內容區別出不同類型之話語，提出不同類型的有效性宣稱之論證來說服或駁斥其他對話者，以達到更廣泛深刻的相互理解與共同理解。在這場無止盡的學術研討會，有一個主席先生叫做「溝通理性」，由他來維持會議討論的秩序，確保所有對話者獨立思考與平等發言權的「相互主體性」與「共同主體性」。透過這「讓我們坐下來好好談談」的基本「對話」圖式，笛卡兒的「我思」通向康德的「統覺」，形成「反思理性」與「溝通理性」的「詮釋學循環」。

## 二、德勒茲：自由間接表述的溝通模型：意識流或精神分裂

　　相對於哈伯瑪斯的「語用學」可直接導出「溝通理論」，德勒茲的「語境學」對於「溝通」的定位則極為曖昧弔詭，因為涉及另一重要問題：法國語言學家本維尼斯特（Benveniste, Émile）的「表述」（discours）理論。「表述」不是話語本身，而是對某人說過之話語的「報導」或「複述」。這是法文文法課的基本問題。「表述」的方式一般分為兩種，「直接表述」與「間接表述」。直接表述就是將某人說過的話直接按照其措辭用語來報導複述，在書寫形式上就是將某人的話置於括弧引號。反之，間接表述就是去掉括弧引號來報導複述某人的話。沿用德勒茲與瓜達利常舉「我愛你」為例。

　　直接表述：他對她說：「我愛你」。

間接表述：他對她說他愛她。

一般會直覺認為吾人的語言主要是由直接表述所構成，其實不然。本維尼斯特指出，間接表述是人類語言的最基本特徵。語言不是報導我們看過的事實，而是複述或轉述別人說過的話，而且還不是我們親身聽到的話，而是不知道經過第幾手的轉述。這是動物所沒有的人類語言特質。本維尼斯特舉蜜蜂為例。蜜蜂甲看到某處有一朵花，之後蜜蜂甲遇到蜜蜂乙，將此訊息傳遞給蜜蜂乙。蜜蜂乙接收此訊息，但之後當它遇到蜜蜂丙，卻無法將此訊息傳遞給蜜蜂丙，因為蜜蜂傳遞的訊息只能是牠親眼見到的，而無法轉述他者所見的「傳聞」。但人卻可以，人的表述本來就是「道聽途說」的「傳聞」與「傳說」。如果說只有人才有「語言」，動物的訊息傳達不算「語言」，因為只有人才有「道聽途說」的「間接表述」，只有人才會散佈流言蜚語，以訛傳訛。人類的言說在本質上就是一種「謠言」，每一句話都是在重複與轉述另一句話，都是道聽途說的流言蜚語。

在「直接表述」與「間接表述」之外，還有第三種「表述」方式：「自由間接表述」（indirect discours libre），主要是一種小說的描寫方式，例如言情小說常有這樣的句子：

他在心中對她喊道，我愛你。

這裡的「我愛你」就是一種「自由間接表述」，它更像是一句模糊括弧或逸出引號的直接表述，直如天外飛來一筆，隨時即興地穿梭於無數的括弧引號。

於是，德勒茲與瓜達利的「語境學」導出另一極端論點：「所以的語言表述都是自由間接表述。」一般話語中的直接表述都預設了自由間接表述，都是對自由間接表述的片段截取引述，自由間接表述則產生於一個超越個別發言主體之「集體發言裝

置」（agencement collectif d'énonciation）。此論點較之「所有的語言表述都是命令的傳遞」更違反一般常識，更乖異離奇，但也更深刻弔詭，耐人尋味。

日前讀到日本作家大江健三郎闡釋說明為什麼喜歡在其小說寫作中夾雜大量的「引述」：「語言本來是別人的東西──如果這樣說過於偏激，那麼至少可以說是與別人共有的東西……幼兒們說話，用的是他們剛剛學到的──剛從別人那裡借來的──詞語。我們講話只不過是在這些詞語中加上更深的意義，並沒有本質上的不同。從這個意義上說，所有的詩和小說都是運用與他人共有的語言──即引用──創作出來的。」[3]大江的寫作觀簡明扼要地呼應印證了德勒茲與瓜達利的「所以的語言表述都是自由間接表述」之語言觀。

根據此「自由間接表述」模型，不難推論，德勒茲對哈伯瑪斯的「溝通」理論可以提出如此的批判：一，「你─我」關係之「對話」模型只停留於「直接表述」之表面語言現象，完全未觸及「自由間接表述」才是最深層根本之語言表述模式。二，「溝通理性」作為一個普遍預設的「我們說」，仍停留在康德「先驗統覺」之純粹思維形式之「可能條件」（possible condition），而未達至「真實條件」（real condition）。「可能條件」只是一般常識認可的空泛原則，如同抽象貧乏的程式設定，完全無法觸及真實存在面向之實際運作。而德勒茲所追求之「真實」或「實在」（réalité, reality）從來就不是「現實」（actualité, actuality），而是一種「潛在之真實」（réalité virtuelle, virtual reality）的整體性向度（Deleuze & Guattari, 1980: 269）。它不只是可能性的形式條件，而

---

3　林水福，〈大江的真實告白〉，台北：聯合報副刊，2009/09/12。

是潛在而又真實運作的機制與場域，如中文常講的「潛移默化」。「集體發言裝置」便是一個潛在而又真實運作的語言機制，它相當於德勒茲「語境學」中的「先驗統覺」。但作為「自由間接表述」的潛在生產者，這個「先驗統覺」不再是溝通對話的「我們說」，而是一個道聽途說，人云亦云的「他們說」或「人們說」，一個無名的，非人稱的發言機制，不斷在散播流言蜚語。

　　基於此「自由間接表述」之「集體發言裝置」，德勒茲對於「溝通」問題提出兩個乖異弔詭的模型：一是《千高原》中反溝通的「意識流」模型；一是《電影II》的「精神分裂」模型。試分述之。

## （一）「意識流」模型：

　　「集體發言裝置」穿越「發言主體」（sujet d'énonciation）與「表述主體」（sujet d'énoncé）之區別，自由地出現在這些表述之中：「所有的聲音呈現在一個聲音中，那些女孩的笑聲呈現在查理斯的獨白中，那些言語在一個言語中，那些命令語在一個語詞中。美國刺客山姆之子在遠祖聲音的驅動下行刺，此聲音之傳遞又通過一隻狗的吠聲。」（Deleuze & Guattari, 1980: 101）語言的全部是「自由間接表述」，直接表述只是從中截取抽離出來之片段，產生於「集體發言裝置」之肢解離析。它總是如謠言耳語，我從中汲取我的聲音，我的名字：「書寫，或許就是將這無意識的發言裝置帶到光天化日下，選擇那些竊竊私語的聲音，喚出那些秘密的部落與方言，我從中抽取出某些事物可以稱之為"我"。"我"是一個命令語。」「我的直接表述是從各部分穿越我的自由間接表述，來自其他世界，其他星球。」（Deleuze & Guattari, 1980: 107）

這樣的「自由間接表述」其實就是現代小說中的「意識流」書寫，如喬依斯，詹姆斯，吳爾芙。「語言」作為一個「自由間接表述」體系就是一部意識流小說的無盡書寫，是「語言之流」也是「意識之流」，一個無間斷的「人們說」的大喃喃，不斷變奏的「語言連續體」。（Deleuze & Guattari, 1980: 119）借用流行講法，這是一個「無間道」的世界，「無間斷」道白的「語言之流」的「連續體」，時而喃喃低語，時而喧囂躁動。

在這樣一個「自由間接表述」的語言系統中，如果還有所謂的「溝通」，「溝通」不再是我與你「互為主體」的「對話」關係所形成的「我們說」，而是道聽途說，人云亦云的「他們說」或「人們說」透過你我在散播謠言耳語。我與你，乃至「我們」與「你們」都成無名的「他們說」蜚短流長，人云亦云的傳聲筒！

李維史陀（Levi-Strauss）的《憂鬱的熱帶》有一句名言：「在我們與空無之間，沒有自我存在的餘地。」而對德勒茲與瓜達利，無論「自我」或「我們」，都是無名的「他們說」或「人們說」所產生之片段表述的流言蜚語。

## （二）「精神分裂」模型

德勒茲在《電影 II》的最後一章〈影像之組成〉，討論有聲電影而提出另一套「溝通」理論。

在默片中，言說話語是被間接地閱讀，而在有聲電影中，言說話語作為「言說—行動」釋放出它的自主性，使有聲電影成為一種溝通與互動的社會學：「互動使自己在語言行動中被看到，互動不僅僅關涉到語言行動中的說話者，因為互動不是經由個體來解釋，亦非衍生於社會結構。而是語言行動，透過它的持續流通、傳播與自行演變，創造出個體間與群體間的互動，即使他們

相距遙遠分散，互不相干。就如同一首歌曲穿越不同的場所，空間，人們。」（Deleuze, 1985: 227）。作為這樣一種互動主義，謠言成為有聲電影偏愛的主題。同理，對話也從結構、位置、功能的決定條件中釋放出來，成為有聲電影擅長表現的一種純粹的社會性形式。不是對話者的利益、情感在決定對話的進行，而是對話本身使對話者的利益、情感都成為對話進行的賭注。換言之，對話本身總是指向某種超乎對話者的自主性運作，而帶有瘋狂或精神分裂之意味：「精神病學家曾研究精神分裂者的對話，它的矯飾主義，它忽遠忽近的互動方式，但所有的對話都是精神分裂，對話是精神分裂的模型。」這樣一種精神分裂的對話就如同各自獨立分散的人們偶然引發的互動，甚至同一個人的獨白自語亦可是精神分裂式的互動：「所以，對話是一種凝縮的謠言，謠言是擴張的對話，二者都揭露出溝通的自主性。」（Deleuze, 1985: 230）

此「溝通」模型可簡述總結如下：

**自主性「言說—行動」＝穿越串連不同場所、不相關人們之純粹社會互動＝謠言之傳播散佈。**

**自主性「對話」＝穿越不同對話者之矯飾互動的精神分裂＝凝縮的謠言＝擴張的對話＝自主性「溝通」＝純粹的社會性形式**

## 結論：從「我們說」到「他們說」：兩種「語言—社會」存有學

海德格與迦達瑪之詮釋學有兩個基本的語言存有學命題：語言是存有之屋（海德格）；擁有一種語言就是擁有一個世界（迦達瑪）。德勒茲與哈伯瑪斯的兩個溝通模型亦包含了兩種「社會—語言」存有學（socio-linguistic ontology），從「言說—行

動」直接導出社會世界之存在樣態。

然則，哈伯瑪斯不是宣稱一種「後形上學」思考（post-metaphysical thinking）嗎？

從亞理斯多德開始，界定形上學是唯一探討「存有作為存有」（being qua being）的一門科學，有別於一般科學只研究特定存在對象，舉凡對經驗與現象之存在方式（mode of being）提出「整體性」（totality）的詮釋說明與分類定位，形成跨越個別科學領域之整體世界觀之「大理論」（grand theory），皆可歸為一種廣義的「後設─科學」或「超─科學」（meta-physics）之存有學或形上學。

在這意義下，哈伯瑪斯從三種話語（命題、規範、表達）之普遍有效性宣稱直接導出三個「世界」（客觀世界、社會世界、主觀世界），亦是一種存有學或形上學之「整體性」置定之「大理論」。三個「世界」是與三種話語對應的三種「實在」之「區段」（segment of reality）：（a）外在世界作為存在事實狀態之整體性。（b）我們的社會世界作為所有合法規範之人際關係之整體性。（c）個別的內在世界作為說話者之意向經驗之整體性。最後，語言作為關聯連結三個世界之普遍媒介，本身構成一「自類實在」（reality *sui generis*），而可抽離於三個世界之外。（Habermas, 1979: 66-68）

準此，哈伯瑪斯的「後形上學」宣稱其實亦是一種「言行自相矛盾」（performative contradiction）。問題不在於「後形上學」，而在於要採取那一種形上學的立場與姿態，對經驗與現象之存在做出什麼樣的整體性定位。或是根本拋棄形上學，成為純粹經驗研究的實證主義與歷史主義。哈伯瑪斯所採取的形上學姿態其實很明顯，就是貫徹延伸康德的先驗哲學立場，只探討經驗

成立的「可能性」條件，並將此「可能性」歸之於一個超越個別自我意識的普遍「主體性」，一個純粹思維形式的「我們」。哈伯瑪斯所致力建構的仍是一套康德式的「可能性」與「主體性」的先驗哲學，只是將之語言學化與社會學化。

韋伯界定現代社會之特徵就是價值領域分化為科學、道德、審美三個專業領域，可視為康德三大批判之社會學化。哈伯瑪斯透過當代的語言學轉向，將先驗統覺的「我們思」轉化為「我們說」，透過三種話語來置定三個世界，可視為康德三大批判更進一步的社會學化與語用學化。

正如同海德格與迦達瑪，「語言」亦是哈伯瑪斯的「存有」，貫穿連結三種話語與三重世界。在這當中，透過規範話語所置定之社會世界又具有統攝客觀世界與主觀世界之核心基礎地位，因為所有話語的有效性宣稱都是發生在對話語境之人際關係中的一種「言說—行動」之內在義務（speech-act-immanent obligation）（Habermas, 1979: 63）。可以這麼說，社會世界作為規範話語所置定的「我們」的人際關係之整體網絡，當然是「我們說」最最基本的發言場域。所以哈伯瑪斯更進一步界定社會世界的演化應該走向一個「理性化」的「生活世界」（life-world），一個可以「讓我們坐下來好好談談」的對話平台與溝通互動網路，而不只是走向一個日益龐大複雜，客觀運作的「系統」。哈伯瑪斯將「生活世界」與「系統」平行對揚，肯定「系統」演化的正當性，同時亦批判「系統」對「生活世界」的殖民異化，可說是康德之「目的王國／自然王國」二元論一個社會學化的當代版，更遙遙召喚萊布尼茲之「目的論」與「機械論」的「預定和諧」。

所以，哈伯瑪斯以「對話」為模型的溝通理論指向一套「我

們說」之「可能世界」存有學（a 'possible world' ontology of 'we speak'）：從「我們說」之「可能性」條件推演出一個理性對話互動的社會生活世界，進而推演建構出各種可能世界，科學研究之客觀世界或藝術審美之主觀世界。整套體系可以表述為一句英文諺語：We are the world！我與你的對話溝通形成一個理性共識的「我們」，「世界」就在「我們」的共識中開展建立。「我們」就是「世界」！更進一步，不僅我與你須透過對話溝通形成一個「我們」，「我們」與「你們」之間更須溝通對話，形成一更大「共識」之「我們」，直到 We are the world，一個世界公民的「我們」，四海皆兄弟的大同世界！

　　相對於此，德勒茲以「自由間接表述」為模型的溝通理論則指向一套「他們說」之「潛在真實」存有學（a 'virtual reality' ontology of 'they speak'）：超越「我們說」之常識框架所設定的抽象空泛之「可能性」條件，揭示逼顯出語言運作之「潛在」的「真實」條件，一個潛藏在「我們說」背後人云亦云，眾說紛紜的「他們說」或「人們說」，一個無名的非人稱性的集體發言裝置，無間斷的生產流言蜚語，形成眾聲喧譁，喃喃不絕，精神分裂般的語言之流與意識之流的「連續體」（continuum），如一部無止盡的意識流小說，一首置於不斷變奏的交響樂曲。（Deleuze & Guattari, 1980: 123）

　　這個不斷變奏的「語言連續體」不是語言學的抽象法則或共相，而是一「潛在真實」（virtual reality）的整體語言運作，一個真實作用於具體的言說表述，不斷潛移默化的「潛在整體」（virtual totality）。抽象的法則或共相只是從這「連續體」的語言流中截取抽離的片段，如同斷章取義之引述。

　　德勒茲與瓜達利嘗引用阿杜塞納（Althusser, Louis）之「召

喚個體成為主體」之意識型態理論來批判本維尼斯特的「語言人稱學」（personnologie linguistique）。發言表述都預設了某個「你」作為訴說宣示對象，這個「你」成為一「主體化之點」（point de subjectivation），通過對「你」的訴說宣示，才構成「我」作為一「發言主體」。一個社群之構成往往要訴諸一個大寫的「你」作為絕對的「主體化之點」（point de subjectivation），通過對「你」的召喚，同時也在「你」的召喚之下，每個成員將自己構成為一個發言主體的「我」，同時形成一個集體發言之共同體的「我們」，例如基督教徒透過對上帝與耶穌之「絕對的你」的禱告召喚，同時構成信仰的主體與共同體。（Deleuze & Guattari, 1980: 162-163）

　　德勒茲與瓜達利指出，此「主體化」模式只是諸多「符號政權」（régime de signes）當中的一種，見之於猶太人，基督徒與現代布爾喬亞階級，「資本」就是布爾喬亞階級的「主體化之點」。（Deleuze & Guattari, 1980: 163）不言而喻，哈伯瑪斯之「我—你」對話模型之溝通理論亦可列入此「主體化召喚」之「符號政權」。

　　而對德勒茲而言，「我們說」之「直接表述」只是從「他們說」之「自由間接表述」所形成的「語言連續體」中暫時截取片段之斷章取義，換言之，「我們說」只是「他們說」不斷變奏的語言之流的一段「過渡」（passage），如同一個暫時放入括弧的命名狀態。所以，問題不在於通過「我」與「你」或「我們」與「你們」之「對話」來召喚一個普遍共識的「我們說」，而在於將這個暫時放入括弧的「我們說」重新放回無名的「他們說」眾聲喧譁，精神分裂般的「語言連續體」之流，召喚一個不再是「我們」也不再是「你們」的「他們」或「人們」，有如召喚一個未來的人民＝X！

# 從「書寫」的「語用學」看「文言文」的重要性

　　文言文在台灣語文教育中的比例與存廢問題再掀爭議！有沒有可能跳出統獨與民族主義的意識形態觀點來看待文言文爭議？有的，我建議採取一種「語用學」（pragmatism）的觀點，即從中文的實際使用狀況來評估文言文的實用價值。當代的語用學思潮源於後期維根斯坦提出「意義即使用」。但維氏所設想的語用情境幾乎都是口語說話。其實語用學的探討對象應同時涵蓋「說」與「寫」，speaking and writing，也就是「語／文」，口語說話與文字書寫。

　　關於文言文爭議，我建議從一種「書寫」的語用學觀點，將問題表述如下：無論你認為台灣人是不是中國人，只要仍使用中文（或曰「華文」、「漢文」）來書寫，就須多讀文言文，才寫得出好文章。

　　這裡當然涉及中文本身的特性。西方語言是拼音系統，中文則是書寫系統。所以在中文的實際使用中，口語與書寫的差距遠大於西方語言。請環顧一下今日的中文書寫語境：從胡適推行白話文運動至今，今日各類媒體上的中文書寫，請問有幾篇文章是用純粹口語寫成的白話文，恐怕只有童書符合胡適的白話文標準。絕大數的文體都是「文白夾雜」，報紙社論是文白夾雜之作文典範。

　　這表示白話文運動失敗了嗎？問題當然沒這麼簡單，胡適發起白話文運動有其時代需求之必要性，居功厥偉。但胡適將歐洲近代民族國家興起之「方言vs.拉丁文」革命模式硬套於中文語境，憑

空掀起一場「白話文vs.文言文」之文化戰爭，則是昧於中文書寫之特質，而失之矯枉過正，粗暴偏頗。今日獨派「反文言文」則又明顯套用襲取白話文運動的文化戰爭模式。

關於中文書寫很難完全口語化、白話化，我因為學習法文的經驗而有另一層體會。我發現法文的句法結構較英文嚴謹，英文又較中文嚴謹（據說德文與拉丁文最嚴謹）。正因為中文的句法結構較鬆散，所以在書寫表達上，須廣泛借用文言文與古典詩詞的句法與詞彙，文章才能寫得精煉漂亮！

記得幾年前的一波文言文爭議中，五月天樂團的主唱阿信曾站出來肯定文言文對於語文教育的重要性。五月天的深綠光譜不待多言，所以阿信的立場頗能代表一個具有中文寫作經驗者跨越統獨的中肯發言，也印證本文的書寫語用學立場：無論你認為台灣人是不是中國人，只要仍使用中文書寫，就須多讀文言文，才寫得出好文章。

# 菜英文現象：從「翻譯」到「格義」

　　近日報載：美國ETS公布全球英文能力檢驗之多益成績，台灣分數創四年來最低，落後大陸208分。面對當前罄竹難書之亂象危機，這則菜英文現象只算小菜一碟，卻頗具指標意義。台灣傾舉國之力推動學英文，從小學甚至幼稚園就開始ＡＢＣ，結果卻是年輕一代英文程度直直落，試問：台灣還有什麼事可以做得成？菜英文現象豈非敗亡之徵？

　　問題出在哪裡？出在錯誤的學習方式：台灣學生從小就被教導以翻譯的方式學英文，看到任何英文字，一定要譯成中文來了解其意義。問題是：翻譯能力本身就預設了英文程度已很好。是先學好英文，才有能力去做翻譯。以翻譯方式學英文，不啻是以較高階的英文能力來學習較低階的英文能力，其荒謬就如對一個正在學走路的幼兒，都還站不穩，卻要求他做出跑步或跳舞的動作來學會走路。如此顛倒錯亂的「兒童邏輯」足可媲美晉惠帝的「何不食肉糜？」：沒有飯吃，為什麼不吃肉呢？英文程度不好，為什麼不先學好翻譯呢？

　　不要嘲笑晉惠帝！當學生的英文程度直直落，大學的英文系教授卻將「翻譯」炒成熱門學術議題，生產無數國科會計畫與國際研討會論文。「翻譯」在台灣已不只是英文學習方式，更成為一種普遍的人文思維方式，可類比於魏晉南北朝以道家理解接受佛教之「格義」。翻譯式學習當然會導出格義式思維，面對任何未知的異文化新思維，一定要轉譯成自己已知的模式才覺安心。然則，如果佛

祖的思想都可以轉譯成老莊，有老莊就夠了，又何須皈依佛祖？迦達瑪說：擁有一種語言就是擁有一個世界。學習一種外語就是迎向一個外來他者的新異世界。「翻譯」與「格義」正反映了一種害怕抗拒他者，不敢走出自我，永遠只能自我重複之「貧乏思維」。德勒茲稱此「自我重複」是一種愚蠢與低級之「思想意象」！

我知之矣！原來台灣英文程度的倒退和整體思想文化水準的倒退是同一件事：以翻譯方式學英文當然要變成菜英文，以格義方式面對異文化新思維，當然只能自我重複，了無新意，毫無長進。孔夫子說：「學而不思則罔，思而不學則殆。」學習與思考是人類得以不斷進步與自我提升的唯二方式。台灣則以翻譯式的謬誤學習與格義式的貧乏思維，一步步陷入「不思不學」的停滯與倒退狀態。不要小看菜英文，更無須嘲笑晉惠帝，正是這樣一種愚蠢與錯亂的兒童邏輯一步步導出台灣的敗亡軌跡：

英文能力倒退→思維能力退化→整體國力衰退

「不思不學」的台灣，當然只能「罔矣殆矣」，一佛升天，二佛涅槃！

附錄3

# 查理事件是語言暴力，不是言論自由

　　查理事件被定位為言論自由與恐怖主義之爭，是一個嚴重的誤導。「我是查理」變成「捍衛言論自由」的宣言代號，更是非常可怕的簡化扭曲。武裝攻擊查理是肢體暴力之霸凌傷害，查理漫畫所表達的種族歧視、宗教排斥則是語言暴力之霸凌傷害。查理事件的本質不在於「言論自由遭致暴力攻擊」，而是兩種暴力形式的對幹：面對種族歧視之語言暴力霸凌，伊斯蘭激進分子訴諸肢體暴力來反擊反制。查理事件不是「言論自由vs.恐怖主義」之爭，而是「語言暴力vs.肢體暴力」之「以暴制暴」。肢體暴力當然該譴責，查理遇害當然令人遺憾，但這並不表示查理沒有錯，種族歧視之語言暴力更需嚴厲譴責，因為它更易被社會輕忽縱容。查理所犯的錯誤罪過並不小，只是罪不至死。

　　問題當然不是對兩造各打五十大板，而必須提出「為什麼」之大哉問：為什麼標榜普世人權的西方會產生查理漫畫這樣販賣種族歧視的流行媒體？為什麼伊斯蘭激進分子要一再訴諸暴力方式來反擊西方？

　　設想在一場足球賽中，某裁判一再做出有利甲隊，傷害乙隊之不公裁決。乙隊屢次抗議無效，裁判還對抗議球員直接給紅牌出場。全場多為甲隊球迷，更一面倒挺裁判。乙隊幾個球員氣不過，動手毆打裁判，結果乙隊被判禁賽，逐出大會。

　　如果將查理事件定位為「西方言論自由vs.伊斯蘭恐怖主義」的普世價值之爭，情況大概類似。問題癥結在於：為什麼查理漫畫

可以洛陽紙貴？由此反證：其種族歧視之語言暴力並非少數人士之個人言論，而是反映整體社會輿論氣圍。法國哲學家德勒茲指出：所有的「表述」（statement）都不只是個人的言行表達，而是一種「集體發言裝置」。所以，查理漫畫所表達之種族歧視其實是一種集體的語言暴力，是整個法國社會，乃至整個「歐洲／西方／白人」之集體語言暴力，只是掛起了「言論自由／普世人權」之招牌旗幟。

在西方傳統列強中，法國對非西方異文化其實最具開放性與包容性。對於以巴問題，美、英一面倒挺以色列，德國不方便表達立場，唯有法國會替巴勒斯坦與阿拉伯人講幾句公道話。但此次事件，「我是查理」的宣言反映了法國人也嚴重倒退。世衰道微，舉世沉淪，夫復何言！

第七章

# 歷史、道統、平台——從「時效性歷史意識」看今古文經學之爭

　　兩漢的今古文經學之爭奠定了中國學術發展的兩個基本的詮釋策略與思想姿態。吾人嘗試透過伽達瑪的詮釋學區分，將古文經學定位一種「歷史意識」（historical consciousness）之實證方法學，旨在客觀還原經典文本產生之歷史脈絡，所謂「考據」之學！今文經學則反映出一種「時效性歷史意識」（effective-historical consciousness），試圖將經典文本「去脈絡化」（de-contextualization），從過去直接躍向切入今時之情境，並回應外界之衝擊，而達到貫穿古今中外「視域融合」之真理與意義，所謂「義理」之學！

　　兩種詮釋策略均有其必然性，應並立互濟，如斯賓諾莎《神學—政治論》之解讀聖經，即同時兼具「歷史意識」與「時效性歷史意識」！

　　古文經學但求客觀還原文本發生脈絡之歷史事實真相，成為一種將詮釋姿態壓至最低之「弱詮釋學」！今文經學力圖通過經典詮釋而指向道或存有之彰顯，則允為一種本體論高度之「強詮釋學」！

## 導論

勞思光《新編中國哲學史（二）》：

> 漢政權之成立，在秦亡及楚漢相爭之後。秦始皇用李斯之
> 言，廢除百家之學，令民「以吏為師」；其時除卜筮醫藥種
> 樹之書外，其餘簡策皆禁止人民藏有；凡人民藏之書，皆勒
> 令交官吏焚毀，此即所謂「秦火之禍」。[1]
> 由於秦用法家之言，統一思想，焚燒典籍，故漢自初興，即
> 面臨一文化真空之環境。在此環境中，注經成為客觀需要；
> 故經學應客觀需要而生。而又由於所據材料之不同，經學中
> 再分今古文二派，於是，注經之問題益多。[2]

於是，「秦火」作為一個歷史事件，引生了中國學術思想發
展上一個重大的「詮釋學事件」（hermeneutic event）：兩漢的今
古文經學之爭！西漢今文經學與東漢古文經學，不僅是兩種文字
材料之不同，更反映了兩種不同旨趣的「解經」態度與詮釋策
略，究極而言，指向兩種不同的思想導向（orientation of
thought）！更有甚者，兩種「解經」態度之對立衝突更跨越兩
漢，形成淵源流長的兩大學派系譜，橫亙綿延近兩千年，兩派陣
營壁壘分明的爭議不休，形勢消長，幾乎涵蓋主導了中國整個王
朝帝國時代的學術思潮演變！
借用馮友蘭的「經學時代」之說：

---

1　勞思光，《新編中國哲學史（二）》，台北：三民書局，2007年，頁15。
2　前揭書，頁18。

> 自孔子至淮南王為子學時代；自董仲舒至康有為為經學時
> 代。在經學時代中，諸哲學家無論有無新見，皆須依傍古代
> 即子學時代哲學家之名，大部分依傍經學之名，以發布其所
> 見。此時諸哲學家所釀之酒，無論新舊，皆裝於古代哲學，
> 大部分為經學之舊瓶。而此舊瓶，直至最近始破焉。[3]

　　換言之，「經學時代」者，顧名思義，就是以「解經」為主
要的學術旨趣與思想導向。延伸馮氏之說，「經學時代」是相應
於中國之王朝帝國時代在學術思想上之分期斷代。今古文經學之
爭則構成了「經學時代」最基本的「二元詮釋衝突」之架構圖
式，吾人可視之為中國學術思想史所獨有的「古與今之爭」，橫
跨延續近兩千年，至今仍爭議未休！[4]

　　類比於西方現代哲學有「歐陸理性主義」與「英美經驗主
義」之爭，整部「經學時代」之學術思想史可視為廣義的今文學
派與古文學派兩大陣營壁壘分明的敵對爭雄，形勢消長之思潮演
變：董仲舒，宋明理學，晚清公羊學派可視為廣義的今文學派；
東漢經學，乾嘉學派則可視為廣義的古文學派！

　　而也正如同「歐陸理性主義」與「英美經驗主義」延伸至當

---

3　馮友蘭，《中國哲學史增訂本上》，台北：台灣商務印書館，1990年，頁
　　492。

4　吾人並不全然同意馮友蘭以「子學」為提出原創思想觀念而成為經典者，以
　　「經學」為依傍「子學」經典之解經學。馮氏認為，經學時代始於董仲舒，
　　以子學思想之瓶盛時代需求之酒，至康有為，廖化而破裂。其基本「間架」
　　未有大突破。
　　吾人以為，孔子強調「信而好古，述而不作」之思想姿態，顛覆「原創」與
　　「詮釋」之截然二分，已足可解構「子學時代」與「經學時代」之二分法。
　　但從董仲舒至康有為之學術思想發展，的確是以「解經」為主要旨趣。

代西方哲學界，形成「歐陸現象學」與「英美分析哲學」兩大學派陣營！吾人發現，今古文學派之爭並不僅止於董仲舒至康有為的「經學時代」，更延續至民國之後：胡適的「用科學整理國故」直承乾嘉考據學派，開啟了民國時代的古文學派。新儒家梁漱溟、熊十力則可視為民國的今文學派。延伸至港臺新儒家之唐君毅、牟宗三，徐復觀。四九年之後，胡適來台創辦中研院史語所，直承民國時代的古文學派，並進一步結合當代英美學界的實證主義與歷史主義潮流。

所謂經學之舊瓶，並未如馮友蘭所言，完全為時代之新酒所撐破，而是出現各種舊瓶裝新酒，或新瓶裝舊酒之思想融合狀況！

吾人嘗試透過伽達瑪（Hans-George Gadamer）在《真理與方法》中最基本的詮釋學區分：「歷史意識」（historical consciousness）與「時效性歷史意識」（effective-historical consciousness），將古文經學與今文經學兩種「解經」態度與「詮釋」策略從「方法學」層次提昇至一個「本體詮釋學」（ontological hermeneutics）之高度，立於「存有」或「道統」之宏觀視域來重新定位中國學術思想史上這場「古與今之爭」，進而闡明其「「現代性」與「當代性」之意義。

## 一、「古文經學」作為「歷史意識」與「今文經學」作為「時效性歷史意識」

眾所周知，《真理與方法》的書名是一個反諷：真正的潛文與寓意應是：「真理或方法」，或「真理vs.方法」，更確切言之，是：「本體之真理vs.科學之方法」（ontological truth vs.

scientific method）

伽達瑪開宗明義指出：

> 文本的理解與詮釋不只是科學的關注，它明顯的是人性對世界之整體經驗的一部份。詮釋學的現象基本上不是一個方法的問題。
>
> 以下的考察從現代科學內部的一種反抗出發，反對科學方法的普遍宣稱。它要尋求一種超出科學方法之控制領域的真理經驗……。在此，人文學科與位於科學之外的經驗模式相連結，連結於哲學的經驗，藝術的經驗，歷史本身的經驗。所有這些經驗模式中都有一種真理被傳達溝通，卻不能被科學專有的方法手段所驗証。[5]

　　所以《真理與方法》開始於對科學方法之批判，批判現代科學的方法論意識（methodological consciousness）入侵人文領域，破壞了藝術與歷史所蘊含的真理經驗。方法論意識作為一種抽象化的程序操作，在藝術領域產生了「美學意識」（aesthetic consciousness），在史學與人文學科則產生了「歷史意識」（historical consciousness）。「美學意識」施行一種「美學分化」（aesthetic differentiation）之抽象化操作（abstraction），剝除藝術作品之內容元素，將藝術經驗從世界脈絡與社會各領域抽離出來，抽象化為純主觀性之美感經驗。「歷史意識」之抽象化操作則是將「過去」抽離孤立出來，視為已然發生之客觀存在事實，

---

5　Hans-Gerog Gadamer, *Truth and Method*, English translation by Garret Barden and John Cumming, New York: The Continuum, 1975, xi-xii.

歷史研究之目的就是重構「過去」之客觀事實，此謂之「歷史客觀主義」。

　　要之，美學意識之「主觀化」取向與歷史意識之「客觀化」取向其實是一體兩面，二者同出而異名，皆出自科學方法論意識之「抽象化」操作。吾人發現，伽達瑪的批判解析是相當深刻的，此所以歷史意識之客觀主義帶有考古式之審美欣趣！反之，「美學意識」之主觀主義的「超然無私」之觀照默思（contemplation）亦帶有科學式的純粹研究興趣。

　　職是，問題的關鍵在於，美學意識之「主觀化」取向與歷史意識之「客觀化」取向皆是科學方法論意識之主宰誤導所產生之「異化」（alienation），破壞了藝術與歷史原本所具有的真理經驗。由此導出《真理與方法》之批判思路：批判科學方法之「抽象化」侵入藝術與歷史所導致之「異化」狀態，以反顯出藝術與歷史原本所具有之「真理」經驗！[6]

　　超越美學意識之抽象異化，伽達瑪以「遊戲」作為藝術經驗之真理模式（mode of truth），而提出了「遊戲」模型之藝術本體論；超越歷史意識之抽象異化，伽達瑪則提出了「時效性歷史」原理（effective history）作為歷史經驗之真理模式：

---

6　哈伯瑪斯的「溝通行動理論」可視為同一批判思路的進一步延伸：批判「系統」對「生活世界」之內在殖民，回到「生活世界」，重啟以「理解」為目的之溝通行動理性與共同主體性！「系統」者，科學方法論意識之組織化與體制化，構成韋伯所說的「科層官僚體制」。
　　但伽達瑪的「真理經驗」被哈伯瑪斯化約為三種「有效性」宣稱，以科學為客觀領域，以美學─藝術為主觀領域，則仍囿於啟蒙理性之通俗世界觀架構，殊不可取！

真正的歷史思考必須考慮它自身的歷史性。唯有這樣它不欲驅散歷史對象之幽靈幻影，而是學習在這對象中看見它自身的對應物（counterpart），藉此理解二者。真正的歷史對象全然不是一個對象，而是一方與另一方的統一體，一種關係，在其中同時並存歷史之實在（reality）與歷史理解之實在。適當的詮釋學必須證明內在於理解活動自身的歷史性。我將指這叫時效性歷史。理解在本質上是一種時效性歷史的歷史關係。[7]

正如一般常講的：「所有的歷史都是現代史」。「時效性歷史」意味著：歷史之為歷史，就在於不斷對「現在」產生作用影響，不斷形塑著「現在」，無論吾人是否意識到。反之，我們也總是從一個「現在」、「當代」的觀點去投射出我們對歷史的理解。

「時效性歷史意識首先是對詮釋學情境之意識」[8]，所謂「情境」（situation）就是我們總是身在其中，不可能完全置身其外，對之形成客觀的知識。所謂「詮釋學情境」（hermeneutic situation）就是我們所在的情境總是面對某個我們正在試圖去理解的傳統。對此一情境之照明，一種「時效性歷史」之反思，永遠不會完全達成。這並非基於某種缺失，而是基於吾人作為一種歷史存在之本質。

「可引導至理解者，必須是某種已然在他處肯定其有效性之事物。理解開始於，當某些事物向我們發出宣稱，這是首要的詮

---

7　Gadamer, 267.
8　Gadamer, 268.

釋學條件。」[9]而某些事物在向我們發出什麼宣稱呢？就是「真理」宣稱！「時效性歷史」作為歷史經驗之真理模式，不是將「歷史」當成與「現在」無關的已然「過去」之事實，而總是通過「歷史」與「現在」的相互滲透涵攝，向我們發出某種「真理」宣稱！

眾所周知，詮釋學之「情境」概念，從海德格到伽達瑪，皆通過現象學之「視域」概念（horizon）予以深度的理解掌握。

胡賽爾界定吾人之意識是「意識總是意識到某物」之「意向性」活動（intentionality），具有「能思／所思」（noema/noesis）之基本結構。但「意向性」活動從來都不是孤立封閉的，「所思」之對象與「能思」之意識活動總是在某一背景中呈現，「視域」即「所思」之對象與「能思」之意識活動得以呈現之前意識背景。轉換為詮釋學的術語，前意識之「視域」背景就是「前理解」之結構條件（fore-structure of understanding）。吾人之意識活動總是伴隨蘊含著前意識之「視域」背景，吾人之理解活動也總是伴隨蘊含著「前理解」之結構條件，而表現為「成見」，「權威」，「傳統」。伽達瑪之本體詮釋學批判笛卡兒「我思」之意識中心的現代主體哲學與啟蒙理性主義對於「成見」，「權威」，「傳統」的貶抑與污名化，為「成見」，「權威」，「傳統」重新正名，重新揭顯前意識之「視域」背景，無非是在建立一套吾人理解活動之Horizon本體論（ontology of Horizon about our understanding）！

在胡賽爾的現象學中，「視域」作為意向性對象得以呈現之前意識背景，涵蓋空間、時間、文化脈絡（culture context）三個

---

9　Gadamer, 266.

面相。伽達瑪之「視域」作為「前理解」之結構條件，首先是
「時間視域」，由此衍生出歷史性與傳統性之「文化脈絡」。「成
見」，「權威」，「傳統」皆源於「文化脈絡」在「時間視域」中
之累積沉澱：「其實現在的視域是被持續地形塑，在其中我們必
須持續地檢驗吾人所有的成見。此一檢驗的重要部分就是與過去
的遭遇，對我們所從出的傳統的理解。因此現在的視域不能被形
成而沒有過去。不存在孤立的現在視域，更不存在孤立的歷史視
域。」[10]

　　職是，伽達瑪最基本的詮釋學經驗：「理解」並不是孤立封
閉的主觀意識活動，而總是蘊涵伴隨著某種「前理解」之前意識
背景之「視域」！因此，所有的「理解」總已是一個「前理解」之
「視域融合」（the fusion of these horizons）事件：「理解活動更總
是我們想像為只是各自存在的諸視域之融合過程（understanding
is always the fusion of these horizons which we image to exist by
themselves.）。我們知道此一融合過程之力量潛能，主要來自較
早的時代以及他們對自己傳統及其起源的天真態度。在一個傳統
中，這個融合過程正持續進行，因為在哪，舊與新持續地一起成
長，形成某種活的價值，並沒有彼此明確區分舊與新。」[11]

　　歷史意識之謬誤就在於將「過去」孤立疏離，視為與「現
在」無關之「過去」發生之事實，有如一「在其自身」之封閉視
域（closed horizon），乃假科學方法尊重事實之名，對之進行客
觀的還原重構，此謂之「歷史主義」。

　　伽達瑪批判「封閉視域」只是一種魯賓遜孤島式的抽象虛

---

10　Gadamer, 273.
11　Gadamer, 273.

構：「正如同個人從不只是個人，因為他總是與他人牽涉關連，因此去設定一種圈限某一文化之封閉視域，只是一種抽象化。人類生活的歷史運動包含此一事實：它從不全然地趨向任何單一立場，因此從不會有真正封閉的視域。」[12]

當歷史意識要求我們要歷史地理解一個文本，置身於文本產生之歷史情境，客觀地重構其歷史視域，這不啻是強迫此文本放棄其真理宣稱，放棄它對我們說出任何有效或可理解之真理！[13]

「歷史意識」與「時效性歷史意識」之詮釋學區分，正可用來界定古文經學與今文經學兩種「解經」態度！

吾人可將古文經學界定為一種「歷史意識」之解經學，旨在還原經典文本產生之歷史脈絡語境（historical context），視之為「過去」之「客觀事實」，以「實事求是」之科學實證方法對之進行客觀的還原重構。換言之，古文經學具有科學研究之考古興趣，反映了一種「客觀主義」與「歷史主義」之思想取向。

一般史書多以漢魯恭王石壁發現古籍來代表古文經學之始，此為一真實歷史事件抑或杜撰傳說已無關宏旨，重要的是此事件所反映的「考古」興趣：「根據經典原始文本所使用之古代文字，客觀重構文本產生之歷史脈絡語境，才能真正還原經典之原意本意」。馬融、鄭玄仍常引讖文緯書以解經，故古文經學直至清朝乾嘉學派才得以完全確立其「歷史主義」與「客觀主義」之研究取向與學術性格，所謂「考據」之學！誠如勞思光指出：「乾嘉學風之特色，即在於提倡客觀研究，追尋客觀知識；其研究範圍則以古籍為對象。……就所獲知識性質看，實是一種史學

---

12　Gadamer, 271.

13　Gadamer, 270.

知識。故乾嘉之學可說是一種廣義之史學。」[14]

此所以胡適「用科學整理國故」之學術取向與乾嘉之學可以一拍即合，並遙承東漢的古文經學。

將古文經學界定為一種「歷史意識」之解經學，應無太大爭議，但如果將今文經學界定為一種「時效性歷史意識」之解經學，則並非一目了然，其理自明，需要闡述說明。

歷來對「今文經學」之理解：西漢時期盛行之揉合陰陽家言與籤緯災異之說以詮釋儒家經典之學說理論風格，以董仲舒之《春秋繁露》為代表。如此理解之「今文經學」，是就學說理論之觀念內容之成分而言；如就其蘊含在觀念內容背後之理論姿態與思想取向而言，吾人嘗試提出另一理解：在陰陽五行、籤緯災異與儒學的拼貼雜燴之外，「今文經學」更可視為一種「時效性歷史意識」之解經學，反映了一種貫穿古今之「視域融合」的詮釋策略與思想姿態！

牟宗三之《歷史哲學》稱董仲舒之學說是一種「復古更化」，旨在繼承孔孟儒學所發揚之文化系統：

> 唯其發揮也，則以魯學攝齊學，雜有陰陽家宇宙論、歷史論之氣息，而為一大格局。故其取材多依傍《尚書·洪範》、《易》之陰陽，而結集於《春秋》。故，《易》、《書》、《春秋》為漢學所特重之三大經。仲舒由此而陶鑄其體系，雖其所發，不能盡其精微之義，而其規模之廣大，取義之超越，則確為漢家定一理想之型範也。」[15]「董仲舒所發動者，正是

---

14　勞思光，前揭書，頁753。

15　牟宗三，《歷史哲學》（收於《牟宗三先生全集9》），台北：學生書局，頁307。

推動時代，開創新局之文化運動。[16]

　　董仲舒為今人所詬病之陰陽五行、讖緯災異的「天人感應說」，其實正反映了一種「時效性歷史意識」之詮釋策略與思想姿態，以回應歷史衝擊與時代需求！所謂「以魯學攝齊學」，就是以儒學統攝當時社會民間之流行信仰，形成一套可與漢朝之統一帝國體制相配套之形上義理系統。董仲舒之「天人感應說」其實奠立了在中國的王朝帝國體制之政治格局下，儒家學說取得「文化領導權」（hegemony）所能具有之基本理論架構。

　　所以，今文經學反映出一種「時效性歷史意識」之詮釋姿態，試圖將經典文本「去脈絡化」（de-contextualization），從過去直接躍向切入今時之情境，並回應外界與時代之衝擊。換言之，將經典文本從過去視域之歷史脈絡轉移延伸，置入更為普遍之古今交會之「視域融合」，而達至貫穿古今中外之真理與意義，所謂「義理」之學！

　　伽達瑪之詮釋學強調理解、詮釋、應用的「三合一」，今文經學作為「時效性歷史意識」之解經學，具有貫穿古今視域之「經世致用」傾向，亦可視為理解、詮釋、應用的「三合一」。但此等傾向須面對一個基本質疑：是否只是借古人之酒杯澆今人之塊壘，以今人之意去強行曲解古人？

　　如果提出古人未曾有之新意，何不自立門戶，自創一派，又何必依傍古人立說？

　　今文經學之為「今」，並非只是突顯「今時」、「當代」之優位性，今文經學之為「今」正是一種「時效性歷史」原理，指向

---

16　牟宗三，頁309。

某種亦今亦古，又非今非古，同時貫穿古今之「第三者」，伽達瑪寫道：

> 在一個傳統中，這個融合過程正持續進行，因為在哪，舊與新持續地一起成長，形成某種活的價值，並沒有彼此明確區分舊與新。
>
> 視域毋寧更是某種吾人要移動進入的事物，也是某種伴隨著吾人移動的事物。對一個在移動的人，視域變動著。因此過去之視域——人類生活從中而生，並存在於傳統之形式中，總是在變動中。當吾人之歷史意識將自己置於歷史視域中，這並不是要過渡到一個與我們自己的時代不相干的疏離世界，而是它們要一起構成一個宏大的移動視域，從其中，並跨越現在的邊界，包圍著吾人自我意識之歷史深度。它其實是一個獨一無二的視域圍繞著包含在歷史意識的每一事物。吾人自己的過去，以及吾人的歷史意識所導向的他者的過去，有助於形塑此一移動視域，人類生活總是依之而生，並將之規定為傳統。[17]

　　此一「宏大的移動視域」，即是亦今亦古，又非今非古，同時貫穿古今之「第三者」！

　　今文經學「去脈絡化」之詮釋姿態正指向一種貫穿古今中外之宏大「移動視域」！吾人聯想到太史公的著名宣言：「究天人之際，通古今之變，成一家之言」（《史記》自序與〈報任少卿書〉），可引為今文經學之思想公式！

---

17　牟宗三，前揭書，頁271。

在這意義下，董仲舒面對漢帝國統一之新政治情勢與陰陽讖緯之說流行的時代需求，陶鑄了「氣化宇宙論」與「天人感應說」之帝國儒學體系，的確體現了一種「究天人之際，通古今之變，成一家之言」的思想努力。

宋明理學在大乘佛學、禪宗與道家、道教之衝擊下，重新挖掘易傳、大學、中庸以重建儒學，可視為第二波的今文學派，是相應於隋唐宋明的第二帝國時期來重新陶鑄打造一套帝國儒學體系，其天道性命貫通為一的「理氣論」與「心性論」固然更高明精微，但仍不脫董仲舒「天人感應說」之基本架構圖式，可視為一套更高級的「天人感應說」之帝國儒學體系，就如張載之偉大宣言：為天地立心，為生民立命！

清末康有為、廖平、梁啟超在西學衝擊下，重建公羊學派。民國新儒家梁漱溟、熊十力則可視為民國的今文學派，延伸至港臺新儒家之唐君毅、牟宗三，皆可歸為一種融合儒學與西學，以回應時代衝擊的今文學派，其最高宗旨仍是「究天人之際，通古今之變，成一家之言」！

如果說董仲舒與宋明理學為王朝帝國時期之儒學體系，康有為的公羊學是西學衝擊下之最後帝國儒學體系，那麼，梁漱溟、熊十力、唐君毅、牟宗三之學說是否足以架構支撐起一套「民國新儒學」之體系？面對今日所謂「全球化」情勢，是否有一種「全球化」的新儒學體系，足以「為天地立心，為生民立命」？

## 三、孔孟之解經態度與今古文學派之思想定位

該如何為今文學派與古文學派做一思想定位？究竟何者的解經態度更能闡明發揚儒家經典之微言大義？在回答此「大哉問」之前，吾人大膽提出一個未曾提問過的問題：孔子與孟子本身在

面對他們時代的經典（詩經、尚書，所謂「飽讀詩書」），採取什麼樣的解經態度與詮釋策略？很明顯的，不是歷史意識、歷史主義的回到過去，客觀還原歷史脈絡，而是「時效性歷史意識」之「去脈絡化」，「借古喻今」，「今古交會」，簡言之，孔子與孟子之解經方式與詮釋姿態不是古文學派，而是今文學派。今據《論語》、《孟子》，試舉數例以見孔、孟對《詩》《書》「去脈絡化」、延伸轉移之「今文學」風格：

　　例一，《論語》〈子罕〉篇：「『棠棣之華，偏其反而。豈不爾思？室是遠而。』子曰：『未之思也，何遠之有！』」當孔子提出「未之思也，何遠之有」的幽默駁斥，顯然無關乎歷史考據訓詁，而是直接將原詩句「去脈絡化」，轉移置入更普遍的「視域」與「情境」來理解發揮其旨趣！吾人發覺，孔子對「豈不爾思？室是遠而」的幽默駁斥本身即是一種詩意的表達，從「室是遠而」之空間距離，轉移跳躍至「思」之無距離性：「未之思也，何遠之有」，可以說，孔子在此用「思」之無距離性解構了空間距離上的「遠」，正如〈述而〉篇的「仁遠乎哉？」說的是同一件事：「仁遠乎哉？我欲仁，斯仁至矣。」

　　例二，〈八佾〉篇：子夏問曰：「『巧笑倩兮，美目盼兮』，素以為絢兮。何謂也？子曰：「繪事後素。」曰：「禮後乎？」子曰：「起予者商也，始可以言《詩》已矣。」

　　這段著名的對話起於《詩經》〈衛風・碩人〉篇句之解讀，但子夏的「素以為絢兮」之繪畫比喻，已將詩句作一種「去脈絡化」之延伸詮釋，帶至更普遍的人文問題之視域。最難解之關鍵在於「繪事後素」與「禮後乎？」這兩個「後」字，譚家哲的

《論語與中國思想研究》對此提出了極適切深刻之詮釋：

> 當子夏問「素以為絢兮」時，很明顯地，他不只是在問繪畫
> 之事。故當孔子誤解而回答「繪事後素」時，子夏繼續他自
> 己的問題，並順承孔子之「後素」而問「禮後乎？」這是
> 說，若素是在其他色彩之後而使之成文者，那麼，禮是否同
> 樣在事物（人與人間之事情）之後而使這些人事成懿美之文
> 者？[18]

延伸譚氏之說，「繪事後素」與「禮後乎？」之「後」實相
當於西方思想喜談之「後設」（meta），如亞理斯多德之
metaphysics之meta，即指「立於物理學之後而使之成立的科
學」。準此，子夏與孔子之旨趣不在於解讀「巧笑倩兮，美目盼
兮」之原意，而在於將「巧笑倩兮，美目盼兮」視為審美經驗之
範例，探究其得以成立之「後設」可能條件，可以說，子夏與孔
子問了一個康德式的問題：「巧笑倩兮，美目盼兮」如何可能？
於是，「素以為絢兮」與「繪事後素」指向一套「繪畫本體
論」，「禮後乎」則指向一套更為宏觀的「禮」的人文本體論。

　　例三：《孟子》〈告子〉篇上：「詩曰：『天生蒸民，有物有
則。民之秉彝，好是懿德。』孔子曰：『為此詩者，其知道乎！』
故有物必有則；民之秉彝也，故好是懿德。」
　　無論是孔子或孟子，他們憑什麼斷定「為此詩者，其知道
乎」？很顯然不是訴諸任何歷史考據之客觀研究，而已然將《詩

---

18　譚家哲，《論語與中國思想研究》，台北：唐山書局，2006年，頁195。

經》〈大雅・生民〉篇之文本「去脈絡化」，轉移置入某種「詮釋學情境」之古今「視域融合」，逼顯出文本之「真理」宣稱。換言之，根據什麼可以推斷出「為此詩者，其知道乎」？答案只有一個：只能根據「道」本身！

孟子在闡發其「乃若其情，則可以為善矣」之「性善論」，引述〈生民〉篇句做延伸擴張之詮釋與運用，而提出某種儒家的「自然法」思想，誠屬「究天人之際，通古今之變，成一家之言」之「今文學」風格，理解、詮釋、運用之「三合一」。

如果孔子與孟子面對經典文本之態度也可歸為一種「今文學派」，那麼，我們又該如何面對孔孟之文本，以及他們所開啟的儒學傳統？

古文經學之「歷史意識」只想知道：孔、孟之文本在當時的歷史脈絡語境中說了什麼；今文經學之「時效性歷史意識」則企圖理解：孔、孟之文本對現在的我們可以說出什麼樣的「真理」與「意義」！

關於今古文學派之定位，吾人以為，古文經學作為「歷史意識」之解經學，只是一種方法與手段，今文經學作為「時效性歷史意識」之解經學，才是吾人理解詮釋之最終目的與宗旨，用伽達瑪的話說，今文經學才足以揭露逼顯吾人作為一「歷史存有」（historical being）的「本體性真理」（ontological truth）。

伽達瑪寫道：「歷史意識之投射只是理解過程的一個階段（phase），不應僵化為過去意識之自我異化，而應被吾人現在之理解視域所追趕超過。」[19]

---

19 Gadamer, 273.

　　然則，古文經學作為「方法」與「手段」，卻是無可迴避之必要條件（necessary condition）。今文經學作為吾人理解詮釋之最終目的與宗旨，則是充分條件（sufficient condition）。兩種詮釋策略應共存並行，不可偏廢。但正如同伽達瑪用許多篇幅來批判歷史意識，吾人亦對古文學派予以較多批評，因為其謬誤是「本末倒置」、「捨本逐末」之根本性謬誤！伽達瑪亦指出：歷史意識追求客觀地還原重構「過去」之歷史脈絡，是把「手段」當成「目的」！[20] 同理，古文經學之歷史主義與客觀主義之謬誤就是將「必要條件」當成「充分條件」，將「手段」當成「目的」自身。

　　進而言之，古文經學作為「考據」之學，今文經學作為「義理」之學，其基本差異，可表述為休謨（David Hume）之著名區分：「事實」（matter of fact）與「觀念關係」（relation of ideas）之區分。「考據」者，考證歷史之事實，所謂matter of fact。「義理」者，意義與道理，概念與原理，正是各種「觀念關係」。

　　古文經學把文本之意義當成一「歷史事實」，今文經學則透過各種「觀念關係」之架構，將文本之意義視為「真理」或「道」之彰顯！

　　尼采的名言：「沒有事實，只有詮釋。所有的詮釋都是對之前詮釋的再詮釋。」

　　據此，吾人提出「弱詮釋學」（weak hermeneutics）與「強詮釋學」（strong hermeneutics）來命名「古文經學」與「今文經學」兩種詮釋姿態：

---

20　Gadamer, 270.

古文經學但求客觀還原文本發生脈絡之歷史事實，成為一種將詮釋姿態壓至最低，「沒有詮釋，只有事實」之「弱詮釋學」！乾嘉學派自稱「樸學」或「實學」，正反映此「沒有詮釋，只有事實」之弱詮釋學姿態，不亦宜乎？

今文經學力圖通過經典詮釋而指向真理或道之彰顯，則允為一種本體論高度之「強詮釋學」，宣稱「沒有事實，只有詮釋，所有的詮釋皆是道之彰顯」！從董仲舒，宋明理學，晚清康有為，梁啟超，民國新儒家梁漱溟、熊十力，直至唐君毅、牟宗三，皆可視為廣義的今文學派之「強詮釋學」。

兩種詮釋策略均有其必然性，應並立互濟。「歷史意識」與「時效性歷史意識」原就相互涵攝。古文經學雖為「弱詮釋學」，然其matter of fact有時亦足以粉碎任何武斷任意之relation of ideas，產生「事實勝於雄辯」之力量！

今舉兩個例子，以示兩種詮釋策略之並立互濟：

**例一**：斯賓諾莎的《神學—政治論》（Theologico-Political Treatise）解讀聖經之姿態與策略，即同時兼具「歷史意識」之實證方法與「時效性歷史意識」之古今視域融合！一方面，斯賓諾莎視《聖經》為一歷史文本，由許多作者在不同時期寫成。故凡欲理解《聖經》者，必須回到不同文本產生之歷史語境脈絡。此處之斯賓諾莎為一古文學派。另一方面，斯賓諾莎強調「神的話語寫在每個人的心版上」，每個人皆可透過自己的理性與知性去理解掌握。此處之斯賓諾莎則為一今文學派。眾所周知，斯賓諾莎的《倫理學》提出「神或自然」之泛神論，是在現代自然科學觀之框架下重構猶太教與基督教的聖經神學觀與德性觀，不也

是一種「究天人之際，通古今之變，成一家之言」的今文學風格？

　　例二：《論語》的第一句「學而時習之」，歷來多理解為「時常溫習所學」。譚家哲的《論語與中國思想研究》則提出突破性之全新詮釋。首先訴諸《論語》本身之語境脈絡：

> 「時」字在《論語》之用法從沒有「時常」或「常常」之意
> 思。……「習」明顯是解「實踐、作為」，不能是「溫習」
> 之意思。「習」故是承學而致之實行。「學而時習之」因而
> 是「學而於其時亦能實行之」之意思。即學而有所用、有所
> 行習。[21]
> 「學而時習之，不亦說乎！」這是說，人對其所學而能為時
> 代所致用，這不是一很大之喜悅嗎？[22]

　　透過此新詮釋，三句話「學而時習之，不亦說乎！有朋自遠方來，不亦樂乎！人不知而不慍，不亦君子乎！」亦獲得其層次分明之漸進性與一致性：「故全句是一層一層說的，非各自獨立而別有所言，非相互無關係的。亦因這種扣緊的關係，始能說出『人不知』時之主體」。[23]

　　譚家哲之詮釋堪稱「震古爍今」，但其所以能致此，正在於採用古文經學之方法，懸置今人用語習慣之成見，回到《論語》

---

21　譚家哲，前揭書，頁74。

22　前揭書，頁73。

23　前揭書，頁74。

本身之歷史語境脈絡，而得以闡發出孔子話中之深刻真意！（否則，我們很難理解「時常複習所學」真有那麼快樂嗎？）而所有對經典文本之真實理解與詮釋皆是「震古爍今」的，因為皆是「通古今之變」之「視域融合」，而達至「究天人之際」的道或存有之真理彰顯。

今文經學作為一種「究天人之際，通古今之變」的本體詮釋學，正指向迦達瑪所說的「宏大的移動視域」（great horizon in motion），一個不斷在變動調整，與時俱遷的宏大傳統。在伽達瑪的本體詮釋學，視域，情境，傳統是三合一的：

> 我們界定情境概念，說它代表某個限定吾人視野之立足點。因此情境概念的基本部份就是「視域」概念。視域是視線之範圍幅度，涵蓋從一個優位點可以看得見的每一事物。將此運用到思考的心靈，我們談及視域的狹隘，視域的可能擴展，新視域的開放，等等。[24]

在胡賽爾的現象學中，「視域」作為吾人意識之意向性活動指向任一對象必然伴隨呈現之前意識「背景」，包括「時間」，「空間」，「文化脈絡」三個基本向度，晚期更統攝為「生活世界」。海德格進一步賦予「視域」概念以本體論向度，「存有之視域」（horizon of being）乃成海氏最基本的術語概念與思考模式。伽達瑪則同時融合「時間」、「文化脈絡」與「存有視域」諸義，而將「傳統」提昇為具有本體向度之「存有視域」。

「傳統」作為「存有視域」，是存有之真理開顯的場所，也

---

24　Gadamer, 269.

正是儒家所說的「道統」，一個「宏大的移動視域」。「傳統」不只是典章文物習俗之沿襲，更應成為道之弘揚傳承之「道統」，成為不斷實現「存有」與「德性」的綿延之域。

正如同「視域」（horizon）一詞在文藝復興繪畫透視法的原始意涵：空間是從吾人視線無限延伸出去的地平線，世界是無窮開展與後退的水平線，詮釋學的「視域融合」亦可視為一個文藝復興世界觀式的無限理念與使命，一個不斷開展的「宏大的移動視域」！

總結古文經學與今文經學的詮釋學區分：古文經學之「歷史意識」是一種「方法學意識」。今文經學之「時效性歷史意識」則是一種面對文本與傳統的「詮釋學意識」，反對科學方法的「抽象化」破壞了詮釋學情境之「視域融合」。伽達瑪指出，詮釋學三要素：理解、詮釋、應用，不是「方法」，而是subtilitas。[25]

究極而言，古文經學與今文經學的詮釋學區分指向一種「本體論區分」：海德格的「存有」自身與「存有物」的區分，或中國思想中的「道」與「器」的區分：「形而上者之謂道，形而下者之謂器。」現代科學的方法論意識指向「器」或「存有物」之操作，詮釋學意識則指向「道」或「存有」之彰顯。

簡表如下：

| 古文經學 | 歷史意識 | 方法論意識 | 器（存有物）之操作 |
| 今文經學 | 時效性歷史意識 | 詮釋學意識 | 道（存有）之彰顯 |

---

25　Gadamer, 274.

# 「全球化」作為「視域融合」的「詮釋學經驗」

　　面對日新月異，與時俱遷的當代情境，我們將本屆會議之主題設定為這樣的問題意識：在一個「全球化」的時代舉辦一場華人詮釋學研討會，有可能產生什麼「意義」呢？

　　如果一般理解的「全球化」就是「市場化」、「科技化」、「網路化」無國界跨領域的高速發展，本屆會議之旨趣則嘗試去思考：在市場、科技，網路之外，「全球化」是否還蘊含著某種呼之欲出的「意義」與「文化」向度，有待吾人探索與建構？

　　所以相對於「市場化」、「科技化」、「網路化」，我們嘗試將「全球化」理解為一種「視域融合」的「詮釋學經驗」（Globalization as a Hermeneutic Experience of the 'Fusion of Horizons'）。按照迦達瑪的基本論點：吾人之理解活動總已經是一個穿越不同文化傳統的「視域融合」過程。在這意義下，吾人之理解活動總已經是不同文化傳統相遇互動，交流影響的「全球化」過程。反之，「全球化」作為商品，勞力，資金，技術，資訊之普遍交換流通，同時也指向不同文化傳統溝通交流，通過相互理解（mutual understanding）而達到更普遍的共通理解（common understanding）：「全球化」作為人類理解活動之普遍「視域」不斷擴展開放，自我提昇的詮釋學事件！

　　然則，正如同「視域」（horizon）一詞在文藝復興繪畫透視法的原始意涵：空間是從吾人視線無限延伸出去的地平線，世界是無窮開展與後退的水平線，詮釋學的「視域融合」亦可視為一個文藝

復興世界觀式的無限理念與使命！而在理想的「融合」到來之前，總有難以避免的遭遇碰撞，磨擦衝突，乃至單向不平等的強勢主導與打壓霸凌。

「現代性」正是開始於歷史時間意識上的古與今之爭，地理空間意識上的東與西相遇，南與北對抗。而每一個傳統本身也總已經是一個「視域融合」過程，每一個傳統有它自身歷史的古與今之爭，以及它與其他區域傳統之「他者」的遭遇碰撞，磨擦衝突！

「現代性」作為功利與科技掛帥的「理性化」過程，解消了各種傳統的神聖合法性，使現代社會成為諸神隱退的後傳統社會。但傳統並未就此消失，正如同今日的華人仍要過農曆新年與中秋節，西方人仍要過耶誕節。於是我們看到迦達瑪重新肯定傳統是「存有」之意義與真理彰顯的場所，美國倫理學家麥金太爾（Macintyre）重新肯定傳統是吾人之「德性」賴以定位與發展的歷史整體敘事脈絡。所以現代社會作為後傳統社會，並非傳統的消失，而是多個異質傳統無可迴避的遭遇碰撞。今日所謂的「全球化社會」或「地球村」，就是在「後傳統」時代建立一個「多傳統」得以遭遇碰撞，重組配置的「平台」（platform）。

在這意義下，「平台」不僅止於市場通路與資訊網路之「形器」層面（ontic），更指向某種「本體」向度（ontological）：「平台」是海德格的Da-sein，存有之真理在此開顯的場所（place of Being）；「平台」是德勒茲的「意義─事件─概念」得以生產組構的「一致性平面」（plane of consistency）；「平台」是中國思想的「道」得以弘揚復興的「道統」與「道場」。

關於本屆會議的問題意識：在一個「全球化」的時代舉辦一場華人詮釋學研討會，有可能產生什麼「意義」呢？也許我們可以如此回答：通過古今中西交流的詮釋學視域，來重新探索「全球化」

之「意義」，將「全球化」建立為一個古今中西風雲際會的「平台」
與「道場」！

附錄2
# 台灣人文學術的「Ｉ級／埃及化」
## ──從國科會到科技部

　　台灣學術界近十年之最大變革，就是以英文期刊論文之索引系統（index）作為學術評鑑之主要依據，任何研究成果皆須列入「Ｉ級期刊論文」才有學術價值。期刊論文簡稱paper，本就指理工科之實驗報告。Ｉ是索引、指標、指數，可量化為各種點數積分之統計標示，便於審核、評分、認證。所以從國科會計畫、教授升等到大學評鑑、進入世界百大，壹是皆以「Ｉ級」為本！

　　Ｉ級系統本就是理工科之框架模式，為什麼要強加於人文領域？台灣人文學術的「Ｉ級化」反映了什麼問題？

　　我知之矣，所謂「Ｉ級」簡直就是「埃及」！譚家哲的《形上史論》指出：埃及文化是一種「物」與「死亡」的崇拜，如木乃伊。奴隸制亦源於此：只有把自己當成物，當成死人的人才會自甘為奴。現代科技與商品經濟對物世界之操作宰制即源自埃及之「死亡物」崇拜。「物化」就是「奴化」，今日所謂全球新管理主義之技術官僚化，實為一種集體的自我物化奴化與死體化。

　　台灣人文學術的「Ｉ級／埃及化」正是一個「科技對人文之殖民」的「現代性」老梗故事，舉世皆然。但台灣的獨到之處在於：台灣人文學界竟沒有任何反抗就自動繳械投降，甘為亡國奴與殖民！Ｉ級系統雖來自美國，但美國人文學界也沒有像台灣如此Ｉ級化。請問美國有哪位人文大師與學者是靠期刊論文來建立其學術地位？而台灣學者只會投稿期刊，早已喪失寫書的能力。

　　如將「科技對人文之殖民」比擬於英國侵略中國之鴉片戰爭，台灣人文學門的大老則可比擬於清末外交大臣之割地賠款，喪權辱國，完全喪失最起碼的人文精神之自信與自尊，斯文掃地之至。至於理工學門的大老（教育部長、國立大學校長多屬之）則根本形同洋奴買辦在幫著賣鴉片，但知盲目追求「世界百大排行」，假「國際化」之名來掩飾自己喪失文化自信，所以更怕被瞧不起，更迫切渴望獲得他人認可之自卑與自大情結。請問，有哪個教育部長或大學校長可以有點格調尊嚴，敢站出來說：不要再拚百大，不要再搞五年五百億！

　　孔夫子說：「君子不器。」真正的領導人應具備超越工具思考的人文理念與視野，否則就是韋伯所說的「沒有精神理想的專家」，如台灣的教育部長或大學校長化身為今日新管理主義之技術官僚。有這樣的教育部長與大學校長，台灣的大學生當然也只能是韋伯所說的「沒有靈魂的享樂主義者」！

　　台灣的大學早已進入殖民亡國狀態，不是被美國殖民（美國還不屑呢），而是自我殖民，自我物化奴化死體化。所以直到「國科會」改為「科技部」，人文學門的大老竟無一人站出來抗議反對。在「國科會」的招牌下，人文學門還可以頂著「人文科學」或「人文學科」之名佔一席之地。請問：換上「科技部」的招牌，人文學門要如何自處，難不成要打出「人文科技」之旗幟？台灣學術研究之國家最高單位一旦被定名為「科技部」，不啻是將人文學門驅逐出境，如同取消其公民權，喪失任何身分地位。在國科會時代，人文學門已然是理工學門霸權下之次等公民。進入科技部時代，人文學門則連次等公民都不是，甚至比奴隸都不如，而是比奴隸更見不得天日之「賤民」！「國科會」改為「科技部」，人文學門竟無一人發聲抗議，默默接受比奴隸都不如的「賤民」待遇，表示台灣人文

學術已全然的自我物化奴化死體化！

　　士大夫之無恥，是為國恥！人文學術之死，是為大學之死！自教育部長、大學校長到教授、大學生，壹是皆以「I級／埃及」為本，大家金字塔見！

卷四

# 漫遊，疆域，星座

# 第八章

# 日月籠中鳥，乾坤水上萍——從兩句杜詩論康德時空觀與現代「漫遊」文學

　　法國哲學家德勒茲詮釋康德的先驗時間哲學，引述莎士比亞的「時間脫節了」（The time is out of its joint.）與韓波的「我是另一個」（'Je' est un autre.），視之為涵攝康德之「時間性」（temporality）與「主體性」（subjectivity）思想的「詩意公式」（poetic formula）。吾人發現中國偉大詩人杜甫的兩句詩：「日月籠中鳥，乾坤水上萍」，亦可視為涵攝康德「時空觀」之現代「詩意公式」：「時間」是「內在性」之主觀感性形式，現代人的自我內在於時間之中如同籠中之鳥。空間是「外在性」之主觀感性形式，現代人的自我游離在外在空間如同水上浮萍。

　　吾人回到杜詩的原初脈絡，探討杜甫作為古代詩人，何以能展現如此驚人的「現代性」：因為杜甫晚年被完全排除在朝廷皇權體制的權力位階之外，窮困潦倒，漂泊無依，被強迫成為一個失去任何位置，「時間脫節了」的「現代人」。現代人的時空感就是一種沒有位置的空洞時間與沒有軌道的漂浮空間。

# 壹、「詩意公式」？

「日月籠中鳥，乾坤水上萍。」

很早以前，不記得在哪裡讀到這兩句詩。大概知道是杜甫的詩，但也沒追究是哪首詩。只是隨著生活經驗、時間空間的變遷流轉，常常會不經意想起這兩句詩，尤其是到巴黎讀書的時候，「籠中鳥」與「水上萍」的意象常在心中莫名浮現，縈迴不去……

後來讀到法國哲學家德勒茲一篇極有趣的文章〈總結康德哲學的四則詩意公式〉（sur quatre formules poétiques qui pourraient résumer la philosophie kantienne）（Deleuze, 1993: 40），以四則警句格言來涵攝闡發康德哲學中四個最深刻重要的論點命題。我發現，這兩句杜詩亦可延伸為涵蓋康德哲學之時空觀，乃至整個現代文學藝術之時空經驗的「詩意公式」。

然則，何謂「詩意公式」？可以把一句詩當作科學數學的公式來看待嗎？而這正是德勒茲的「幽默」，源自一種「單義性的存有學」（ontology of univoque）：所有事物，就其「存在」來看都是同樣的，當我們說：上帝存在，一顆石頭存在，一佗大便存在，就「存在」的意義而言都是同義的與平等的。「存在」的意義不僅見之於上帝的啟示，也可顯示於一顆石頭或一佗大便。這也正是莊子「齊物論」所說的「道惡乎不在！」「道在屎溺！」。

其實，無論古今中外的大思想家與大學問家，從孔子、孟子到達爾文、馬克思、佛洛伊德，無不雅好引述某詩句來總結涵攝其思想學問之博大精深。而王國維引述三詞人的「人生三境界」之說，則可說是現代中文世界流傳最廣的「詩意公式」！

這如何可能呢？因為「存有」就是「道」，「道」就是「言說」。能夠凝煉地說出「存有」或「道」之真理與意義者，就是

「詩」。任何學問理論之系統都是對某種存在經驗之解釋闡明，所以，一套學問理論之系統若能說出某種「存有」之真理與意義，當然也能凝聚地表述在某句詩中，因為「存有」之意義是單義的與平等的，無論是數學公式或抒情詩句，皆是「存有」的語言，只是以不同的方式來表達「存有」之意義。數學公式可以散發優美詩意，抒情詩句也可以準確如數學公式。

更重要的是，並非唯有「詩」才是表達「存有」的凝煉話語，而是舉凡可以凝煉表達「存有」的話語都是「詩」。所以所有的話語都有可能成為「詩」，甚至是普通的日常口語。梅爾維爾的小說〈Bartleby〉便是再三重複一句平平無奇的：「我寧可不要」（I prefer not to），成為涵攝梅爾維爾作品，乃至於整個西方現代文學的「詩意公式」：「他要說的無非就是他所說的，按照字面逐字地。他所說的與所重複的，就是：我寧可不要。這是其榮耀之公式，每個愛慕的讀者以各自的方式來重複它。一個瘦削蒼白的人發出這公式使全世界慌亂失控。」（Deleuze, 1993: 89）

此處有一重要步驟，即「重複」！任何話語在微差異的重複中，轉化成一則「詩意公式」。我聯想到曹操〈短歌行〉之名句：

「青青子衿，悠悠我心」，但為君故，沉吟至今。

「青青」兩句須加上引號，是對《詩經》鄭風〈子衿〉之引述：「青青子衿，悠悠我心。縱我不往，子寧不嗣音？」原本是表達女子等候情人之焦灼心情的情詩，但曹操對之沉吟再三的微妙重複，卻已將其轉化為涵攝另一種人生經驗（思賢求才若渴）的「詩意公式」。所有的「詩意公式」都是一種「但為君故，沉

吟至今」的微妙重複與延伸轉移。「但為君故，沉吟至今」，這本身就是在重複履行一種詩意的本體論詮釋學（poetic ontological hermeneutics）的「言說—行動」（speech-act）。

回到這兩句杜詩：「日月籠中鳥，乾坤水上萍。」是什麼樣的「但為君故，沉吟至今」的本體性詮釋，可將其延伸入現代世界，成為一則涵攝康德時空觀以及整個現代文學藝術之時空經驗的「詩意公式」？

這兩句詩出自杜甫晚年的一首五律〈衡州送李大夫七丈勉赴廣州〉：

斧鉞下青冥，樓船過洞庭。北風隨爽氣，南斗避文星。日月籠中鳥，乾坤水上萍。王孫丈人行，垂老見漂零。（仇兆鰲注，1999：1942）

就句法結構與字面涵義而言，並不難解，且意象鮮明。「日月」顯然並非直指太陽與月亮，而是時間之代稱，正如「乾坤」是空間之代稱。這是中國古典詩文常見的時空意象修辭，如李白的〈春夜宴桃李園序〉：「天地者，萬物之逆旅，光陰者，百代之過客」，乃至小學生作文的「光陰似箭，日月如梭。」所以這兩句詩的語譯應是：時間就像（是）籠中之鳥，空間則像（是）水上的浮萍。

中文古典詩不像西方語言須恪守「S is p」之「主詞—謂詞」（subject-predicate）句法結構，而往往可以省略系詞，甚至於可以是沒有主詞的諸詞項之並列。這兩句杜詩是典型例子：日月與籠中鳥並列，乾坤與水上萍並列，中間沒有任何「是」或「像」

之系詞來確定其是否為隱喻類比之關係（不若另一首杜詩「飄飄何所似，天地一沙鷗」比喻明確），乃留下歧義曖昧的玩味空間。

因此，歷代的杜詩專家皆不甚了然。[1]關鍵在於「日月籠中鳥」之涵義。自比為「籠中鳥」，已是中國文人士大夫困頓不得志最常訴諸的意象，左思詩：「習習籠中鳥，舉翮觸四隅。」杜甫亦有詩：「鬱鬱苦不展，羽翮困低昂。」馬致遠小令〈金字經〉：「夜來西風起，九天鵬翼飛，困煞中原一布衣。」直至耳熟能詳的京戲唱詞：「我好比籠中鳥。」

對於時間的感嘆詠懷，則更是中國古典詩屢見不鮮的基本主題。孔夫子的「逝者如斯乎，不舍晝夜！」把時間比擬為逝水，開啟了中國古典詩最基本的時間意象。問題是，「時間」與「籠中鳥」要如何相連？怎麼可以把時間直接比擬為籠中鳥？

吾人聯想到俄國導演艾森斯坦（Sergei Eisenstein, 1898-1958），「蒙太奇」理論與創作的創始人，從中國古典詩之無主詞的意象並置手法獲得靈感，發明了「吸引力之蒙太奇」（montage of attraction），將A鏡頭與B鏡頭兩個衝突矛盾的影像連接並列，在震驚衝擊（shock）中產生隱喻象徵的詩意魅力。[2]

然則，如果中國古典詩預示了現代電影的「蒙太奇」手法，應不只限於隱喻象徵的層面。蒙太奇作為諸鏡頭剪接連結之整體動態裝置，可以產生隱喻象徵之效果，但並不能等同於隱喻象徵

---

1　如《杜臆》注：「日月照臨之下，身如籠鳥；乾坤覆載之中，跡若浮萍。」仇兆鰲則直言：「日月籠中二句，需添字注釋，句義方明。不如『日月低秦樹，乾坤繞漢宮』，詞氣雄狀。亦不如『乾坤萬里眼，時序百年心』『身世雙蓬鬢，乾坤一草亭』，語意明爽也。」

2　Gilles Deleuze, Cinema 1-L'image-movement, (Paris: Minuit, 1983), p. 36.

之手法。蒙太奇包含了遠超乎隱喻象徵的更多可能性。吾人相信這也是德勒茲的立場。其與瓜達利（Felix Guattari, 1930-1992）合著的《反伊底帕斯》一提出「欲望—機器」之概念，就立刻強調：「這不是一個隱喻。欲望就是一部機器。」[3]這是德勒茲一貫的「單義性」與「字面性」的本體式幽默。

延伸同一幽默思路，當我們說：中國古典詩的意象並置手法預示了現代電影的「蒙太奇」剪接手法，這不是一個隱喻，而是在中國古典詩當中的確蘊含了一種「蒙太奇」機制。這如何可能呢？正如康德論及「想像力」之「時間圖式」（time-schema）作為連結「知性概念」與「感性直觀」之「第三者」與「中介者」，是「潛藏在人類靈魂深處之藝術」。同理可推，也有一種潛在的「蒙太奇」藝術潛藏在人類靈魂深處，先於任何電影機器的發明，它當然也是一種「時間圖式」的藝術。中國古典詩透過無主詞的意象並置手法，在電影發明之前實現了此一原始的潛在的「蒙太奇」藝術。

在這觀點下，杜詩的確是透過「日月」與「籠中鳥」的連接並置來產生一種隱喻效果：「時間就像籠中之鳥。」甚至更超越隱喻，指向一種「你看到的就是你看到的」的「單義性」畫面：「時間就是籠中之鳥，空間就是水上浮萍。」

這是一種極端「現代性」的時空經驗，無怪乎傳統的杜詩注釋者難以理解。何以解杜，唯有透過德勒茲解讀康德的「詩意公式」。

---

3　Gilles Deleuze & Felix Guattari, Anti-Oedipe, (Paris: Minuit, 1972), p. 2.

## 貳、從「時間脫節了」到「我是另一人」

第一則詩意公式就是莎士比亞的《哈姆雷特》所說的：「時間脫節了！」（The time is out of joint.）。「節」（gond）是門環繞旋轉的軸心，它象徵著時間從屬於外在的廣度運動，時間只是運動的度量單位或數字。西方古代哲學認為時間從屬於世界的循環運動就如同一旋轉門，這是一個迷宮開放向永恆的本源。（Deleuze, 1993: 40）

古人的時間觀念源自外在的自然運動：日升日落、月圓月缺、四季循環、天體運轉，把時間看成從自然運動衍生出來的屬性，例如「一天」作為一個時間單位，就是日出日落的一個循環運動。

「時間脫節了」是康德哲學的第一個偉大翻轉：時間不再從屬於運動，不再是運動的度量單位，時間從自然的永恆循環運動中脫離釋放出來，變成純粹的「自主形式」（autonomous form）。「時間變成單向線性與直線的，這是一種時間的校正。時間停止被一個使時間依賴於運動的神所彎曲。時間停止作為基數性（cardinal），而變成序數性（ordinal），一種空的時間次序。」時間的迷宮已改變狀態，「不再是一個循環或螺旋，而是一條純粹的直線，卻更為神秘與可怕，因為是簡單的與無可避免的——如阿根廷的小說家波赫士所說的『一個由單一直線所組成的迷宮，是不可分的與無間斷的（incessant）』。」（Deleuze, 1993: 40）

簡言之，時間變成一條不斷在消逝的直線。其實這正是孔子的基本時間意象：「逝者如斯夫，不舍晝夜！」或謝朓詩云：「大江流日夜，客心悲未央。」

　　而對西方人而言，哈姆雷特首先達到時間的解放，是第一個真正需要時間來行動的英雄：「《純粹理性批判》是哈姆雷特之書，這北國的王子。康德所在的歷史處境允許他充分掌握此一時間革命的射程範圍：時間不再是原始天體運動的宇宙時間，亦非地表氣象運動的農村時間，它變成城市的時間，不是別的，而只是純粹的時間次序。」（Deleuze, 1993: 41-2）

　　這純粹的時間次序並非一般所理解的先後接續，我們不能以「接續性」（succession）來界定「時間」，而是在「時間」中，一切運動才被界定為是先後接續。「假如時間本身是一種先後接續，它需要在另一個時間中先後接續，如此會導致無窮倒退。」時間是先後接續的次序，如同數學中的序數，這是純粹空洞的次序，然而一切事物的發生都預設了這空洞的時間次序：「一切事物都在時間中運動與變遷，但時間本身卻是不變的，它是不變與不動的形式，但並非永恆的形式，而是一切事物運動變遷的不變形式。」（Deleuze, 1993: 42）

　　時間是包含一切運動變遷之純粹空洞的不變形式，這意味著：唯一不變的就是，一切事物都會在時間中變遷與消失。

　　「時間脫節了」意味著：時間從外在的運動中抽離出來，回到時間自身，變成純粹的「自主形式」。這個「自主形式」卻是抽離掉任何運動內容的純粹空洞形式。這樣一個純粹空洞的「自主形式」就是最激進的現代「主體性」。如果「現代性」可界定為「主體性」（subjectivity）的發現與「自主性」（autonomy）的建立，那麼，康德的革命性不在於「主體性」（subjectivity）的發現，而在於更進一步發掘出「主體性」＝「時間性」。

　　我們知道，康德在《第一批判》之先驗感性論，將時間與空間還原為純粹主觀的先天感性形式，不再是事物的客觀屬性。德

勒茲深刻地指出康德的時間是現代都會的時間，這意味著：「現代性」作為一個「主體性」政權，開始於時間的「主觀化」與「人造化」。例如，鐘錶的發明是現代工商業體系度量工作時間的基本條件。此「主體性＝時間性」的康德革命，構成二十世紀最深刻的哲學之謎，從胡賽爾、海德格直到德勒茲、德希達皆致力於此。德勒茲的第二則詩意公式——法國詩人韓波的：「我是另一人。」（*Je est un autre.*），即針對此「主體性＝時間性」之謎。

德勒茲指出，除了將時間視為永恆的循環運動外，古代還有另一種時間概念，將時間視為靈魂的強度運動。笛卡爾的「我思」（cogito）是古代靈魂概念的「世俗化」與「非宗教化」，開啟了「現代性」作為「主體性」之紀元。笛卡爾說「我思故我在」，「我思」即我的意識思考活動，是一種瞬間性的決定與規定（determination），蘊含著某種仍未決定的存在狀態（我在）。我是一個思考的實體，但如何能將「我思」的規定加諸於「我在」的不確定狀態，如果沒有某種可被決定的方式。而這正是康德的偉大發現：「唯有在時間之中，在時間的形式下，我在的不確定存在成為可規定的。」（Deleuze, 1993: 43）

時間作為連結「我思」與「我在」的決定性形式，同時也使我分裂為二。一個是在時間之中不斷變動，被動的、接受性的我（moi, me），不斷感受到時間中的現象變動。另一個則是「我思」之主動的我（Je, I），唯有這個「我思」可以在時間的形式中規定被動的「我在」。我的存在從來就無法被規定為一個主動與自發性的存在，而只能被規定為一個被動的我，卻伴隨呈現著「我思」的「規定」如同一個「他者」在觸動著我。通過時間形式，我和我自己分裂離析，但我仍是同一個我，因為我的思考活動必然觸動此時間形式來執行其綜合與規定，同時我的存在也必然在

時間中被觸動與被規定，成為時間形式中的內容。「我是另一人」意味著：我被一條時間之線分割成兩個「我」，主動的「我思」與被動的「我在」，但同一條時間之線又不斷地將這兩個「我」串連縫合起來。（Deleuze, 1993: 43）

　　這樣一種「自我反身性」（self-reflexivity）的分裂主體性，令人不禁聯想到王國維的詞：「試上高峰窺皓月，偶開天眼覷紅塵，可憐身是眼中人。」主動的「我思」觀照在時間中被動的「我在」，如同一個孤峰頂上的「他者」在俯瞰紅塵芸芸眾生，同時驚覺那就是自己：「可憐身是眼中人！」但德勒茲所描寫的康德式主體與比王國維走得更遠。王國維的分裂主體產生於「偶開天眼覷紅塵」，只是偶一為之的啟示頓悟，德勒茲的主體分裂卻是無時不刻地在發生進行，因為它就是時間意識本身，無間斷的「大江流日夜，客心悲未央！」

　　德勒茲指出，「我是另一人」是相應於「時間脫節了」的「主體之瘋狂」。這是主動的「我思」與被動的「我在」在時間之中雙重的迂迴與分裂。假如「我思」決定我的存在是時間中一個變遷與被動的我：「時間就是此一形式關係，心靈依循之而自我觸動自己，或者說，時間是一種方式，在其中，我們內在地被我們自己所觸動感動。時間因此可界定為一種『自己被自己所觸動感動的情感』（affect de soi par soi），或至少是一種被自己所觸動感動的形式可能性。在這意義下，時間作為不變形式，不能界定為簡單的先後接續，而是呈現為一種內在性形式（forme d'intériorité）（內感官）（sens intime），至於空間則呈現為一種外在性形式（forme d'extériorité），一種被外界對象所觸動的形式可能性。」（Deleuze, 1993: 43）

　　時間與空間不是世界或事物本身的客觀屬性，而是主體的先

天感性形式將一切事物的呈現均納入某種時間與空間的關係次序中。空間作為「外感官」，純粹的「外在性」形式，意味著：我對外界事物的知覺皆預設了空間的形式，在空間的「外在」關係中，我將事物知覺為在我之外的他物或外在對象。時間作為「內感官」，純粹的「內在性」形式，意味著：我內在的意識與感受皆預設了時間的形式，在時間的「內在」關係中，我感受到我自己，我被我自己所觸動與感動。我把我的自我感受為一種「內在意識」或「內心世界」。眾所周知，佛家有「眼、耳、鼻、舌、身、意」六識之說。空間作為「外感官」，就是五官之「知覺」所預設的「外界」形式。時間作為「內感官」，就是「意識」自身，是一切「情感」所預設的「內心」形式。更弔詭的是，時間作為「內在性」形式：

> 並不是時間內在於我們之中，而是我們內在於時間之中，在這名目下，我們總是被時間所分割與觸動。內在性無間斷地在我們之中挖洞，鑿空我們，切割我們，分裂我們，即使我們的同一性駐留著。一種不會走到盡頭的不徹底分裂，因為時間沒有終結，而是有一種暈眩，一種擺盪（oscillation）構成了時間，正如同有一種滑動（glissement），一種漂浮（flottement）構成了不限定的空間。（Deleuze, 1993: 45）

　　不可思議的優美描述，德勒茲為我們逼顯出康德時空觀最深刻的現代性弔詭。而我們將看到，杜甫的詩也展現出同等不可思議的現代時空弔詭，且更推進一步。
　　1、「日月籠中鳥，乾坤水上萍」不正分別標示了「時間」＝「內感官」＝「內在性」形式，「空間」＝「外感官」＝「外

在性」形式？若覺吾言荒誕，有牽強附會之嫌，請看另兩句杜詩：「乾坤萬里眼，時序百年心」，簡直可當作康德「先驗感性論」的卷首題詩：乾坤（＝空間）→萬里眼（＝外感官），時序（＝時間）→百年心（＝內感官）。「時序百年心」更相應於康德的時間主體是一種「有限性」的主體。

2、「時間」作為純粹空洞的形式，從外在世界的運動抽離出來；「時間」作為純粹「內在性」形式，則是自己被自己所觸動的情感；我內在於「時間」之中，所以「時間」也在我之中不斷地挖洞鑿空我！這一切莫可名狀的時間之弔詭，杜甫將之涵攝於一個簡單通俗的意象「籠中鳥」。是的，「時間」就是「籠中鳥」！我內在於「時間」之中就如籠中之鳥。「時間」是空洞的形式，不斷地挖洞鑿空我。我就是被關在「時間」的空洞形式中，被關在我自己鑿空的內心世界中，百無聊賴，空虛苦悶，鬱鬱不展，如無法展翅的籠中鳥。「時間」作為自己被自己所觸動的情感，德勒茲形容為沒有終結的「擺盪」與「暈眩」，其實無非就是一種「我好比籠中鳥」的鬱鬱不展，空虛苦悶。

3、德勒茲說，有一種沒有終結的「擺盪」與「暈眩」構成了「時間」，正如同有一種「滑動」與「漂浮」構成了不限定的空間。「乾坤水上萍」不正是這樣一個「滑動」與「漂浮」的不限定空間？再一次，杜甫將難以名狀的現代空間弔詭涵攝於一個簡單通俗的意象「水上萍」：現代人的「空間」作為純粹「外在性」的感性形式，正如漂泊無根的水上浮萍，沒有方向，沒有目的……

這是何等弔詭的現代時空經驗：現代人被關在內在的時間中，如籠中之鳥，空虛苦悶，鬱鬱不展；被流放到外在的空間中，如水上浮萍，漂泊無根，流離失所。現代人是空洞時間中的

囚人，浮游空間中的流放者。

　　然則，我們仍無法迴避一個基本問題：杜甫是一千多年前的古代人，何以能寫出如此現代性的時空經驗？

## 參、沒有位置的人

　　讓我們回到杜詩的原初脈絡：〈衡州送李大夫七丈勉赴廣州〉

> 斧鉞下青冥，樓船過洞庭。北風隨爽氣，南斗避文星。日月籠中鳥，乾坤水上萍。王孫丈人行，垂老見漂零。

　　這首五律在杜詩中算是頗為冷僻的作品，一般杜詩選集皆未選，只有在全集中才看得到。詩的背景，根據仇兆鰲的集注：

> 唐書：衡州衡陽郡，屬江南西道。
> 朱注：李勉自江西觀察史入為京兆尹，兼御史大夫，大歷三年十月，充嶺南節度史。詩應是其年冬作。
> 盧注：時嶺南番帥馮崇道與桂州朱濟時叛，故朝廷遣勉討之。
> 盧注：勉好古尚奇，故曰文星。（仇兆鰲：1941-2）

　　唐代宗大歷三年，杜甫五十七歲。李勉為唐宗室（《舊唐書》有傳）（160），受命討伐廣州叛亂，途經衡州，遇見杜甫，杜甫作此詩稱頌一番。整首詩的結構很清楚，最後兩句「王孫丈人行，垂老見漂零」總結全詩，「王孫」指李勉，「垂老」指杜甫自己，將整首詩分割成兩組意象，兩個系列平行對照。前四句寫李勉「王孫丈人行」的煊赫聲勢，構成一個系列；「日月籠中

鳥，乾坤水上萍」則是寫詩人自己的「垂老飄零」，構成另一系列。

第一個系列鋪陳李勉領軍南征的排場陣仗，營造出一種聲勢浩大，威武煊赫的行軍運動狀態。斧鉞是天子試賜給諸侯的旗幟，象徵著源自最高皇權親授的軍令兵權。「青冥」作為高遠深杳的青空，正象徵著天威難測的皇權根源，「斧鉞下青冥」勾畫出一種自天而降，由上而下的皇權運動軌跡，進而由垂直運動轉為一種水平的開展延伸：「樓船過洞庭」。接下來的「北風隨爽氣，南斗避文星」則是從北到南的運動。眾所周知，中國古代朝廷的權力中心多在北方，南方是邊陲。這四句詩勾畫一種自天而降，由上而下，從北到南，從中心向邊陲移動的皇權運動軌跡，鋪陳出一個被皇帝賦予權力的王孫貴族如何威武煊赫，所向披靡。「北風隨爽氣，南斗避文星」，用較淺白的話說，一個皇權天威所授權的人，真是威風八面，走路都有風，連南斗星都要退避三舍。（勉好古尚奇，故曰文星。）

那麼，「王孫丈人」的煊赫運動與詩人的「垂老飄零」平行對照的意義何在呢？「王孫丈人」的煊赫運動正象徵著皇權運作的朝廷位階體制，詩人的「垂老飄零」則意味著：他已完全被排除在朝廷體制的權力位階之外，失去任何位置，窮困潦倒，漂泊流離。正因為失去任何位置，構成了杜詩最激進的「現代性」，使得他雖生活在古代傳統社會，卻游離於社會常軌之外，成為一個「沒有位置」（non-position, non-site）的「現代人」，而逼顯出最極端弔詭的的現代時空經驗。

杜甫的「沒有位置」由來已久，雖然杜甫一生都想進入朝廷體制的權力位階以實現其儒家淑世理想：「自謂頗挺出，立登要路津。致君堯舜上，再使風俗淳」，但也很早就意識到「此意竟

蕭條，行歌非隱淪」，而終其一生都陷入一種「沒有位置」的尷尬焦慮：「此身飲罷無歸處，獨立蒼茫自詠詩。」正如馮至的《杜甫傳》指出：「杜甫在當時不只在政治上，就是在文藝界裡也是處在被人誤解，被人否認的地位。」（馮至：103）而正是這「沒有位置」的尷尬焦慮構成了杜詩最奇特弔詭的「沉鬱頓挫」之魅力：「白鷗沒浩蕩，萬里誰能馴。」「黃鵠去不息，哀鳴何所投？君看隨陽雁，各有稻粱謀。」「回首驅流俗，生涯似眾人。巫咸不可問，鄒魯莫容身。」「飄飄何所似，天地一沙鷗。」「江漢思歸客，乾坤一腐儒。」「親朋無一字，老病有孤舟。」「萬里悲秋常作客，百年多病獨登台。」「關塞極天唯鳥道，江湖滿地一漁翁。」

　　杜甫並不想成為一個「現代人」，但「沒有位置」的尷尬處境將他逼顯成一個赤裸裸的「現代人」！為什麼呢？回到哈姆雷特的詩意公式：「時間脫節了！」時間從世界的運動中脫離出來，此處的「世界運動」不僅指自然運動的軌道，更是指整個社會運作的軌道。「時間脫節了」意味著：我與整個社會脫節，逸離常態活動的軌道，失去任何位置。大多數人的生活都是源自一個固定的社會位置，遵循常態的活動軌道，有日常慣例的時間行程表，不管是農業社會的日出而作，日入而息，或是工商業社會的朝九晚五。一般人會感到時間限制的不自由，往往是因為工作太多，行程表排得滿滿的，都沒有自己個人的時間。然而，一旦被解雇，失去工作職位，不再有任何行程表，所有的時間都是自己的，是否就從此自由了？「時間脫節了」指向一種失去任何位置與軌道的時間，基本上就是一種失業的時間，百無聊賴的時間，不知道要做什麼，也不知道往哪裡去，覺得一切都停頓遲滯，同時又意識到時間在不斷流逝。所以德勒茲將這「脫節」的

時間界定為「空洞形式」與「靜態框架」的「頓挫」（césure）：

> 代替事物在時間中之流逝，現在是時間自身在不斷流逝。它
> 停止作為基數，而變成序數性的，變成純粹的時間次序。賀
> 德林說，時間停止「律動」（rimer），因為一個「頓挫」使
> 之產生不均等的分怖，開始與終結不再一致。吾人可將時間
> 的次序界定為以此一「頓挫」為函數的純粹形式性的不均等
> 分怖。吾人區分一個或長或短的過去與一個相反比例的未
> 來，然而這裡的過去與未來不是時間之經驗的與動態的屬
> 性；它們是形式化的與固定化的特徵，衍生於先驗次序，如
> 一種時間之靜態綜合。（Deleuze, 1993: 45）

　　杜甫的「日月籠中鳥」作為最純粹的時間意象，正是這樣一
種詩意的「頓挫」與時間的靜態綜合：時間停頓遲滯如籠中鳥，
而又不間斷地流逝消沉。

　　我記得在巴黎唸書時，常聽人開完笑說：巴黎公園裡的鴿子
都養得很肥，因為有很多失業的人閒閒沒事做，就到公園裡餵鴿
子。我想當杜甫寫下「日月籠中鳥」，他的「時間感」和一個現
代無業遊民在公園裡餵鴿子應該差不了多少。

　　因為沒有位置，所以時間變成停頓遲滯，空虛苦悶的籠中
鳥。因為沒有軌道，所以空間變成漂浮無根，流離失所的水上浮
萍。現代人的時空感就是這樣一種沒有位置的空洞時間與沒有軌
道的漂浮空間。杜甫有另外兩句詩將這現代時空感推得更為遼闊
與深沉：

漂蕩雲天闊，沉埋日月奔。

## 肆、「空之遊蕩」或現代漫遊文學

　　所以這一切並非偶然，杜甫詩中的時空意象展現出驚人的「現代性」，從內在時間感之空虛苦悶，衍生出外在空間感之漂泊無根，流離失所，「日月籠中鳥，乾坤水上萍」允為現代時空經驗最澈底之詩意公式，將現代人推到一種「時間之囚人，空間之流放者」的極限形象。現代人突然發現自己最內在的自我只是一空洞的「時間形式」。自我被關在自己內在的空洞時間中而一事無成，所以也只能將自我放逐於外在空間，沒有目的的「閒盪漫遊」（wandering）。由內在的空洞時間導出衍生外在的游離空間，可以法國哲學家巴迪悟所說的「空之遊盪」（errance du vide）來涵攝，雖然巴迪悟之「空」從數學集合論之「空集合」立論，並無時間性之意涵。（Badiou, 1988: 201）

　　這樣一種「空之遊蕩」的現代時空經驗，是否有其西方文化之淵源？法國學者Edouard Valdman寫過一本深刻有趣的書《猶太人與金錢》（Les juifs et l'argent, 1994），便將猶太人的形象界定為一種「空之遊蕩」！

　　　當人們說：「我害怕空虛」，這句尋常俗套的表達其實反映了不可思議的普遍人性向度。此一令人害怕的空虛是一個內在於人之內心的不安空間，在人和他自己之間，在他和他人之間，他和世界之間挖出一個窟窿，一道傷口，揭露出他和世界之不可知部份。這是一個「問題」，一個設置於人之核心內裡的「問題空間」。大多數的人害怕這個內在的「空虛」，需要化約它，讓它沉寂，讓自己逃離它。所以大多數的人無法留下自己一人獨處，他們寧可閒聊終日，言不及

義，或是不斷征服外部的空間，只是為了逃避這內心最深處的空虛。但有一些人決定傾聽這個內在空虛，一任被壓抑沉埋的問題空間浮現發聲，這就是猶太人。亞伯拉罕是第一個釋放出人之內在空虛的人。在亞伯拉罕之前，人們活在晝夜與四季周而復始的封閉循環中，固著於他們居住的疆界。亞伯拉罕將他們拔離出固定的居住疆界與生活的重複循環。他們的生命不再局限於某一疆界，某種重複，而變成一種遊歷，一種探索，一種漫遊與遊蕩。追隨亞伯拉罕在沙漠中的壯遊，人漫遊不僅朝向外在空間，也朝向他自己內在的空間。亞伯拉罕發現最核心的祕密：人的外在冒險允許他揭露他真正的內在冒險。引領猶太人朝向空無的沙漠，亞伯拉罕同時也打開了他們內在的空虛，有如打開了人內心永遠無法填補的荒漠。由此開始了猶太人無間斷的漫遊流浪離散如同人性之普遍命運，一種穿越人性之荒漠的空之遊蕩。（Valdman: 1994, 14-18）。

就如波特萊爾〈現代生活的畫家〉所描繪的「這個孤獨者被賦予主動的想像力，總是壯遊穿越人類的偉大荒漠。」（Baudelaire: 355）現代性作為空之遊蕩，可從流浪沙漠的猶太人身上發現其歷史形象，現代性無非是一個「猶太人問題」有如一個「問題空間」與「空間問題」。「我害怕空虛」，這句尋常俗套的表達在現代人的內在提出了一個「猶太人問題」！杜甫的「日月籠中鳥，乾坤水上萍」表達了一個相似的猶太人離散的「問題空間」，而無猶太人之強迫宗教性，所以體現了更為通俗鮮明，也更為純粹的「現代性」！

因此，延伸「日月籠中鳥，乾坤水上萍」之「詩意公式」，

可以涵攝現代文學藝術中各種「無目的漫遊」之類型：法國小說家塞林（Céline）的《旅行到黑夜盡頭》，喬哀思的《攸里西斯》，卡謬（Camus）的《異鄉人》，凱魯亞克（Kerouac）的《在路上》，溫德斯的公路電影，杜哈絲的白色書寫，七〇年代的地景藝術與嬉皮運動，直到好萊塢電影《阿甘正傳》（*Forrest Gump*, 1994），皆致力於釋放出一個無止境的「空之遊盪」的「時間之囚人」與「空間之流放者」！

　　相對於此，環顧當代各種蔚為流行的「空間」論述，諸如「旅行」、「流浪」、「遊牧」、「離散」等，其實大多未觸及「時間性」向度之內在問題空間，而流於外在空間表象之修辭堆砌，殊乏微言深意。可以這麼說，當代「空間」論述之盛行其實是喪失「時間性」思考的一種思想的無能與轉移逃避，正如法國哲學家柏格森的著名批判：「時間的空間化。」（the spatialization of time）。

　　《阿甘正傳》有一段插曲，阿甘因心愛女子不告而別，心情極差，什麼都不想做，於是走出戶外，終日在公路上慢跑，結果引來一批追隨者跟著阿甘一起跑，以為阿甘的慢跑行為中必然蘊含某種高深神聖宗旨之哲理智慧，甚至引起各大媒體爭相報導追蹤，阿甘慢跑成為最時髦的新時代運動。結果跑了兩三年，有一天跑到一半，阿甘突然不想跑了，掉頭回家去了，留下一群追隨者不知所措。眾人問阿甘為什麼，阿甘說當初是因為心情不好，才出來跑。現在心情好多了，當然要回家。

　　阿甘雖然智商不高，卻是性情中人。其慢跑純屬自己被自己所觸動的空虛時間感而衍生出來的空間漫遊閒晃，沒有任何目的與意義，反而體現了最純粹的「空之遊盪」！就此而言，阿甘釋放出最純粹的「現代性」，而一窩蜂跟著阿甘跑的追隨者則是浪

漫主義者，因為無法面對現代時間經驗的內在空虛感，無法忍受無目的的「空之遊盪」，而力圖將阿甘慢跑想像成某種崇高神聖的朝聖之旅或修道苦行！

## 伍、彼之透明的構圖使我興憂

在現代中文寫作中，我發現台灣現代詩人紀弦的〈二月之窗〉也形塑釋放出一種康德式的時間意象：

二月來了，
我撫摩著無煙的煙斗，
而且有所沉思。
我沉思於我之裸著的
淡藍的下午的窗──
彼之透明的構圖使我興憂：
西去的遲遲的雲是憂人的，
載著悲切而悠長的鷹呼，
冉冉地，如一不可思議的帆。
而每一個不可思議的日子，
無聲地，航過我的二月窗。

此詩刻畫的場景並不難解：詩人在二月的某個下午憑窗眺雲，沉思遐想，興起現代人式百無聊賴的感時傷春。耐人尋味的是這三行：「我沉思於我之裸著的／淡藍的下午的窗──／彼之透明的構圖使我興憂。」首先是修辭與句法上的乖異造作扭曲：文白夾雜，混合英文式語法（「我沉思於」的被動式，以及數個

形容詞重疊（連用好幾個「之」「的」），這些原本皆視為中文修辭之大忌，在此竟營造出一種「自製新詞韻最嬌」的獨特韻味，開啟了一種前所未聞的中文表達體。此乖異句法革新其實意義重大，影響深遠，但此處無暇詳論，僅只指出：透過自創的乖異句法，「我在二月的下午憑窗沉思」的簡單場景被轉換為「我沉思於我之裸著的淡藍的下午的窗」。句法之乖異反映了思維邏輯之乖異：什麼叫做「我的窗」，而且還是「裸著的」，還具有「透明的構圖」，可以使我興憂傷情？這一切乖異錯愕的思路唯一合理的詮釋就是：這二月之窗不再只是我沉思的對象，而已內化成為我沉思的形式本身。換言之，「我沉思於我之裸著的窗」意味著：「窗」＝「我思」。而按照德勒茲的詮釋，規定「我思」的「形式」就是「時間」。我們已看到康德時間哲學的方程式：

**時間性＝主體性＝內在性＝內在感覺形式＝空洞形式＝自我觸動自我之情感**

準此，「二月窗」作為「我之裸著的窗」＝「我思」之「時間性」與「主體性」。「彼之透明的構圖」就是「時間的空洞形式」！所以「使我興憂」的並不是任何外在對象，而就是時間的形式本身，就是我的思想本身，「使我興憂」的就是在「窗之透明構圖」＝「時間的空洞形式」中，自我觸動自我之情感！

德勒茲指出，時間作為一「空洞形式」的最大弔詭就是：一切事物都在時間中變遷消逝，時間的形式本身卻是不變的。時間既非永恆，亦非變遷，而是一切事物變遷消逝的不變形式。這也正是〈二月之窗〉後半段所要述說的：在「窗之透明構圖」＝「時間的空洞形式」中，西去的遲遲的雲，悠長的鷹呼，都是在

時間中變遷消逝的事物，它們如不斷消逝之帆每一天航過我的時間之窗之透明構圖。一切變遷消逝都要通過時間的不變形式，這其實是最不可思議之事！

如果說窗之透明構圖是時間之「靜態綜合」的直接「時間意象」，相對於此，雲、帆、鷹呼之空間移動意象，則可說是以「運動」來暗示「時間」的間接「時間意象」。雲、帆之漂流亦帶有某種浮游空間意味。紀弦此詩雖未完全釋放出「時間之囚人，空間之流放者」之極端形象，卻點出另一重要主題：時間＝憂鬱，時間流逝之空虛感必然興發的憂思哀傷，雖然只是淡淡的哀傷，如「淡藍的下午的窗」。但這感時傷春的淡淡哀傷其實是人生最悠長無奈的悲切感慨，誠如李義山〈曲江〉詩云：

天荒地老心雖折，若比傷春意未多！

附錄
# 可能世界的戲劇性
## ──分析一首自己的詩〈空門〉


### 空門

無人　在

空了的　一層公寓　有它自己

繁複怔忡的思緒　午後　遲遲的日影

橫過　陽台的積水　花木扶疏的盆栽　折射

天花板上　粼粼的波光　波光間流露的藻影

（為什麼總是有些什麼而非空無一物？）


在思緒背後　在廚房後廡的陽台角落

記憶蔓延糾結的長春藤

猶纏繞著　歲月生鏽剝落的鐵欄

悠悠的曬衣繩

懸著　惘然欲滴的衣物

靜待風乾　像莫名飄過的雲

猶有籠中瞑目假寐的鸚鵡

蕭索的柵影　彩羽繽紛的日夢

（為什麼總是有些什麼而非空無一物？）


學童在迷藏一樣的公寓巷弄間

老人在百無聊賴的公園長椅上

千樓萬戶的世界仍不斷向遠方擴張延伸
好一片泛濫的水塘孳生著綿延無盡的浮萍
（為什麼總是有些什麼而非空無一物？）


每一度的空門　守候著
樓梯間　每一串逐步響起的陌生鞋聲


　　〈空門〉一詩發表於現代詩復刊號第 14 期。乍看標題，讀者也許會以為這又是一首目前非常時興的談玄說佛的「禪詩」。然而，如果讀者有耐心從頭兩行：「無人　在／空了的　一層公寓……」讀到末兩行：「每一度的空門　守候著／樓梯間　每一串逐步響起的陌生鞋聲」。那麼，即使對整首詩的內容意象還不能十分了然，至少可以「頓悟」原來這裡的空門無關乎花木寂寂，禪意深深的「空門」；所謂的「每一度空門」更不是楊牧那種浪漫抒情交織著禪意反諷的「第二次空門」，而是一點也不詩意的「闖空門」。藉著標題與內容的歧異聯想令人「頓悟」此「空門」非彼「空門」而啞然失笑，是這首詩帶給讀者的初步幽默效果。

　　細讀全詩，我們發現整首詩更深一層的幽默感，因為它賦予「闖空門」這個現代生活的日常事件一種獨特的懸宕的戲劇性。這種戲劇性是如何醞釀塑造出來的？

　　詩的前兩段是一組組個別意象的系列呈現，它們明顯的呈現出某種現代公寓的室內景觀，而從「午後遲遲的日影」開始，每個意象就如同電影的特寫鏡頭（Close up），以蒙太奇般的剪接組合方式構成一意象系列，展現出一個現代日常生活空間的佈局與配置。

　　這一系列近似特寫鏡頭的意象塑造，一方面似乎只是將事物皆著上主觀色彩，使得整個空間佈局烘托出一個王國維所說的「有我

之境」。但另一方面又似乎是一個「無人在」的「無我之境」，一系列意象只是事物自身的「演出」事件。

　　法國哲學家德勒茲在《電影1》（*Cinema 1*）一書中指出，特寫鏡頭具有將事物從特定的時空脈絡中抽離出來的「抽象」效果，它並不呈現事物的現實狀態，而是直接表達事物的可能性與理想性。這種抽象效果的「表達」，德勒茲名之為「情感—影像」（affect-image）。所謂的「情感」，無關乎主觀的情緒感受，而是事物潛在的性質或力量，特定時空的現實狀態「非現實化」的可能性範疇。這種「抽象」不是知性概念的抽象，而是抽象畫或表現主義意義下的抽象。我們可以說它是絕對的「主觀」，將整個世界都化為內心世界的精神狀態，如孟克、梵谷的畫，或德萊葉、布列松的電影；也可以說它是絕對的「客觀」，如蒙德利安的幾何構圖。但更好的說法是它是非主觀非客觀，超越「有我之境」與「無我之境」的區分。「情感—影像」作為這樣一種「抽象」，並非現實的個別事物，亦非事物的幻象；而是附著或「湊泊」於事物之上的「理想事件」（ideal event）。它是普遍而又具體的「特異性」（singularity）。

　　這麼說似乎很玄，令人匪夷所思。其實在文學作品中，「情感—影像」的「抽象」是最常見的表現方式。由於文學符號本身就具有無法免除的抽象性，所以文字意象較諸電影影像更適於「情感—影像」的塑造。尤其是在中國古典詩中，由於中國文字的特性，實字（指涉實物的字眼）與虛字（抽象表意的字眼）所組合鎔鑄的新辭往往能達到一種「玲瓏剔透，不可湊泊」的境界。譬如李義山的名句：「五更疏欲斷，一樹碧無情」（蟬），「一春夢雨常飄瓦，盡日靈風不滿旗」（過神女廟）就可視為情感影像的極致，早已超乎「有我之境」與「無我之境」的界定。

　　讓我們回到〈空門〉這首詩。一二段的一系列意象無疑的可視

為一種「情感—影像」。我們無須追問空了的一層公寓為什麼會有它自己「繁複怔忡的思緒」，懸著的衣物為什麼會「惘然欲滴」，蔓延糾結的長春藤又與記憶何干。這些意象本就不是事物自身，而是「湊泊」於事物之上的「理想事件」，只是「湊泊」在事物的表面，它們是一種純粹的「表面遊戲」（surface play），並不象徵任何事物的深度或指涉任何超越的理念，它們的「意義」就是它們自身表面的「演出」，而非隱藏在它們背後的某種「深度」。

由這一系列「情感—影像」所構成的日常生活世界的空間配置，當然也不是某一特定的時空環境，而是抽象的可能世界的「任何一個空間」（any-space-whatever）。詩中所呈現的公寓與陽台，既不是你家也不是我家，而是任何一層可能的公寓與陽台，遲遲的日影當然也橫過每一個可能的下午。「任何一個空間」雖然是一種「抽象」，但絕不是空洞無物的先驗時空形式，而是一組組「特異性」事件的集合。就如同這首詩一二段意象所呈現的，是一個現代城市所獨有的日常生活世界：冗長、沈悶、單調、重複、平淡、無聊、莫名所以。

至於每段末行的一句重複，作者似乎在這裡用了一個頗為冷僻的典故。「為什麼總是有些什麼而非空無一物？」是哲學中一個最基本的存有學（ontology）問題。但是被引述在這裡，似乎並不是要暗示任何深刻的哲理，而是以一種帶點荒謬幽默感的「誤用」反顯出現代生活的日常事件純只是解消所有深度的「表面遊戲」。加上括號則具有使整句話成為一種「聲音」的作用，如同電影的旁白，可以加深「情感—影像」非真實化的抽象效果。在這裡，「為什麼總是有些什麼而非空無一物？」的重複旁白聲使得平淡無聊、莫名所以的日常生活世界的「任何一個空間」達到了「抽象」的極致。

　　全詩到了第三段，在「取景」及「運鏡」上有極大的轉折。場景明顯的從室內的世界轉移到室外的世界。運鏡則從特寫鏡頭轉為中距離鏡頭與長鏡頭。前兩行是中距離鏡頭，呈現出兩個人物的動作與姿態。人物的選擇相當具有典型性。我們可以想像詩中的學童是現代社會放了學後，家裡沒人的鑰匙兒童，老人則是與現實脫節，甚至被社會遺棄的邊緣人。這種典型性呼應著前面的「情感─影像」，他們不是某一特定的學童與老人，而是現代社會中的任何一個學童，任何一個老人。

　　第三段第四行則是兩個急速推移的長鏡頭，將遠眺都市設疊的景觀與放大的水塘浮萍意象並列呈現，甚至可說是兩個畫面「重疊淡入」，而構成一組「隱喻化」的知覺影像。

　　整首詩的「視野」從公寓的室內場景延伸到公寓外的環境景觀，這種空間層次的轉移開展：公寓、巷弄、公園、社區……不僅打破了特寫鏡頭之「情感─影像」的封閉性，並且賦予「任何一個空間」的「可能場景」一個深遠遼夐的「現實背景」。雖然這個「現實背景」本身亦是一理想性的典型共相：任何巷弄、任何公園，任何一座可能的城市……。其次，更重要的是，兩組影像，中距離的人物姿態與長鏡頭的知覺隱喻，皆蘊涵著「動作」（action）的意義（「千樓萬戶的世界仍不斷向遠方擴張延伸」間接地指涉了社會集體的行動），因而使一二段「情感─影像」的一系列「理想事件」進入了一個戲劇性的發展。其實全詩從第一行「無人　在」，就已經以一個「動作的闕如」暗示了某種意味的戲劇性，接下來的一系列意象亦可視為一種「事物的演出」，但畢竟還只是一種抽象的「情感」，一種可能性，並未構成真正的戲劇性「動作」。一直要到「學童『在』迷藏一樣的公寓巷弄間／老人『在』百無聊賴的公園長椅上」兩句，老人與學童的出現暗示著「他們」與「無人

在」的公寓空門間某種可能的戲劇性關係（只有「他們」在這個時候應該待在公寓裡，但連「他們」也不在……），全詩的發展才真正導入戲劇性的場景與動作，具備了某種可能的「情節」，並為最後的「高潮」埋下了「伏筆」。

把「闖空門」這個日常事件「抽象」為一理想性的「戲劇性事件」，使平凡無奇的經驗「昇華」到「最低限度」的「高潮」，司空見慣的生活空間成為戲劇化的可能場景，這是整首詩企圖塑造的幽默與詩意。

這是一種「白色幽默」，指向某種因為太過家居尋常，所以恍如隔世的奇異懷舊，就如史奴比漫畫般鄰家童言童語，阿貓阿狗的「白色幽默」。

張愛玲的〈私語〉寫道：「房屋的青黑的心子是清醒的，有它自己的一個怪異的世界。而在陰陽交界的邊緣，看得見陽光，聽得見電車的鈴與大減價的布店裡一遍又一遍吹打『蘇三不要哭』，在那陽光裡只有昏睡。」

也有一種奇異懷舊的「白色幽默」，但籠罩在新舊時代交會有如陰陽交界的鬼影幢幢間，因而變成一種陰暗昏沈乖謬的「灰色幽默」！

相對的，〈空門〉一詩的「白色幽默」要單純得多，就像史奴比式的童言童語，暫時懸置現實世界背景的喧嚷景深，讓日常景物成為純粹湊泊懸宕的奇異懷舊，即使是「闖空門」的社會新聞事件也成為無限懸宕的可能世界的純粹戲劇性。

# 第九章

# 小説作為一種「美學方法」:「感覺體」的「組構」與「疆域性」的「表現」——司馬中原與黃春明的鄉土小説

## 壹、導言

「小説不只是説故事!」此陳述已成為現代讀者的基本文學常識。然則,這個「不只是……」到底又比「故事」多了「什麼」?是否可以設定這樣一則「方程式」:故事＋Ｘ＝小説?

法國哲學家德勒茲與瓜達利對這個Ｘ給了一個明確的「解」:小説和繪畫、音樂一樣,都是在塑造一種「感覺體」(bloc de sensations, bloc of sensations)[1]。小説之寫作就如同繪畫之構圖或音樂之作曲,都是透過特定材質(文字、顏色、聲音),重新「組合構成感覺」(composition of sensations)的一種「美學方法」(aesthetic method)。進而言之,藝術做為「感覺體」的組構,同時就是在形成一種「疆域性」(territoire, territory)的「表現材質」(matter of expression),發展出具有「疆域」特色的「標誌」

---

1 Gilles Deleuze & Félix Guattari, *Qu'est-ce que la philosophie?* (Paris: Minuit, 1991),頁154。

（mark）與「風格」（style）。[2]

　　眾所周知，「美學」一詞在今日文化界、學術界已流行過頭，浮斯濫矣（諸如：電影美學，劇場美學，設計美學，美學經濟……），乃至於有將「美學」與「符號學」混為一談者，而完全無知於Aesthetics的最原始涵義是「感覺學」與「感性論」，無關乎符號、意義、概念之問題。有鑒於此，吾人認為德勒茲與瓜達利提出了一套名符其實的以「感覺之表現」（expression of sensation）為模型的小說美學，相對於亞理斯多德的「詩學」（poetics）以「行動之模仿」（imitation of action）為模型的「敘事體」（narrative）分析，不啻樹立另一套別開生面的「感覺體」（sensation）分析典範，值得嘗試加以延伸應用。

　　吾人選擇司馬中原與黃春明的鄉土小說為例，依照德勒茲與瓜達利之「感覺化」與「疆域化」的美學模型，二氏之小說皆可視為「鄉土感覺體」之塑造：司馬之「江北荒原」與黃之「蘭陽平原」，各自有其「感覺組構」與「疆域表現」的獨特「美學方法」，形成兩種極具典型性的「鄉土書寫」系譜。

## 貳、「感覺體」的「組構」與「疆域性」的「表現」

　　德勒茲與瓜達利在《什麼是哲學？》提出一套「感覺」模型的藝術理論，並非特別針對小說，但小說卻成為此「感覺」模型的最佳例證。[3]

　　（一）藝術的目的就是透過材質的手段，將感覺從個人的主

---

2　同前註，頁175。
3　同前註，頁160。

觀狀態與俗見輿論（opinion）的陳腔濫調（cliché）中抽離出來，成為一畫立自存（tenir debout tout seul）的感覺聚合體（bloc de sensations, bloc of sensations）。[4]藝術作品就是透過材質之感覺而自我保存的「純粹的感覺存有物」（pure être de sensation），如同樹立一座「紀念碑」（monument）。但不是要紀念過去，而是一座現前的感覺聚合體在保存與慶祝它所獨有的永恆感動。「紀念碑」的儀式不是記憶，而是創制（fabulation）。[5]

（二）感覺可再區分為知覺（perception）與情感（feeling）。同理，藝術作品中的知覺與情感皆是脫離了主觀狀態的「知覺體」（percept）與「情感體」（affect）。[6]「知覺體」是一種「靈視」（vision），一種「風景」（paysage, landscape），卻是存在於人類之前的「風景」，人不在場時的「風景」。就如塞尚名言：「人消失不在，卻完全內在於風景之中。」相對的，「情感體」則是一種「變化」（devenir, becoming），但不是個人主觀狀態的過渡，而是整個世界狀態在某個場域（lieu）的「過渡」（passage），就如塞尚另一名言：「世界的一刻經過了」。德勒茲與瓜達利在《千高原》首先提出此一「變化」美學，「變化」其實是「變形」（metamorphose）之意，強調藝術做為生命之解放，須超越人之形式，向宇宙萬物之其他生命形式開放，不同的生命形式相互滲透轉化，如莊周夢蝶，人與蝶進入一種無法區別的「鄰域」（indiscernible zone de voisinage）。[7]

藝術作品做為「知覺體」與「情感體」組成的「風景」與

---

4　同前註，頁155。

5　同前註，頁158。

6　同前註。

7　Gilles Deleuze & Félix Guattari, *Mille Plateaux*（Paris: Minuit, 1980），頁316。

「變化」，其實就是一般形容古典詩詞常講的「情／景」交融。

　　（三）透過材質手段來保存與構成「感覺體」，需要某種「方法」，某種「組構」的方式，這正是每個藝術家的不同「風格」。「方法」包括：使單一感覺「顫動」；使兩種感覺「交纏」、「肉搏」，或使之「撤離」，「分割」，「解體」。[8]而所謂「組構」，composition，無論在法文或英文中，皆同時指繪畫之「構圖」，音樂之「作曲」，建築之「結構」。小說家也正如同畫家、音樂家、建築師，以其獨門「方法」來組構打造一座歷久彌新的「感覺體」。「組構」包含三個「元素」：1、材質所保存之感覺或感動，成為某種「形象」，如同某種基本單位之「磚面」、「塊面」（pan）；2、第二元素：某種「骨架」（armature）、「架構」或「框架」，將這些多重向度之美學「磚面」、「塊面」予以連接組合，裝置建構成一座「房子」。此「感覺多面體」的「組構」採取一種巴洛克音樂的「對位法」（contrepoint）；3、第三元素：「宇宙」（univers）或交響樂式的無限「組構平面」（plan de composition）。任何建築都是建立在某種地基平面上，同時，任何「房子」也已被某種無名的「域外」力量滲透、穿越、引領，跨越疆界，向某個「宇宙」開放。

　　（四）「感覺體」的「組構」同時是一種「疆域性」的「表現」。德勒茲與瓜達利在《千高原》提出「疆域」美學，將藝術之起源歸之於動物之建構疆域。動物從周遭「環境」中擷取挪用「現成物」（ready-made），轉換成某種「表現性材質」（matière d'expression, matters of expression），作為牠專屬的「標誌」（marque, mark），宣示對領土的「主權」佔有：鳥歌唱，標誌出

---

8　同註1，頁159。

它的疆域[9]。當「環境」中之組成物件從「功用性」（function）變成一種「表現性」之「質感」或「品質」（quality），「疆域」乃湧現形成。此「表現性品質」但並不是抽象的象徵符號，而是某種「可佔用的感性審美」（appropriative aesthetic）的性質，因此成為某個「疆域」特有之品質或專屬物（qualités propres, proper qualities），標示此「疆域」之「所有權」。[10]

「表現性材質」之運動首先形成「標誌」，但它還進一步形成一種「風格」。「風格」就是「表現性」的「品質」彼此進入一種移動關係，表達出疆域中的內在衝動（impulse）與外在環境之變化關係。這是一種巴洛克音樂的「對位法」關係。內在衝動之表現構成一個「動機」（motif）或「音點」（point），將外在環境當作它的「對位」（contre-point, counter-point），「疆域」之形成發展因此達到一種「表現」的「自主性」（autonomie, autonomy）。更詩意優美的是：內在衝動的「動機」會形成一種「韻律人物」（personnage rythmique, rhythmic character），外在環境的「對位」則形成一種「旋律風景」（paysage mélodique, melodic landscape）。[11]

從「標誌」到「風格」的發展形成一首迴旋反覆的「副歌」（Ritournelle, Refrain）。其運作機制則是一種「裝置」，是異質元素組件的共同置入（tenir-ensemble, holding-together）與團結凝聚。整個「疆域化」機制同時被各種「去疆域化」運動的逃逸路線所穿梭交織，形成「跨界裝置」，不斷向其他「疆域」與「領

---

9　同註7，頁383。

10　同前註，頁397。

11　同前註，頁392。

域」開放，團結凝聚出更廣闊豐富，異質多元的「一致性」（consistance, consistency），捕捉更強大的「力量」，召喚一個將要到來的「人民」。

「感覺體」的「組構」做為一座「美學多面體」的「房子」，就是在建構某個「疆域」，但這個「房子—疆域」同時也向某種「去疆域化」的「都市—宇宙」開放。

（五）藝術家的「創制」無關乎放大的記憶，亦非幻覺虛像。他是一個靈視者（voyant），在生命中看到某種太過巨大的事物，無法承受的事物，以至於必須讓實際經驗過的知覺爆裂開來，進入某種「靈視」（Vision）。問題總是關乎在生命被禁錮之處解放生命，或是在一種吉凶未卜的戰鬥中讓生命挺住。「知覺體」可以是天文望遠鏡或顯微鏡，賦予人物或風景以「巨人」（géant）的向度，他們如同被某種任何經驗過的知覺都無法企及的龐大生命所吹氣膨脹，不管這些人物是否平庸懦弱，他們都變成「巨人」。所有的「創制」都是在製造「巨人」。[12]

（六）德勒茲晚期的短文〈文學與生命〉做了簡明的總結：文學的書寫在語言中創造一新的語言，如同在母語中創造一種外來語，它將語言逼至界限，在語言界限上逼顯出聞所未聞的「靈視」與「天聽」（Audition），這不是幻覺，而是作家在語言的斷裂與交叉中看到與聽到的「真實理念」。這些「視／聽」不是私人事務，而是不斷被重新創造的歷史的與地理的形象，召喚一個未來的人民。作家是文學的「靈視者」與「天聽者」，文學是生命大化之流在語言中的一段「過渡」，構成了「理念」。[13]

---

12　同註1，頁161-162。

13　Gilles Deleuze, *Critique et Clinique*（Paris: Minuit, 1993），頁16。

　　德勒茲的「理念」做為一種「靈視」與「天聽」，很明顯就是康德的「美學理念」（aesthetic Idea），是想像力的一種形象顯現，它能引起許多思想，卻無法以任何確定概念來清楚表達。[14]「美學理念」就是藝術作品中所展現的某種整體的人生觀，世界觀，宇宙觀，價值觀，如天堂、地獄、創世紀，或死亡、罪惡、榮譽等等。「天才」做為創造性的「想像力」，就是呈現「美學理念」的能力，在藝術中將「美學理念」發揮到「最高度」[15]。「美學理念」就是一般常講的「創作理念」，海德格稱為「世界」，王國維稱為「境界」，德勒茲稱為「宇宙」或「組構平面」。

　　「美學理念」是終極的判準，衡量評價一個藝術家或一件作品，就看其所開顯的「世界」或「宇宙」是否獨一無二，引人入勝，是否具有歷久彌新的廣度、高度、深度、強度、厚度……

## 參、從「江北荒原」到「蘭陽平原」

　　正如德勒茲與瓜達利寫道：「小說經常提昇到某種知覺體：不是荒野的知覺，而是在哈代（Hardy）小說中，荒野成為一種知覺體；梅爾維爾（Melville）的海洋知覺體，吳爾芙的城市知覺體或鏡子知覺體。風景在看著。一般說來，那個偉大的作家不曉得在其所創造的感覺體中保存某年某日的某一刻，某一刻的某種溫度（福克納的丘陵地，托爾斯泰與契珂夫的草原）？」[16]

---

14　Immanuel Kant, The critique of judgment, trans. By James Creed Meredith（New York: New York University, 1983），頁175-6。

15　同前註，頁176。

16　同註1，頁159。

　　此處可再加上司馬中原的「江北荒原」與黃春明的「蘭陽平原」。

　　司馬中原的成名作《荒原》，正如齊邦媛教授指出：「寫的雖是渾忘小我的英雄事蹟，主角卻是洪澤湖畔的紅草荒原。書中至少三分之一篇幅是描寫這片荒原的」，結尾一章，「至少寫了三十種樹木野草和野菜」[17]。正如塞尚名言：「人消失不在，卻完全內在於風景之中。」作者對紅草荒原的著力刻畫鋪陳正是在組構一種純粹「知覺體」的「風景」，而一草一木，蟲魚鳥獸亦皆化為「情感體」的「變化」與「變形」，進入睹物思人，物我不分的「鄰域」狀態。紅草做為土生土長的環境「現成物」，也被抽取為一種可占用的質感與美感，而成為「表現性材質」：「紅如潑天大火，發出濃郁草香，南風拂過，草尖上走著一溜溜忽明忽黯的波浪，直盪向極遠的天邊。」[18]紅草乃成為最基本的「疆域性標誌」，進而與火神廟、天火相互映照：「天上的紅霞映著地上的紅草，遍天遍地都是紅的，像誰燒起一片燭天大火，狼在遠處發出單獨一聲初 。滿天的驚鳥也都被這奇異的天象迷亂了，彷彿尋不著牠們棲宿的窩。」[19]，共同標示著荒原鄉民的原始強韌生命力對這片浩劫大地「野火燒不盡，春風吹又生」的「主權」宣示！

　　紅草荒原的鋪陳刻畫進一步形成「疆域性」之「風格」的「旋律風景」，呼之欲出某個與之形成「對位」關係的「韻律人物」登場：代表荒原鄉民年輕一代的六指兒貴隆，以及外地來的

---

17　齊邦媛，《千年之淚》（台北：爾雅出版社，1990），頁14。

18　司馬中原，《荒原》（台北：風雲時代出版社，2008），頁28。

19　同前註，頁57。

傳奇遊俠歪胡癩兒。這兩個「人物」又成為兩個「動機」的「對位」關係：透過貴隆對歪胡癩兒的邂逅、景仰、追隨，推演開展出兵荒馬亂中的「苦難人民」對「神話英雄」的嚮往崇拜，寄望在「神話英雄」的感召領導下，團結群力，眾志成城，反抗各種霸權暴政，撥亂反正，澄清天下。此「苦難人民」與「神話英雄」的「對位法」才是最根本的「韻律人物」，最深刻原始的「內在衝動」之「動機」，進而與整片荒原的「旋律風景」形成「對位」關係，發展成一首迴旋反復的「副歌」，並不斷開放向更廣闊的宇宙性的無限交響平面！

　　《荒原》奠立了司馬中原小說塑造「鄉土感覺體」之「人物／風景」對位法之基本「風格」的「鄉土宇宙」。之後的《狂風沙》、《狼煙》、《凌煙閣外》，以及「鄉野傳奇」系列，皆可視為「荒原主題」衍生之「變奏」。《狂風沙》雖然篇幅更龐大，氣勢更磅礴，但整體的架構格局比起《荒原》其實是相對的簡化，卻鋪陳的更為誇張突顯，無論是「敘事體」的殘酷殺伐或是「感覺體」的莽蒼風沙，正如寫萬家樓之威武煊赫氣勢：「像海市蜃樓一般的升起，遮擋住一野的浩浩風沙。」[20]一開場描寫關八帶領十六輛響鹽車走在霜天衰草路上：

> 官道兩邊有些落光了葉子的楊柳，光禿禿的朝天舉著疏而細的枝椏。光溜溜的曉風帶著嚴寒，在那些枯枝上滑過，打起嗚嗚的號子，那聲音又尖銳又淒慘，就彷彿要把陰霾霾的天硬給開腸破肚一樣，滿天灰雲叫欲燒沒燒起的早霞一映，灰

---

20　司馬中原，《狂風沙》（台北：風雲時代出版社，2006），頁46。

紅帶紫，真像滴出血來了。[21]

預示了小說接下來一連串血腥殺伐場面。短篇〈骷髏地〉描寫國共內戰的北地戰場：

從望遠鏡裡看荒原，斗大的亂石滾向天邊，沙丘被天然的旱泓割裂，顯出無數峋磷的風齒狀橫紋；在天邊，疾走的沙煙蕩起如雲，彷彿天和地都跟著變野了！又一天看太陽在黃雲後沉落，血紅帶紫，像開了膛的人心！[22]

令人聯想到盛唐的邊塞詩與反戰詩，如李白的〈戰城南〉：「野戰格鬥死，敗馬號鳴向天悲；烏鳶啄人腸，啣飛上掛枯樹枝。」

如果說司馬著力刻劃兵荒馬亂的「荒原」感覺有如盛唐邊塞詩的誇張場景描寫，那麼，黃春明塑造「蘭陽平原」與「羅東小鎮」的草根鄉土感覺，則是小康承平之世，有如陶淵明田園詩的質樸白描：「平疇交遠風，良苗亦懷新」，「山氣日夕佳，飛鳥相與還」，日常風景，卻煥發著清新雋永的款款韻致。請看〈青番公的故事〉的開場描寫：

青番公的喜悅漂浮在六月金黃的穗浪中，七十歲的年紀也給沖走了。他一直堅持每一塊田要豎一個稻草人……全家十幾個人，只有七歲的阿明和他有興趣去扮十二身的稻草人忙

---

21 同前註，頁17。

22 司馬中原，《司馬中原自選集》（台北：黎明出版社，1976），頁166。

整天。

從海口那邊吹皺了蘭陽濁水溪水的東風，翻過堤岸把稻穗搖得砂砂響。青番公一次扛四身稻草人，一手牽著只有稻草那麼高的阿明在田裡走。[23]

豎立稻草人的動作成為一個「韻律人物」，與整片金黃穗浪搖得砂砂作響的「旋律風景」形成一種「對位」關係。「豎立稻草人」此一「韻律人物」又形成兩個「人物」的「對位」：農村時代祖父輩的青番公向天真好奇的小孫子阿明傳授鄉土傳統的經驗與智慧，祖孫二人隔代傳承鄉土經驗的「動機」又與不種田的新世代形成「對位」關係，進而與整個蘭陽濁水溪大環境變遷今昔對比的「旋律風景」形成「對位」關係。於是，〈青番公的故事〉奠立了黃春明小說「鄉土感覺體」之「人物／風景」對位法之基本「風格」和「宇宙」。這是一首小康承平之世，「平疇交遠風，良苗亦懷新」、「採菊東籬下，悠然見南山」的田園牧歌：

太陽收縮他的觸鬚，頃刻間已經爬上堤防，剛好使堤防成了一道切線……堤防缺了一塊燦爛的金色大口，金色的光就從那裡一直流瀉過來。昨天的稻穗的頭比前天的更低，而今天的比昨天還要低些。一層層薄薄的輕霧像一匹很長的紗帶，又像一層不在世上的灰塵，輕飄飄地……踏著稻穗，踏著稻穗上上串繫在珠絲上的露珠，而不叫稻穗與露珠知道。阿明看著並不刺眼的碩大的紅太陽，真想和太陽說話。但他覺得太陽太偉大了，要和他說什麼呢？

---

「阿明，你再看看太陽出來時的露珠，那裡面，不！整個露
珠都在轉動。」「阿公露珠怎麼會轉動呢？和紅太陽的紅顏
色在滾動一樣。」

「露珠本身就是一個世界啊！」[24]

　　這段詩意描寫證明黃春明是現代文學中少見的「素樸詩
人」。「素樸」並非天真幼稚無知，而是「大人者，不失其赤子
之心」，這是一種非常難能可貴的心態情懷。所以在青番公的田
園牧歌中亦包含著過去的天災人禍的創痛記憶，以及未來的惘惘
的威脅，但基本上仍是樂觀開朗，健康寫實的。然則，弔詭的
是，黃春明小說的發展，卻是見證此一「素樸詩人」的「鄉土感
覺體」逐步的分崩離析。

　　〈甘庚伯的黃昏〉裡的甘庚伯是和青番公一樣堅強開朗的樂
觀老農，卻遭遇無可承受的創痛命運：獨子阿興被日軍拉去南洋
服役，回來後發瘋。小說透過鄉人村童的眼旁觀甘庚伯晚年老伴
去後，一人獨自耕地種土豆，將發瘋兒子關起來照顧的淒涼晚
景。〈鑼〉中的憨欽仔為小鎮打鑼報信的工作被裝了擴大機的三
輪車所取代，失去社會位置，淪為遊民般的小鎮邊緣人。所以小
說中的「人物／風景」之「對位」只能是無定向的遊蕩與無人在
意的荒涼角落（蝸居在小公園的防空洞，為了避開大街賒帳的雜
貨店而迂迴繞道菜園、果園、籬笆巷，加入棺材店對面茄冬樹下
的羅漢腳地盤）。〈兒子的大玩偶〉中的坤樹擔任廣告看板人，
其工作就是扮成小丑背著廣告看板，在小鎮四處來回走動，一天
得走上幾十遍：

---

24　同前註，48。

一團火球在頭頂滾動著緊隨著每一個人,一身從頭到腳都很怪異的,彷彿十九世紀歐洲軍官打扮的坤樹,實在難熬這種熱天。

近前光晃晃的柏油路面,熱得實在看不到什麼了。稍遠一點的地方的景象,都給蒙在一層黃膽色的空氣的背後,他再也不敢穿望那一層帶有顏色的空氣看遠處。萬一真的如腦子裡那樣幌動著倒下去,那不是都完了嗎?他用意志去和眼前的那一層將置他於死地的色彩掙扎著:他媽的!這簡直就不是人幹的。但是這該怪誰?[25]

透過這「一團火球/廣告看板人」的「對位」,小鎮的「鄉土感覺體」已成為一種煎熬,不只是感官的煎熬,更是思想與精神的煎熬!然而正如德勒茲與瓜達利所言:「問題總是關乎在生命被禁錮之處解放生命,或是在一種吉凶未卜的戰鬥中讓生命挺住。」[26]所以一切「人物」與「風景」的對位組構,都指向某種「巨人」的美學形象(esthétique figure, aesthetic figure)之樹立:「這些人物是否平庸並不重要,他們在小說中變成巨人,儘管在現實中仍是微不足道之輩。正是以平庸的力量,甚至愚蠢與猥瑣的力量,他們得以變成身影巨大,甚至侏儒與殘障都可以做一番事業:所有的創制都是在製造巨人。」[27]無論偉大或平庸,他們太有生命力了,以至於不曾實際生存過。沃爾夫(Thomas Wolfe)

---

25 同前註,頁163-4。

26 同註1,頁162。

27 「創制」的概念來自柏格森(Bergson)的《道德與宗教之二源》,是不同於想像力的一種靈視能力(faculté visionnaire),創造神明與巨人(同註1,頁162)。最初行之於宗教,繼而在藝術與文學中自由發展。

從他的父親抽取出一個巨人，米勒（Miller）從都市中抽取出一個黑暗行星。沃爾夫可以描寫卡托比老鄉民，透過他們低能的一愚之見與喋喋不休，但他所要做的，就是從他們的孤獨，他們的荒漠，他們的永恆土地與無人覺察的被遺忘的生命樹立起一座祕密的紀念碑。」[28]

正如司馬中原小說中隨處可見的難民逃荒場景：

有無數難民歇在沙河旁的白沙平灘上，散散落落的人影一直牽進遠處的蒼茫；一隻牛在一堆火邊哞哞叫著，一群狗在溼沙上追逐著，微茫中響著嬰孩的啼號。煙柱一條條的伸向天空，在高處結成如雲的頂蓋，那些野炊洞口騰跳起來的火燄在這裡那裡搖閃著，各自映紅一小塊空間，映亮一些人臉……[29]

從鹽船上泅來求援的那個掛彩的漢子死了，他僵涼的屍體挺在麥場邊的碾盤上，一群不相識的農婦圍繞在那裡，喃喃的祝禱著，一邊蹲在地上為他焚化紙箔，黑色的紙灰在濃霧裡變得凝重了，一片一片的釘在人的衫裙上，像一些日暮時覓地棲止的倦蝶。[30]

像一些日暮時覓地棲止的倦蝶……這或許是那些被遺忘的苦難生命最淒美的祕密紀念碑。

---

28　同註1，頁162。
29　同註20，頁46。
30　同註20，頁85。

紀念碑並非緬懷或慶祝過去的事物，而是賦予未來之耳某種持續的的感覺體，使「事件」道成肉身：人們的持續苦難，不斷更新的反抗與永恆的搏鬥；使感覺體組構的「風景」與「人物」上昇至大地之歌與人民的吶喊。[31]

司馬中原在《荒原》與《狂風沙》中著力塑造歪胡癩兒與關東山的鄉野英雄傳奇，自不待言是在樹立一種「巨人」的美學形象。然則，黃春明筆下質樸白描的青番公，甘庚伯，憨欽仔，〈看海的日子〉裡的妓女白梅，也同樣是在樹立「巨人」形象。正如王國維說：「境界」有大小，不以是而論優劣！德勒茲與瓜達利則說：「巨人」無大小！無論平庸或偉大，他們都體現了生命力的永恆抗爭搏鬥，都是生命大化之流的一段「過渡」。因此，「巨人」形象之樹立，往往是將主角的行動推至「仁至義盡」，而逼顯出某種「天地不仁」之「界限情境」（limit-situation），如詩經〈黍離〉篇「悠悠蒼天，此何人哉？」之千古浩嘆，或台灣俗諺常講的「人在做，天在看！」

「巨人」無大小！有趣的是考察他們如何從不同的風土民情與時代氛圍中樹立起不同的「類型」與「典型」！

司馬中原小說中「苦難人民」與「神話英雄」的辯證其實是一個亙古常新的人性主題。高全之對《狂風沙》的著名評論提出了基本而重要的詮釋架構：「關東山由做為神明的英雄沉澱為厄運基層人，再自厄運基層人昇揚，聳立成做為有德者的英雄。在英雄類別的轉變過程裡，讀者的英雄崇拜受到壓抑，然後得到補償性的滿足。」[32]

---

31　同註1，頁167。

32　高全之，《從張愛玲到林懷民》（台北：三民出版社，1998），頁138。

　　「厄運基層人」一詞甚諦，更精確地表達「苦難人民／草根大眾」。延伸高全之之說，吾人認為，神話英雄與苦難人民的史詩辯證，其實是苦難人民尋求救贖的自我辯證，神話英雄無非是苦難人民呼天叫地無可奈何時的自我投射。英雄之功能在於以其德行與能力提供一「行動典範」，以感召民心，結合群眾，奮起反抗暴政，正如《水滸傳》所說的「呼群保義，替天行道」！但英雄做為喚起民心，結合群眾的「領導中心」，只是某種「觸媒」或「輔助線」功能，最後關鍵仍在於人民本身能否覺醒奮起，意識到「有為者亦若是」！「英雄」能否成為一個「神話」而不幻滅，端視人民可否達到集體意識的自我啟蒙，正如《尚書》所言：「天聽自我民聽，天視自我民視。」所以高全之所說之「神明英雄沉澱為厄運基層人，再自厄運基層人昇揚為有德者英雄」的辯證過程，其實是做為厄運基層人的苦難人民不斷自我啟蒙，自我昇揚的辯證過程！

　　「苦難人民」與「神話英雄」的辯證更揭示了文學藝術之「巨人」形象最重要的內涵向度：「巨人」之為「巨人」就在於他體現或呼應了「人民」之苦難與情感！所以「巨人」無大小，因為無論偉大崇高或卑微平庸，都是「人民」之情感最具體生動的投射或折射！所有的「巨人」都是「人民英雄」，因而也都是「無名英雄」！

　　所以司馬中原的「江北荒原」所樹立的「巨人」形象，既有歪胡癩兒與關東山等奇俠豪士，亦有〈骷髏地〉中的基層老兵趙夸子，或〈野煙〉中專為客死異鄉的逃荒人收屍的白鬍子侏儒老爹。

　　同樣的，在黃春明的蘭陽平原與小鎮的「鄉土宇宙」中，青番公，甘庚伯，白梅，貌似平凡卑微，其實都被塑造成與苦難困

境搏鬥並超越克服的「有德者英雄」，都是為草根大眾樹立行動典範與健康生命形象的「巨人」！

台灣鄉土文學有一段時間流行「大河小說」，其實台灣的河川類型並非滔滔不絕的「大河」型，而是時而乾旱，時而山洪暴發的「荒溪」型。青番公在撈沙船上向孫子滔滔講述濁水溪，為「荒溪」型河川下了最佳註腳：

> 今天的濁水溪有什麼可怕的，水流這麼少，就像一個病人要斷氣那樣奄奄一息的。以前的濁水溪，哈！水流之急啊，……做起大水來，這些地方只要你現在眼睛所能看到的地方，都變成大海那樣……」老人一談到濁水溪的語氣，就像是在惋弔一位大英雄人物的晚年似的，想把這位英雄再從他的口裡活現。「你想想看！幾千甲的土地，一個晚上就沉到水底，等土地又浮出來的時候，幾千甲地都給你擺滿了厚厚一層的石頭。[33]

青番公二十一歲時全家死於濁水溪的山洪暴發，只有他一人劫後餘生，在水患留下的石頭荒地上重建田園，成家立業，開枝散葉。這也正是小說所要樹立的「巨人」形象：一個與濁水溪搏鬥並超越克服的「荒溪英雄」！

甘庚伯面對日本殖民經驗造成兒子發瘋的無解創痛，卻仍活得堅強開朗，贏得全村人的尊敬。小說結尾，透過村童阿輝的眼，看到這對父子的缺憾映現在與之「對位」的夕景中：

---

33　同註23，頁53。

夕陽已落到地平線上了。地平線被夕陽的著（？）點熔了一個火亮的缺口，前面所有的景象，都只呈現黑顏色如皮影戲的輪廓……阿輝……遠遠還可以看到他們父子倆的黑色背影。可是阿輝一跳上小徑想趕上他們的時候，筆直的小徑正巧對著落日，前面兩個黑影子的蠕動，卻一瞬間遁失在地平線上那火亮的缺口裡面去了。[34]

這遁失在地平線上火亮缺口裡的父子倆背影，雖然缺憾淒涼，卻仍樹立起一種「悠悠蒼天，此何人哉」的「巨人」形象！

〈看海的日子〉描寫南方澳魚群來了的「海洋感覺」，其實在黃春明的作品中較為罕見。黃的鄉土宇宙基本上仍是一個倫理溫情的農業社會，〈看海的日子〉的「海洋感覺」則是原始本能衝動的赤裸裸展現，無論是生存本能或性愛本能。「海洋感覺」之「風景」與「討海人／妓女」之「人物」形成「對位」，開展出一個近乎自然主義的宇宙：「那些皮膚黑的發亮，戴著闊邊鴨嘴帽的，都是討海人。還有臨時趕到漁港來擺地攤的各種攤販，還有妓女，還有紅頭的金色蒼蠅，他們都是緊隨著漁群一起來。」[35]妓女白梅是此一宇宙中「人為刀俎，我為魚肉」的犧牲者。她犧牲肉體養活養父母一家，可說是為了承擔家庭倫理的責任而被推入火坑，結果反而受盡家庭與社會的鄙視，而被排除在倫理世界之外。白梅最後藉由懷孕生子來重建自己與社會的連繫，而重返倫理世界，重建人格尊嚴。

〈鑼〉或許是黃春明小說藝術的最高成就，直可視為台灣版

---

34 同註23，頁111。

35 黃春明，《莎喲娜啦。再見》（台北：遠景出版社，1977），頁90。

的「阿Q正傳」！黃春明對憨欽仔的評述，也時見魯迅式的春秋
筆法：

> 阿Q「先前闊」，見識高，而且「真能做」，本來幾乎是一個
> 「完人」了！[36]

〈鑼〉也是在講述憨欽仔「先前闊」，「見識高」，「真能
做」──專司打鑼報信，受到小鎮民眾的尊敬重視，本來幾乎是
一個「完人」！（打鑼不只是一項維生謀利的工作，更是賦予其
尊嚴感與價值感的「社會位置」）卻在新舊時代轉型的大環境變
遷中，逐步喪失做為一個「有德者」的「完人」地位。就此而
言，憨欽仔不像青番公，甘庚伯，白梅是「有德者英雄」之昇
揚，而是在時代劇變的挫折打擊下，仍堅持做一個「有德者英
雄」的掙扎徬徨，終至顛倒錯亂的「巨人」崩潰形象！

## 肆、鄉土書寫系譜與「祖國」之弔詭

選擇司馬中原與黃春明，因為二氏是「反共懷鄉」與「本土
寫實」這兩種鄉土書寫系譜中最具典型性與代表性的作家。（與
司馬齊名的兩位軍中作家，朱西寧的「鄉土」在更具前衛實驗性
的新小說技巧以及個人基督教信仰與中國傳統的辯證下，顯得極
其複雜曖昧，教人難以看透；段彩華的「鄉土」則透過一種「蒙
太奇」式的意象與節奏，走向極度風格化與詩意化的純粹美學境
界，有些類似大陸作家汪曾祺。藝術成就之高低見仁見智，但司

---

36　魯迅，《吶喊》（台北：風雲時代出版社，1989），頁98。

馬中原之「鄉土」無疑形象最為鮮明。相似的，黃春明的「鄉土」以倫理道德情感之人道關懷描繪生活周遭的鄉親父老與下里巴人，其鄉音土味較之王禎和的自然主義式的乖謬諧謔，或王拓、楊青矗之政治批判色彩，顯得更為「正港」與親切，正如孔子所說的「里仁為美」，因而引起更廣泛的共鳴感動。）

面對這兩種鄉土書寫系譜，吾人建議一種尼采式的「系譜學」概念，正如德勒茲的詮釋，系譜學探索挖掘、剖析辨別各種意義與價值體系形成之不同根源與演變軌跡，所以系譜學是「差異」與「區別」的藝術，是一種高貴的藝術。「差異」不是「對立」。「差異」是最根本的，「對立」只是「差異」的顛倒形象。將「差異」變成「對立」是否定精神與負面思考的顛倒錯亂。[37]

進而言之，吾人發現，此「差異」與「區別」的「系譜學」概念可比擬於武俠小說之武林門派與武學宗派。探討文學藝術史上的各種風格流派或哲學思想史上的各種主義思潮，就如同縱觀各大門派的武林人物施展各種獨門武功、祕技絕招，展現各擅勝場之功力境界。而文學藝術之大家或哲學思想之大師，也正如武俠小說中的宗師、高手、大俠，或為一派名門正宗，或身兼數家之長而能融合轉化，或另闢蹊徑，自成一派。「系譜學」做為「差異」與「區別」的藝術，就是敏銳準確地洞察各種招式路數的來龍去脈，轉移變換之奧妙。縱觀大師名家輩出，爭奇鬥妍，各顯精采之不同風格境界，這本身就非常有趣，令人振奮感動！

大陸學者崔志遠的《鄉土文學與地緣文化》指出，中國現代鄉土文學始於魯迅。30年代有沈從文的「牧歌型」，四川作家沙

---

37 吉爾・德勒茲（Gilles Deleuze），《尼采與哲學》，周穎、劉玉宇譯（北京：社會科學文獻出版社，2001），頁82。

汀、艾蕪的「輓歌型」,東北作家蕭軍、蕭紅、端木蕻良的「壯歌型」;80年代後的「尋根文學」,有山西的山藥蛋派,河北的荷花 派,湖南的茶花子派。[38]您看這像不像是在講述武俠小說中的崑崙,峨嵋,青城,點蒼?

其實所謂「牧歌型」又何嘗不已然是某種「輓歌型」!所有的鄉土書寫都總已經是一種「懷鄉」與「鄉愁」!至於「壯歌型」則的確是「北方之強」的特產。境界有大小,不以是而論優劣!地有分南北,各有其勝景!

回到台灣的鄉土書寫系譜,司馬的「江北荒原」在東北作家外樹立了另成一格的「壯歌型」,同時也蘊含北地溫柔的「牧歌」與「輓歌」;黃春明對「蘭陽平原」里仁為美的質樸白描則可視為本土版的沈從文鄉土人道情懷的「牧歌」與「輓歌」。寫鄉人愚昧處之可笑復可憐之揶揄筆調(如〈鑼〉、〈溺死一隻老貓〉),則亦遙承魯迅。

從司馬的「江北荒原」到黃春明的「蘭陽平原」,的確是台灣文學地景的一大轉變。吾人聯想到北宋詞人晏殊的〈浣溪沙〉:

滿目山河空念遠,落花風雨更傷春。
不如憐取眼前人。

司馬中原的「反共懷鄉」誠屬「滿目山河空念遠,落花風雨更傷春」,黃春明的「關懷本土」則充滿「不如憐取眼前人」的

---

38 崔志遠,《鄉土文學與地緣文化:新時期鄉土小說論》(北京:中國書籍出版社,1998),頁13-7。

親切召喚。這一「遠」一「近」兩種鄉土情懷當然衍伸出不同的書寫系譜。七〇年代鄉土文學論戰之後出現的本土書寫，無論在語言上或題材上，大概或多或少都有黃春明「不如憐取眼前人」的「草根在地」影響，從宋澤萊、洪醒夫、廖蕾夫直到袁哲生、童偉格；司馬鄉土書寫的「滿目山河空念遠」則有兩個奇特的傳人：李永平與張大春。李的《吉陵春秋》將司馬的北地鄉野小鎮塑造成逸離現實的西方文學式象徵原型；張大春的「大鄉野系列」，尤其是《富貴窯》，更將司馬式的北地鄉土語言發揮到流麗靈轉，出神入化之極致，但整個情感與精神內涵卻是空的，乃成就純形式主義之修辭趣味，亦奇觀也！

　　無論如何，品評欣賞這兩種鄉土書寫系譜展現出不同的文學地景，是有趣且令人感動的，但吾人仍須面對一個根本質疑：黃春明的「蘭陽平原」列為台灣文學一景自無疑義，但是司馬中原的「江北荒原」亦可列入台灣文學之一景嗎？乃至於這一整批「身在台灣，心繫神州」的「反共懷鄉」作家，可否視為台灣文學家？

　　中國鄉土文學的始祖魯迅在1935年指出：「凡在北京用筆寫出他的胸臆來的人們，其實往往是鄉土文學，從北京這方面說，則是僑寓文學的作者。僑寓的只是作者，卻不是作者寫的文章，因此也只見隱現著鄉愁，很難有異域情調來開拓讀者的心胸，或者炫耀他的眼界。」[39]這裡涉及到鄉土書寫最根本的弔詭姿態：幾乎絕大部分的鄉土書寫都是離鄉背井下的鄉愁遙念之作。魯迅是在北京的紹興會館寫下故鄉紹興的一系列魯鎮與未莊故事。東北作家是在918事變後流亡關內，開始寫東北草原的鄉愁壯歌。此

---

39　同前註，頁19。

「身在他方,心繫故鄉」的鄉愁遙念構成了鄉土文學的基本書寫姿態。

魯迅還隱涵提示:「鄉土色彩」與「異域情調」其實具有某種曖昧辯證的弔詭同一性,鄉土文學與僑寓文學(今日的流行術語叫「離散文學」)實為一體兩面,相互為用。同理可推,臺灣的「反共懷鄉」文學其實是「鄉土文學」與「離散文學」曖昧辯證,相互為用的極佳例子。而司馬中原時而誇張推砌的鄉土語言,的確帶有「異域情調」之炫耀意味!

王德威的《小說中國》更指出「反共懷鄉」文學另一重大弔詭:「司馬中原及朱西甯的小說結合國與鄉的意念,……早歲渡海來台,緬懷去國懷鄉之痛,他們要如何在台落地生根?如何秉持他們的鄉愁於不墜?這不只是鄉土文學的問題,也是國家文學的問題。」「國與鄉甚至可成互換的意符,遙指我們對中原或本土,正統文化及合法政權的嚮往。」[40]

相對的,大陸學者崔志遠則指出:「走向區域文化,走向地緣文化,成為鄉土文學發展的大趨勢,劉紹棠概括為『群雄割據』。人們驚異地看到,割據區域同戰國時代群雄爭霸的諸侯國竟靈犀相通,顯示出區域文化之『原型』特徵。」[41]

不僅此也,魯迅還曾進一步指出:「現在的文學也一樣,有地方色彩的,倒容易成為世界的,即為別國所注意,打出世界去,即於中國之活動有利。」[42]

於是,吾人看到一系列二律背反(antinomy)式之弔詭辯

---

40　王德威,《小說中國:晚清到當代的中文小說》(台北:麥田出版社,1993),頁227-8。

41　同註38,頁19。

42　同註38,頁9。

證：鄉與國，區域文化與國族神話，鄉土文學與離散文學，地方色彩與異域情調，地方色彩與國際主義，這一切似相反又相成之二元悖論是否真的不可解呢？

　　吾人發現，德勒茲與瓜達利的「疆域美學」可提供某種程度的解答：

　　（一）所謂地方色彩、區域文化云云，地方、區域都只是「環境」（milieu），而非「疆域」（territory）。「疆域」的形成是一種「表現性」與「美學性」的建構，是從「環境」中擷取挪用「現成物」重新裝置，使「功用性」轉化為「表現性」。「地方」要產生「色彩」，「區域」要孕育「文化」，「鄉土」要變成「文學」，從來都不是地緣環境的簡單反映，而是一種建構「表現性」材質的「疆域化」運動。「表現性」材質首先形成一種「標誌」，「標誌」並非任意武斷（arbitrary），約定俗成（convention）的抽象符號，而是對環境既定脈絡的「去符碼化」（décodage, decoding），形成一種可佔用的審美感性之「品質」。「標誌」還必須發展為「風格」，形成「疆域」獨有的「風景」與「人物」之「對位」。

　　在這意義下，台灣今日對於「鄉土文學」或「地方文化」的思考，往往只是「環境現成物」的簡單挪用與直接擺設，諸如把雲豹、黑熊列為國寶，或票選國鳥等等，此類貼標籤式的簡易符號操作還不足以構成真正「表現性」的「標誌」，更遑論「風格」之發展。而唯有形成發展出真正「表現性」的「標誌」與「風格」，一個「疆域」才能達至真正的「自主性」。

　　（二）「鄉」與「國」並非可輕易互換的符號。鄉土文學做為一種表現「地方色彩」的疆域標誌與風格，要進一步上昇為一種「國家」形象，其實是一個極其複雜弔詭的「去疆域化」運動

（déterritorialisation, deterritorialization）。德勒茲與瓜達利在此引入浪漫主義的「祖國／原鄉」（natal）概念。「祖國」產生於「疆域化」與「去疆域化」之間的曖昧張力。「祖國」是「大地」力量的形象化，既是內在於「疆域」最深處的「強度中心」，如同深不可測的「地下」力量，但這個「強度中心」同時也投射於「疆域」之外，成為數個不同「疆域」共同朝聖之「輻湊點」。[43]這正是浪漫主義者的「永恆的鄉愁」；浪漫主義者總已失去精神上的「祖國」與「原鄉」，總已被莫名放逐，流離失所，「祖國」總已成為飄渺憑弔的「故國」，浪漫主義者的「鄉愁」總已是一種「故國神遊」。然而，這「故國神遊」卻可在現實中投射到某個遙遠神祕的「域外」或「他方」，變成某種「異國情調」的嚮往追尋。所以浪漫主義者的「永恆鄉愁」總是同時表現為一種「永遠的異國情調」。

　　「疆域」本來就是表現性與美學性的建構，浪漫主義的「祖國」則可說是一種精神性與宗教性的「超級疆域」，如同來自大地的神祕召喚，使居住者脫離其疆域，遽然投入無法抗拒的遠遊。所以任何精神性的「祖國」都會引發一種「去疆域化」運動，例如西方中世紀，耶路撒冷做為終極的疆域聖土，引發了收復聖城的十字軍東征，成為跨越數世紀的偉大的「去疆域化」運動。這些中世紀的西方人「身在歐洲，心繫聖城」，是否也要被排除在歐洲的歷史之外呢？

　　司馬中原的確有意將「江北荒原」建構昇華為一個「神州浩劫，苦難中國」的「祖國」形象，但這何嘗不是那個時代普遍風行的文學召喚？從張愛玲，余光中，白先勇，劉大任，陳映真，

---

43　同註7，頁409。

直到張系國與賴聲川，皆各自建構不同的「苦難中國」形象。張愛玲的〈中國的日夜〉：「我的路／走在我自己的國土。／亂紛紛都是自己人，／補了又補，連了又連的，／補釘的彩雲的人民。／我的人民，／我的青春」[44] 司馬中原的〈路客與刀客〉：「山東鬧大荒，把很多北方的侉子們逼離家鄉，逃荒到我們家鄉的窪野上來，一路上滾動著苦難年成襤褸的雲彩。我真不知怎樣形容他們破衣上那些補釘的形狀和顏色了，有紅有綠、有灰有黃、有方有圓，彷彿連天也跟著他們荒下來。」[45] 同是「補釘的彩雲的人民」的「苦難中國」形象，卻補綴出不同況味的風景。

　　相對的，在黃春明「蘭陽平原」的鄉土宇宙中，其實尚未浮現「省籍」與「國籍」的問題意識，但在後來的本土意識與台灣論述的洪流中，亦不可免要被捲入另一種「祖國」形象的建構工程。

　　（三）德勒茲與瓜達利的另一基本洞見：所有的「疆域」同時也被「去疆域化」的離心運動貫穿切過。一個「疆域」透過特有的「表現」來界定與宣示其「自主性」，但同時也向「一致性平面」開放。簡言之，整套「疆域美學」透過「表現性」（expressivity）與「疆域性」（territoriality）的循環界定來重新界定「自主性」（autonomy），並力促此「自主性」不斷向「去疆域化」之更廣闊豐富，異質多元的「一致性平面」開放。

　　在這意義下，「去疆域化」就是追求更大「一致性」的「普遍化」與「世界化」

　　運動，亦即今日常講的「全球化」。準此，「一致性平面」

---

44　張愛玲，《張愛玲文集》（安徽出版社，1989），頁248。

45　司馬中原，《路客與刀客》（台北：風雲時代出版社，2007），頁7。

就是某種「普世性」的「理念」:倫理道德的理念,知識的理念,美學的理念。

所以,無論「中國」或「台灣」,做為一個「疆域性」概念,必須是一種「表現性」的文化創造與建構,如同創作一件藝術作品,同時還必須達到「理念」的高度與格局,才能成為「國家級」與「世界級」的普遍形象,獲得普世的認可共鳴。換言之,鄉土文學做為一種「疆域化」運動,必須提昇到某種「理念」之高度與格局的文化「創制」,才能樹立起國家形象或民族風格,走向國際世界舞台!

針對魯迅還所說的:「現在的文學也一樣,有地方色彩的,倒容易成為世界的,即為別國所注意,打出世界去,即於中國之活動有利。」準此,吾人提出一個總結的模型與圖式:鄉土文學從地緣環境中「去符碼化」,建構出「地方色彩」;此「地方色彩」進而「去疆域化」,提昇為一種「國家形象」或「民族風格」;此「國家形象/民族風格」又「去疆域化」,進入國際,成為某種「異國情調」為別國所注意,甚至最後成為一種普世接受的「國際風格」!

簡要圖式如下:

環境(地方)→ 疆域(地方色彩)→ 國家(民族風格)→ 世界(異國情調/國際風格)

去符碼化　　　　去疆域化　　　　去疆域化

然則,此圖式缺了一個重要環節,即「城市」。介乎「鄉土」、「國家」與「國際」之間,「城市」是不同於「國家」的另一種「去疆域化」模式,一個「流量」與「通路」輻湊雲集的水

平網路模型。鄉土文學的興起或衰退都隱然指向「城市」這個惘惘威脅的背景。「城市」亦可發展出它自身的疆域性標誌與風格，但那應該是不同於鄉土文學的另一種「感覺體」的組構！

附錄

# 兒童相識盡，宇宙此生浮──紀念段彩華

　　段彩華是誰？為什麼要紀念他？要回答這問題，也許須先回答一個更根本問題：什麼是「軍中作家」？

　　我在文學系任教，數年前與學生閒聊時驀然發現：原來現在的台灣文青已完全沒聽過「軍中作家」──他們可能知道司馬中原是講鬼爺爺，朱西甯是朱天文、朱天心的父親（最近再添「謝海盟的外公」），瘂弦、洛夫是創世紀詩社超現實派⋯⋯（一個同學詫異道：軍中作家？是「張我軍」嗎？）

　　原來歷史的書寫不只是竄改扭曲，更可直接用「立可白」把曾經存在過的徹底塗抹掉。被「立可白」的，又豈止是「軍中作家」這個文學史範疇，又豈止是「段彩華」這個名字，而是整個「中華民國」，整個「民國史觀」都被「立可白」了！

　　今日台灣正目睹「民國史觀」傾頹崩塌成廢墟魅影。但其實，「民國史觀」在台灣從一開始就總已經是一種兵荒馬亂，流亡離散的廢墟魅影狀態，卻同時指向「興滅國，繼絕世，舉逸民」之不可能使命。「軍中作家」的「反共懷鄉文學」正是一種「舉逸民」的遺民書寫，在「民國史觀」的廢墟魅影中重建「反共復國，毋忘在莒」之神聖史詩，以一種「戰鬥文藝」與「故國神遊」的奇異混合文體。「段彩華」這個「名字」指稱著「反共懷鄉文學」旗幟下一個獨特感覺體的「宇宙」與「世界」。

　　大概是在國三時，我在重慶南路三民書局買了一本三民叢刊的《雪地獵熊》，從此著迷於這個獨特宇宙：

那聲音是掠過小溪，來自吹鼓手家的喇叭，抽抽咽咽，把人的心抓起來，又拋下去。我搖搖頭，想大聲叫嚷，希望是一場惡夢，卻看見紅日在竹牆縫裡，壓著遠山，屋頂響過飛鳥的翅膀，一切都是真的。……牠一吹起來，我就覺得四周滿是黑色的樹。〈溪邊喇叭〉

其實決了倒好。草原也該讓大水沖沖啦。要不，就放起一把火燒到天邊，才教人覺得沒有白活著。〈塞上打雁〉

原來小說可以寫成如歌的行板，如詩的蒙太奇，古典章回小說的平面人物與現代意識流的內心獨白可以打成一片。多年後，我在杜哈絲的空鏡頭般的白色書寫，王家衛與杜琪峰電影風格化的場景調度，勒卡雷間諜小說中吳爾芙意識流的諜影人生，看到神韻彷彿的詩意蒙太奇。直到最近讀了一本青少年時期錯過的世界名著，我才發現段彩華的書寫系譜可以溯源至梅爾維爾的《白鯨記》！

軍中作家的五〇年代是一個「蒼茫城七十，流落劍三千」、「江海三年客，乾坤百戰場」、「風塵三尺劍，社稷一戎衣」的軍事戒嚴時代，也是一個報章雜誌的紙本時代。對小說而言，那是一個「連載小說」與「短篇小說」需求量很大的時代，可以靠爬格子賺稿費維生。段彩華是屬於報章時代的短篇小說家，如同莫泊桑，契可夫，芥川龍之介，沈從文……，發表量多，免不了有不少爛作。重要的是有沒有寫出「成一家之言」的風格和宇宙。段彩華也許不夠偉大，不夠深刻，但可能是軍中作家中最為「現代主義」的一個。就如德勒茲定義小說的本質就是「自我之解消」，從中世紀的騎士羅曼史到唐吉訶德到貝克特，都是在敘述一個人物如何一步步失去他的記憶，他的名字，他的自我。段彩華有一故事類型專寫一

遊蕩者（村童、野民、都市邊緣人）遭遇一連串偶然巧合，在莫可言喻的荒謬無稽中，驚覺自己成為一種恍如隔世，不被覺察，不被記憶，也無所謂遺忘的「非存在」（non-being），如貝克特的《不可名者》，謬吉爾的《沒有性質的人》。我已忘掉篇名的一個短篇：一個村童經歷一段奇遇，生了一場大病，病中收養一隻受傷小鳥，後來放回小鳥讓母鳥帶回。病癒後有一次看到一群飛鳥，他想看看那隻小鳥有沒有在裡面，另一村童說：「有也認不出來，沒有也不知道。」

以詩意的蒙太奇意識流逼顯「自我之解消」，段彩華的「故國神遊」畫出獨一無二的現代主義逃逸路線，使他成為軍中作家中一個「非存在」、「不可名者」的真正「逸民」，一種不被覺察，不被記憶，也無所謂遺忘之風格與感覺的永恆紀念碑！

# 第十章

# 左翼男性主體之重振雄風──趙剛《橙紅的早星》的「星座」方法學

　　趙剛的《橙紅的早星》詮釋陳映真的小說〈一綠色之候鳥〉，引李商隱詩句：「蓬山此去無多路，青鳥殷勤為探看」，妙哉斯喻！竟可從陳映真的「綠鳥」牽拖到李義山的「青鳥」。眾所周知，李義山的〈錦瑟〉〈無題〉詩在淒艷迷離的意象營織中影射含藏著不能說的政治秘辛與雲雨私情，後人乃有「詩家總愛西崑好，獨恨無人作鄭箋」之嘆。陳映真早期小說透過趙剛「左翼史觀」苦心孤詣之鉤沉索隱、闡幽發微，竟也化為六〇年代台灣版的〈錦瑟〉〈無題〉詩，小說中的慘綠青年與蒼白異鄉人都搖身一變為「左翼男性主體」，原本被歸類為現代派存在主義的荒謬頹廢文體，乃重新解讀成冷戰時代「兩岸分斷體制」之白色恐怖氛圍下左翼男性主體之「政治─愛欲」寓言（politic-erotic allegory）。

　　趙剛對青年陳映真的解讀，堪稱「左翼男性主體重振雄風，東山再起」之代表作」！雖然聽起來很像壯陽藥廣告（好像電台在推銷鳥頭牌愛福好），但趙剛以一介文壇局外人（≠文學門外漢）拋出「左翼男性主體」此一充滿話題性的酷炫範疇，對於右傾成風，反動沉悶的台灣文壇，豈止攪亂一池春水，簡直是「殺很大」，反顯出台灣文壇的虛矯自溺，委靡不振，低能無趣。所

以，儘管有壯陽藥廣告之嫌，趙剛啟動「左翼男性主體之重振雄風」的確是值得大書特書的思想突破與文學成就！這如何可能呢？

借用班雅明的「星座」概念（constellation），《橙紅的早星》其實包含了一套「星座」方法學：它勾畫出一組「概念」的星圖，命名了一個「理念」的星座。這個星座的名字叫做「陳映真」，它所代表的「理念」就是「左翼中國」或「紅星中國」。「概念」是「特異性」（singularity）之「奇點」，「理念」是辯證統一之「整體性」（totality）。班雅明說，概念之特異點就如同描繪「性格」特徵之「端點」（extreme），凸顯勾連這些「端點」即可勾畫出一種輪廓面貌之「精神類型」。趙剛藉由「左翼」與「男性」這兩個特異點去凸顯勾勒青年陳映真的精神輪廓與主體形象，進而逼顯出潛藏在背後的「紅星中國」之理念背景。題曰「橙紅的早星」正意味還不是「紅星」，而只是一個早熟的左傾青年的朦朧嚮往。記得小時候流行一句話「摧殘民族幼苗」，趙剛隨著陳映真重訪六〇年代的鉤沉索隱、闡幽發微，就是重新發掘那過早萌芽的民族幼苗如何被打壓摧殘，掩埋遺忘的時代軌跡。

如何重訪與發掘呢？趙剛將青年陳映真界定為「寓言—懺悔錄時期」，其解讀方式亦可視為一廣義的「寓言閱讀法」，並可輕易連結到班雅明《德國哀悼劇之起源》的「寓言」美學。流行於巴洛克時代的「哀悼劇」揭示了一種「頹廢現代性」，包含三個環節「廢墟—寓言—憂鬱」：哀悼劇的世界是整體存在崩壞，斷垣殘瓦之「廢墟」狀態。「寓言」是相應於「廢墟」狀態的一種斷簡殘編，破碎迷離的「語言表徵」形式。面對「廢墟」者則是一種「哀莫大於心死」，萬念俱灰的憂鬱意識。我在〈班雅明

的廢墟美學〉一文嘗指出[1]巴洛克的「廢墟─寓言體」對於中國文學傳統並不陌生，杜甫的〈秋興〉八首，李義山的〈錦瑟〉、〈無題〉詩，《牡丹亭》，《桃花扇》，《紅樓夢》，直到張愛玲的《傳奇》皆屬之。現在這份文學史清單可再加上青年陳映真，其「寓言─懺悔錄時期」之憂悒頹廢迷離，風靡幾代文青，「詩家總愛西崑好，獨恨無人作鄭箋」，趙剛的解讀誠乃最佳「鄭箋」。令人擊節稱好的是，趙剛有一支凌雲健筆，穿梭於「廢墟─寓言體」之頹迷氛圍，卻詞氣縱橫，筆鋒如虹，妙語如珠，如星拋丸擲，擲地有聲，不愧是左翼書寫重振雄風之代表作！

　　其實中國文學傳統中「廢墟─寓言體」的源頭可回溯至《詩經》〈黍離〉：

　　知我者謂我心憂，不知我者謂我何愁！悠悠蒼天，此何人哉？

　　解讀「廢墟─寓言體」之關鍵就在於發掘出「此何人哉」之「心憂」與「何愁」！吾人發現趙剛的「寓言閱讀法」蘊涵了兩套方法論架構：

　　**第一個方法論架構就是孟子的「以意逆志，知人論世」。**一般論者多視之為歷史考據派的作者論批評模式：要理解作品之意義須先理解作者之意圖（「以意逆志」），要理解作者之意圖須先理解作者之生平事蹟與時代背景（「知人論世」）。

　　作品意義→作者意圖→時代背景

　　吾人嘗試提出另一套超越歷史考據派的「以意逆志，知人論世」模式。解套的關鍵就在於孔夫子所說的「志於道。」暫且不

---

1　萬胥亭，《德勒茲・巴洛克・全球化》，台北：唐山書局，2009

論「道」的具體內涵為何，「道」必然是指高遠宏大之理想與理念。所以，志於道之「志」絕非個人自我考量的一己私心利欲，而是企盼高遠宏大理想之「大志」與「高志」，如盧梭的general will，或尼采的grand will。也唯有如此之「大志」與「高志」才當得起「三軍可奪帥，匹夫不可奪志也」，也才值得後世讀者透過文本去「以意逆志」，因為通過此「志」可以通向「道」。而真正的「道」必然是「大道之行也，天下為公」，無論是孔孟之道，基督之道或馬克思之道。通過「大道」所達到的「知人論世」當然指向一種超越個人自我層次之「世界觀」與「時代精神」。

趙剛解讀〈悽慘無言的嘴〉寫道：「陳映真從己出發，但並不停留在一己，他要一通天下之氣，把自己和一個更大的人間世推聯起來。……他不是從他的一朝之患而是從他的終身之憂，去定錨所要書寫的感受與經驗。陳映真之所以不同於『現代主義』，就在這個『道德層面』上。」（117）

詮釋小說中的孤獨左翼青年：「因為『我』常會發出一種令我自己為之心驚的大頭病，好比紅旗版的『登車攬轡，概然有澄清天下之志』，但這個志願或是理想本身又是無路可行、無人可說，真要偶而說溜了嘴，那就要被『棄世』了。」（123）

所以，「以意逆志」的最高宗旨應是《易傳》所說的：「以通天下之志，以定天下之業，以斷天下之疑。」「天下之志」相當於盧梭的「公共意志」（general will），吾人提出「以意逆志，知人論世」之新模型：

作品意義→作者之志→公共意志→時代精神／世界觀

使「作者之志」得以通向「公共意志」者就是「道」，趙剛「以意逆志」所逼顯的「志」正是「志於馬克思之道」的「左翼政治意志」，一種紅旗版的「天下之志」。也唯有肯定此一「左翼政治意志」，青年陳映真的「寓言—懺悔錄」才不只是哀悼劇式「懷憂喪志」的「頹廢書寫」，更指向一種「以通天下之志」的「左翼書寫」，而可進一步開展出「社會批判時期」與「歷史救贖時期」。

今日台灣文壇善於拋出各種「書寫」來自相標榜，其實無非是張愛玲所說的「肚臍眼文學」，以凝視撫摸自己的肚臍眼來「自我感覺良好」。現代布爾喬亞的自由主義與個人主義必然會導出這樣一種以「肚臍眼」為中心的「自我書寫」，尼采名之為「狹隘與卑瑣的自我主義」，不亦宜乎。以肚臍為志的「自我書寫」當然不可能理解「以通天下之志」的「左翼書寫」，甚至將青年陳映真也縮擠為「肚臍眼文學」來抨擊嘲笑「左翼書寫」。遇上此輩肚臍眼文人，也只好說：燕雀安知鴻鵠之志！肚臍眼安能通天下之志！

**第二個方法論架構就是佛洛伊德的「夢的解析」所揭示的「被壓抑者的回返」**（return of the repressed）。「被壓抑者」就是觸犯社會禁忌，被壓抑成為無意識的原始欲望。而原欲是一種能量，雖被壓抑而不得宣洩，但並不就此消失，而是尋求各種替代性的宣洩表達，此之謂「被壓抑者的回返」。「夢」就是「被壓抑者回返」之主要管道。存在著一種「夢機制」（dream work），為了避過檢查機制，將禁忌的欲望置入各種扭曲變形，偽裝替代的表現形式，有如攜帶違禁品，須加以偽裝掩飾，才能通過海關檢查。乃有一幕幕光怪陸離的夢場景，連做夢者自己都莫名其

妙，不知所云。

在趙剛的寓言閱讀法中，此「夢的解析」模式被置入一更廣闊的「社會—政治—文化」脈絡。「被壓抑者」成為「紅星中國理念」之「左翼政治意志」，「檢查機制」成為冷戰時代「兩岸分斷體制」之「白色恐怖」，「夢機制」成為陳映真小說本身之寓言手法。職是，趙剛的閱讀要破解兩重機制，一是白色恐怖的「檢查機制」如何壓抑禁制左翼政治意志，一是陳映真之小說寓言手法作為一「夢機制」如何以各種扭曲變形，支離破碎之表現手法來偽裝掩飾左翼政治意志。通過此兩重機制之破解，乃得以勾畫出六〇年代台灣的左翼政治主體作為「被壓抑者回返」的隱密曲折軌跡。

此處還有一微妙連結，那就是：政治意志與男性情欲是循環互補，相互印證的。所以性愛的啟蒙與冒險與政治的啟蒙與冒險可以同時發生，並行互濟。如〈蘋果樹〉的左翼文青林武治君「因吃了一個似乎更不倫的禁果，反而獲得了重新整理自我、了解自我的智慧與勇氣，對幸福之為物或『社會主義福音』，到具有身體實感的信仰的認識轉變，從而使追求幸福的意志變得更堅定。」（79）

為什麼性愛啟蒙的冒險與成長同時也就是政治啟蒙的冒險與成長呢？陳映真與趙剛皆未直接回答。吾人嘗試提出一簡單理論模型：性愛與政治皆是走出自我，與他人連結聯合的一種存在之努力。英文中的body既指「身體」，亦指「政體」。性愛的結合與政治的團結皆指向一種跨越自我的「共體」（common body）之形成。所以性愛與政治都是主體構成的基本模式與條件，性愛主體與政治主體具有同質性與同構性。

此一「性愛—政治」之「共體—主體」當然只是一左翼理

想，置身現實歷史之冷戰戒嚴體制，必然遭到禁制打壓。「被壓抑者的回返」就是被壓抑的左翼政治意志以性欲方式之回返。遭壓抑禁制之政治意志，轉而尋求性欲的替代性滿足，而性欲之終究無法滿足更反證政治意志之不可能性。所以，「左翼政治主體」之啟蒙成長成為一則「左翼男性主體」的「政治—愛欲」寓言，同時是不可能的政治與不可能的性愛的雙重壓抑與挫敗，「被壓抑者的回返」乃表現為左翼男性主體頹廢迷離的「愛與死之歌」，或苟且沉淪，或自殺，或瘋狂。

　　記得在戒嚴年代的中學時期，流行「三色」禁書：黃色小說即色情春宮，俗稱「小本的」；灰色小說宣揚人生悲觀絕望，紅色小說散播共產主義馬列邪說。於今視之，青年陳映真的「寓言—懺悔錄」可說是以「灰色」與「黃色」的夢幻寓言手法來掩飾偽裝的「紅色小說」。弔詭的是，解嚴後的台灣，當馬列毛不再被列為禁書邪說，標榜「自我書寫」的時下文青可以更肆無忌憚地擁抱「灰色」與「黃色」，卻反而更加排斥諱言「紅色」，其「反共抗俄」程度猶勝老蔣時代的國民黨。怎麼會這樣呢？這反證了「自由主義」或「自我書寫」果然是「狹隘與卑瑣的自我主義」，其「沒有思想」之弱智智障程度有時更勝「黨國威權主義」。

　　相對於今日台灣文壇，趙剛在〈代序：為什麼閱讀陳映真？〉明確指出：「文學家陳映真是一個不折不扣的思想者，而且幾乎可說是戰後台灣文學界不做第二人想的思想者。」（20）正是站在一個「燕雀安知鴻鵠之志」的「思想制高點」：真正的文學與真正的思想必然是眾人之事，人民之事，所以必然是政治的。對於「左翼書寫」（包括創作與理論），文學、思想、政治必然是三位一體，三合一的：「陳映真文學讓我從一種封閉的、

自我再生產的西方理論話語中走出，走向歷史、走向現實、走向第三世界。」（18）而「自我書寫」正是源自「自由主義」的「去政治化」，可以想見，它必然會祭出「文學自主性」、「藝術純粹性」之旗幟口號，標榜文藝創作的「個人私密性」、「主觀感覺性」，來攻訐反對「左翼書寫」的政治性。明乎此，也只能再次概嘆：燕雀安知鴻鵠之志！

　　白色恐怖之思想檢查機制以及小說寓言手法之夢機制，這兩重機制之「壓抑—反抗」關係也許可簡化為「上有政策，下有對策」，但實際情況遠為複雜。一般可能會「想當然耳」以為要破解白色恐怖之檢查機制較為容易。其實不然，正如佛洛伊德所說的「情結」（complex）是多重觀念與情感交織糾結的矛盾複合體，白色恐怖本身就同時包含了政治高壓與思想檢查之雙重機制，已然是一個多重意識形態與集體情感的矛盾複合體，它包含美國的自由主義，國民黨的黨國威權主義，二者在反共大旗下的合縱連橫結盟，構成了冷戰時期台灣的「反共親美右翼威權政體」。相對於此，陳映真的左翼中國理念當然也是複雜的矛盾複合體，包含了從馬克思到毛澤東的左翼政治理念，也包含了魯迅的悲觀虛無的文學感覺。

　　如果說黨國威權主義的代表是蔣介石，美式自由主義的代表是胡適，那麼，陳映真的「左翼書寫」可簡化一則「思想公式」：

左翼中國理念＝「毛澤東＋魯迅」vs.「蔣介石＋胡適」＝戒嚴意識形態

　　這當然是一個簡化的圖式，左右兩邊的「聯合項」各有其內在的衝突矛盾，每個項目本身更已然是多重複合體。例如，蔣介石所代表的「黨國威權主義」其實並不簡單，它包含了中國傳統

的帝王專制，新儒家的文化道統，以及國民黨的民國革命法統。此革命法統還曾與共產黨擁有共同的左翼革命理想。趙剛對〈某一個日午〉的解讀，透過一個功在黨國的冷血特務頭子當年竟曾是熱血革命青年的今昔對比，鉤沉爬梳此一左右交纏糾結的「政治—思想」系譜，彰顯出陳映真的左翼政治理念之複雜深刻，遠超乎自由主義反威權的單向思考路徑。

　　無論如何，趙剛將陳映真視為一個「思想者」的寓言式閱讀，展現出一種「春秋大義」之宏大思想史觀，得以透過陳映真小說之「微言大義」直接通向「兩岸分斷體制」之「政治—思想」狀況，真乃「以通天下之志，以定天下之業，以斷天下之疑。」通過思想檢查機制與小說寓言機制的雙重破解，讀者也隨著趙剛從陳映真小說進入六〇年代台灣的歷史現實，發掘鉤沉出那些被壓抑扭曲的左翼政治理想，釋放出「被壓抑者的回返」。耐人尋味的是，我發現這「被壓抑者的回返」可以杜甫詩〈登慈恩大雁塔〉來形容：

　　黃鵠去不息，哀鳴何所投？君看隨陽雁，各有稻粱謀！

　　「黃鵠」象徵有高遠理想的仁人志士，陳映真小說中的左翼志士當然是「何所投」，「去不息」的「哀鳴黃鵠」。「隨陽雁」則象徵汲汲營營的勢利官僚，當道小人。〈第一件差事〉中在小旅館自殺的胡心保，以及第一次上任辦案的杜警官，正是「哀鳴黃鵠」與「隨陽雁」的典型對比。胡心保是一個事業有成，家庭美滿的三十四歲男子（還有一個美麗小三），卻跑到鄉下小旅館自殺。杜警官則是剛從警校畢業的新鮮人。趙剛細膩解讀出此子雖涉世未深，卻已習得媚上欺下的官僚嘴臉。小說的張力就是透

過一個只識「稻粱謀」的「隨陽雁」觀點，對於為何哀鳴至死的「黃鵠之志」完全無法了解，也不想了解。小說的悲涼是典型的「知我者謂我心憂，不知我者謂我何愁！悠悠蒼天，此何人哉？」

簡言之，「黃鵠」是左翼志士，「隨陽雁」是右翼官僚。右翼官僚可以涵蓋「反共親美右翼政權」下保守反動的廣義知識份子與專業人員，包括〈唐倩的喜劇〉中台北讀書界追逐西潮的時髦知識分子，〈華盛頓大樓〉系列中的跨國公司經理與職員，皆為現代體制之「隨陽雁」。（我們都忘了，「上班族」一詞是陳映真所創，成為八〇年代的流行用語。）

我相信趙剛要隨著陳映真重訪六〇年代台灣，當然不是胡適考據學派單純回到歷史現場之考古趣味，而是要重新發掘出在當時歷史現場即已被打壓埋沒，已然不可見的「被壓抑者」，將之釋放出來，使之重返復現於今日。這樣一種「被壓抑者的回返」遠超乎考據派基於實證邏輯之歷史翻案。「被壓抑者的回返」不是單純「回到過去」，客觀重構「過去」；更不是要將一個客觀重構的「過去」搬到「現在」來展示炫奇。「過去」與「現在」都只是現實時間向度，「被壓抑者」則指向一超越現實的潛在理想向度，無論在「過去」或「現在」，它都是被壓抑而不可見的。唯其如此，「被壓抑者的回返」乃成為一種貫穿「過去」與「現在」的「通古今之變」，得以同時批判「過去」與「現在」，開展出一個真正超越「過去」與「現在」的革命的「未來」。趙剛從陳映真小說所釋放的「被壓抑者」就是「左翼政治意志」，戲劇化為「左翼男性主體」。「被壓抑者的回返」就是釋放出「黃鵠去不息」的左翼志士，重新展翅盤旋於當代視域之天空，左翼男性主體之重振雄風！

從六〇年代的冷戰戒嚴到二十一世紀的全球化，台灣整個

「政治─思想」形勢之巨大變遷自是蒼海桑田，白雲蒼狗。然則，右翼當道，左翼沒有位置的基本形勢似乎並無太大改變。今日全球化的「新管理主義」更適合「隨陽雁」假體制之名經營其「稻粱謀」。今日的左翼志士也許無須再「哀鳴」，卻依然「去不息，何所投」，「去不息」三字妙絕，不止息的飛去消逝又飛回來，永遠沒有位置，不得安息，卻又永遠飛個不停！面對二十一世紀如此反動沉悶氛圍，這個「被壓抑者回返」的左翼志士真的有可能重振雄風，展翅高翔？

　　趙剛之書希望喚起讀者重新展讀陳映真，開始真正的思考，也許也只能是〈正氣歌〉所說的：

　　哲人日已遠，典型在夙昔。風簷展書讀，古道照顏色。

附錄1

# 阮玲玉與卡夫卡

　　偶然讀到民初文人夏丏尊《平屋雜文》的〈阮玲玉的死〉：「阮玲玉的死所以如此使大眾轟動，主要原因就在大眾對她有認識，有好感」「藝術家的任務就在於用了他的天分體會大眾的心，用了他的技巧滿足大眾的要求。」「凡是心目中沒有大眾的，任憑他議論怎樣巧，大眾也不會把他放在心目中。」「中國文人死的時候，像阮玲玉似地能使大眾轟動的，過去固然不曾有過，最近的將來也決不會有吧。這可是使我們作文人的愧殺的。」

　　有趣的是，夏的平實筆調竟呼應尼采的超人思想：「偉大的明星啊！什麼將是你的快樂，如果沒有那些為你所照耀的人們？」

　　而卡夫卡寫給一個劇作家的信中也有尼采的迴響：「您無疑是一代人的一個領袖……因為走在沼澤地的這個社會有些人是能夠引導的。而這回卻出了這麼個劇作。它可以擁有一切優點，但它歸根結蒂意味著退出領導地位，這裡面甚至無領導地位可言，有的倒不如說是對一代人的背叛，是把他們的苦惱遮蓋起來，加以軼事化，亦即剝奪其尊嚴。」

　　誰想的到，夏丏尊、尼采、卡夫卡說的竟是同一件事：文人不只要和明星比群眾魅力，還需具領袖之高度！當今文人卻自我剝奪了領袖地位與明星魅力。這不可剝奪的地位與尊嚴就是葛蘭西所說的「文化領導權」（hegemony），立於思想與道德之制高點！

　　不只毛主席，卡夫卡也說：「文學是人民之事。」真正的文化與政治是同一件事！如果政治是人民之事，文化更是人民之事，都

是為了增進提升人民之德性與幸福。在這意義下，一個文人和一個政治人物一樣，都是領導人，都應盡最大努力去感動引領人民，如孟子說的：「憂民之所憂，樂民之所樂，然而不王者，未之有也。」換言之，文人與政治人物皆應展現王者之風與明星魅力，這才是「王道」：

文人→明星→領導人→文化領導權→德性與思想之制高點

君不見青年毛澤東慷慨高詠：指點江山，激揚文字！文化領導權之競逐就是要如此大氣與高蹈，不然就會斯文掃地，吃相難看！且看今日台灣文人，如卡夫卡所言，早已退出領導地位，背叛一代人，喪失「憂民所憂，樂民所樂」的王者之風，只能把一己的小感傷、小確幸加以軼事化，成就美其名曰「私密書寫」、「抒情傳統」的肚臍眼文學。如果一個滿口人民福祉，實則假公濟私，公器私用的政治人物會被人民唾棄為政客，那麼，今日台灣文人以肚臍眼文學竊佔媒體版面，豈非比政客更令人不齒之公器私用？

自我棄守「指點江山，激揚文字」的文化領導權，台灣文人可以比台灣政客更爛，肚臍眼文學可以比黃小鴨、煙火秀更空洞更無稽更沒看頭！

附錄2
# 二十一世紀是文化革命的世紀

　　馬基維利的《君王論》第25章提出「德性／機運」二元論之現代世界觀，成為西方思想史爭議最多的學術公案之一。拙書《王子》將馬之「德性／機運」類比於孔孟之「性／命」，以及中國最古老的兩大典籍：《尚書》是德性原則之君王論，《易經》是機運原則之君王論。德性原則就是「以德服人」，「以德服人」必開出一套「以理服人」之學說思想體系。故真正的政治是建立道德與思想之文化領導權，真正的革命是改造道德與思想之文化革命。文化革命才是王道，王道須洞察時代人心之動向，時勢造英雄，英雄造時勢。拙書乃大膽推斷「二十一世紀是文化革命的世紀」：

　　文化革命的唯一契機就是人心思變。文化革命更需要「知機其神手，機者動之微」之易經智慧，以「普接群機」！而「機動於彼，誠動於此」，一切驚天動地之革命劇變，也只在人心思變的一念之間！牟宗三論「水滸世界」云：驚天動地即是寂天寞地。為什麼是寂天寞地呢？因為人心一念之間總是「動而未動，機微故幽」。但這寂天寞地的幽微一念卻是「寂然不動，感而遂通天下之故」，如一痕閃電無聲劃過天際，如星星之火飄飛於無垠草原。魯迅詩云：「心事浩茫連廣宇，於無聲處聽驚雷！」唯有這星火電閃的一念可以驚鴻一瞥未來人民的影子，瞬間引爆群眾無窮潛能，驚天動地，轟轟烈烈地到來！

近日讀到青年毛澤東的一段名文：

民智污塞，開通為難。欲動天下者，當動天下之心。動其心者，當具有大本大源……夫本源者，宇宙之真理。天下之生民，各為宇宙之一體，即宇宙之真理，各具於人人之心中，雖有偏全之不同。今吾以大本大源為號召，天下之心其有不動者乎？天下之心皆動，天下之事有不能為者乎？當今之世，宜以大氣量者，從哲學、倫理學入手，根本上變換全國之思想，此如大黃一揮，萬夫走集；雷電一震，陰曀皆開，則沛乎不可御矣。

才知毛主席早已「先得我心之所同然耳」，不禁自慚孤陋寡聞，正如毛詞云：「莫道君行早，踏遍青山人未老，風景這邊獨好。」唯有一點差堪告慰，拙書特別點出「知機」與「寂感」之易經智慧。但說來也只是魯迅式「心事浩茫連廣宇」的文人遐思，美則美矣，可浩茫之餘，終不免寂天寞地，鬱鬱不展，虛無消沉。毛主席才是「知機其神乎」的革命先知，真正實踐「寂然不動，感而遂通天下之故」之易經智慧！

而今已是2014年，卻萎靡沉悶如頹廢世紀末。誰能打破今日世界之沉悶僵局？誰是那「獨立不懼，遯世無悶」之大氣量者，為我們啟動一個文化革命的世紀，召喚未來的新民新人快快到來？

卷五

# 宗師，奇觀，體制

# 第十一章

# 王家衛為何無法成為「一代宗師」？

　　關於《一代宗師》，王家衛說：「我看到的已不是一個人、一條街，而是一整個時代。」如此之器識胸襟果然是「一代宗師」才會有的大志與大氣。電影中更提出武學三境界：「見自己，見天地，見眾生」，直可媲美王國維的「人生三境界」。所以未看電影前，會有如此期盼：《一代宗師》探討呈現葉問如何成就武學境界，成為民國武林的「一代宗師」，王家衛亦透過對一代武學宗師的探討呈現而成就自己的電影藝術，成為當代影壇的「一代宗師」！

　　日前看過電影，不免期盼落空。就如一開場的雨夜武打戲，打得昏天暗地，渾渾噩噩，不知所云，看似先聲奪人，卻是「雷聲大，雨點小」，根本罩不住一條街，一整個時代，甚至連一個葉問都不太罩得住。

　　王家衛曾是最有才氣魅力，令人驚艷的當代新銳導演，優遊於前衛新浪潮與大眾流行之間，身手俊逸瀟灑，堪稱當代電影的「普普藝術」大師，連老外都著迷傾倒！但到了《一代宗師》則似乎罩不住了，予人「志大才疏」之感。怎麼會這樣呢？也許必須先回答：何謂一代宗師？

　　「宗師」就是「大師」，格局境界須「大」！而「大」不只是「廣度」之延伸，更指向一種「高度」與「深度」之開展。此

「高度」與「深度」之開展還需藝術表現之「強度」才撐架得起。此「強度」則來自「天才」之創意與生命力。「大」未必要是「大河史詩」式的「大主題」、「大人物」、「大敘事」，亦可「由小見大」，透過尋常人物之行動境遇去反映一整個時代。王家衛的天才亦如小津安二郎與侯孝賢，皆擅於一種「小形式」之「時間影像」。但不同於小津與侯以靜止鏡框來展現庶民日常生活之時間感，王家衛的「強度」就是以風格化的蒙太奇運鏡來表現香港小市民曠男怨女的情傷苦悶，營造出一種「愛就是失落時間」的普普「時間影像」，煥發出廣告片與MV「情歌傷懷」式之神韻魅力。這曠男怨女的「失落時間影像」更被置入戰後香港市民生活的時代背景，映襯出「悠悠蒼天，此何人哉」之時代景深感。所以當《東邪西毒》勉強置入武俠情節而抽離了時代背景，反而神韻魅力盡失。

　　然而，這套「情歌傷懷」式的普普「時間影像」，雖具「由小見大」之神韻魅力，但真的遇上龐大複雜之時代背景，仍不免心餘力絀。《2046》試圖以李商隱式「錦瑟無端五十絃，一絃一柱思華年」的詩謎寓言手法來書寫香港新電影之〈錦瑟〉、〈無題〉詩，已有「吃不消」之感，《一代宗師》力圖統攝民國南北武林之風雲際會與人事滄桑，則更是「罩不住」了！

　　惜哉《一代宗師》之「志大才疏」：有高遠宏大之志向，卻未能建構出相匹配之創作理念，開展出真正之高度、廣度與深度之時代景深感。而武打場面設計、劇情安排、人物塑造，更未達到足夠的藝術表現「強度」！只拋出幾句漂亮話頭，徒具姿態。雖有幾幕「浮光掠影」的蒙太奇運鏡頗具神采，終是虛幌幾招，底蘊不足。

　　但在「志大」這點上，《一代宗師》仍極難能可貴。當代文

化狀況已如杜甫詩云：「或看翡翠蘭召上，未掣鯨魚碧海中！」只會賣弄一點小聰明或小情緒之「裝可愛」，早已不識「大師」、「宗師」為何物。卻不乏虛張聲勢的冒牌假大師，裝神弄鬼更勝神棍，欺世盜名不讓政客。就此而言，《一代宗師》的確展現出「掣鯨碧海」的大師之姿，雖不成功，亦足令人為之振奮飛揚。也許《一代宗師》最重要的文化意義就是在這個黃鐘毀棄，瓦釜雷鳴的「貧乏時代」，重新開啟了「何謂一代宗師？」的話題討論空間，值得繼續開展下去：「這個時代還有大師嗎？」「一個時代為什麼需要大師？需要什麼樣的大師？」「沒有大師的時代會變成什麼樣？」「一個沒有大師的時代，還能稱為一個時代嗎？」

由此衍生出一個更有趣的問題：為什麼要以「武俠」的形式來追問「何謂大師」？

我喜讀武俠小說，亦喜看王家衛的電影。所以看到《花樣年華》描寫使君有婦的梁朝偉邀請羅敷有夫的張曼玉幫助他合寫一部武俠小說，不覺莞爾：孤男寡女到小旅館開房間，竟是為了寫武俠小說！箇中幽默，只有武俠小說迷才能領會。武俠小說迷常會想像自己也來寫一部武俠小說，在腦海中構思編撰各種大俠魔頭的名號造型與武功招式，想到得意處，會不覺手舞足蹈，比畫起來！

武俠小說作為一種通俗文類，可類比於西方的騎士小說與日本的武士小說。二十世紀下半葉五〇六〇年代的港台華人社會是武俠小說的全盛時代，香港有金庸，台灣有臥龍生與司馬翎，皆是當時風靡眾生，雅俗共賞的武林盟主與武林至尊。武俠小說可說是冷戰時代華人市民社會的「騎士羅曼史」，為平凡壓抑的華人市民生活提供了一套非常中國式的唐吉軻德的浪漫想像慰藉：

行俠天涯，傲嘯武林，江湖夜雨十年燈，美人如玉劍如虹。

武俠小說的魅力可歸結為三個基本元素：武、俠、情，俗稱「俠骨柔情」。「武」就是練武與比武，「武」所開展的世界就叫做「武林」。「俠」就是行俠仗義，懲奸除惡，解救天下蒼生。「俠」的世界是儒家式的「天下」，一種追求公道正義，造福人民的倫理世界觀。所謂「俠士」其實是身懷「武功」之「儒士」。路見不平，拔刀相助，永遠是最振奮人心的俠義情節。「情」當然主要指「愛情」。（亦兼及師生之情、兄弟義氣與朋友知音。）

武、俠、情三元素象徵著人生的三大理想：「武」象徵著個人才華能力之自我實現。而發展每種才能之專業「領域」都是一個「武林」：唱歌的有歌壇，打棒球的有職棒聯盟，下圍棋的有名人賽，此皆不同「領域」之「武林」！

「俠」則象徵著個人才能之成就實現最後必須以「造福人群」為終極理想。「武」與「俠」象徵著「自我實現」與「造福人群」兩大人生目標，人生之追求與成就莫過於此。然則，即使已完成這兩大人生目標，如果身邊沒有一個真愛的伴侶來共同分享一切，人生仍是若有憾焉。所以愛情是武俠小說無法避免的第三元素，因為「真愛」是人生不得不追尋的「另一半」。《神雕俠侶》的楊過學成獨孤九劍之絕世武功，並以「神雕俠」之名四處行俠仗義，懲奸除惡，反抗蒙古侵略。堪稱武林第一，俠義無雙。但一日找不到小龍女，人生仍屬缺憾。所以武俠小說總是不脫「俠骨柔情」模式，人物角色之塑造總是環繞著某對「俠侶」為重心，無論是金庸的《神雕俠侶》或臥龍生的《天涯俠侶》。

簡言之，武、俠、情三元素象徵著人生最重要的三件事：自我實現，造福人群，尋找真愛。武俠小說之迷人魅力在於透過

「武功」形象對人生情境作一種戲劇化的演繹展現。自我實現之學習成長過程戲劇化為練功比武與武林大會；造福人群戲劇化為行俠仗義，大戰魔頭；尋找真愛戲劇化為俠骨柔情，仙侶同舟，雙劍合鳴。整個人生過程戲劇化為一幕幕高手如雲，高潮起伏之武打場面！

　　「武功」為何迷人？「武功」就是身體之動作與武器之操作展現出非凡之運動與力量，速度與強度。換言之，「武功」無非是一種強度的「動作—影像」，將身體之力量與潛能發揮到極致。正如尼采的「超人」回歸「身體」與「大地」來直接肯定生命力之飛揚躍動，「武功」是「超人」最具體生動之形象化身，以精采特異之力道速度直接激發吾人身體本身之「生命力」與「生命感」！簡言之，「武功」之「動作—影像」提供了最基本直接之「感動」與「認同」，因而構成武俠小說不可或缺之「魅力」與「強度」！

　　所以武俠小說最重要的藝術表現效果就是「厲害」：某種武功之「厲害」，某個大俠或魔頭之「厲害」。「厲害」正是武俠小說「魅力」與「強度」之所在！看一本武俠小說，如果不能令人邊看邊讚嘆：「厲害，厲害！」那也不用看了。如何塑造「非常厲害」之感覺，正是武俠小說家的「天才」！一流武俠小說家皆各自有其塑造「厲害」的手法絕招：南慕容，北喬峰，東方不敗，小李飛刀，楚香帥，飄花令主，四大名捕，大盜沈虎禪，蜀中唐門，江南霹靂堂，光聽名字就很厲害了。即使是韋小寶不會武功，可也是天下第一滑頭無賴的厲害腳色。

　　因此，「武俠」第一要素無非「厲害」二字。《一代宗師》令人感到「強度」不夠，就是武打場面打得一點都「不厲害」。其武打設計類似《駭客任務》，翻騰飛踢的慢動作鏡頭，唬唬老

外還可以，對於見過場面的華人武俠迷，實無甚可觀，既比不上甄子丹的《葉問》，更比不上徐克與李連杰的《黃飛鴻》。

當然，表現「厲害」的不只在「武打」。如黑澤明的《椿十三郎》就不以「武打」取勝，而以性格化之人物塑造與詭譎鬥智之劇情布局來鋪陳展現「厲害」，亦極引人入勝。就此而言，《一代宗師》之人物塑造亦嫌不夠突出有型，很難產生「厲害」之魅力。（也許唯有張震飾演的「一線天」有幾分桀驁狠勁，可惜在片中淪為可有可無之角色。）南北對決，清理師門之劇情老梗亦未推陳出新，看不出有何「厲害」之處。

回到武、俠、情三元素之人生隱喻：每個人都可以追求人生三大理想：自我實現，造福人群，尋找真愛。三項中有一項未實現，就是無可奈何之人生缺憾。所以每個人的人生都可以寫成一部「俠骨柔情，缺憾還諸天地」的武俠小說。那麼，一代宗師與普通人的差別在哪裡呢？差別就在於王家衛所說的「見天地」，普通人之自我實現僅止於「見自己」，一代宗師之自我實現則需「見天地」！而「天地」就是「武林」。「武林」就是一般稱呼的「XX界」：政界、商界、學術界、餐飲界。（記得有一次在一家小籠包餐館，還聽到老闆娘自稱是「湯包界」！）

在此有一重要區分：「武林」與「江湖」是不同範疇，「江湖」是一個現實範疇，是現實的人脈關係與利益權勢交織而成的「名利圈」與「權力圈」。「武林」則是一個理想範疇，一個追求才華能力之純粹展現與公平競爭的理想舞台。每個領域都包含這兩面，每一行都有它的「武林」與「江湖」！一領域之盛衰就在於它的「武林理想」不要被「江湖利益」所掩蓋淹沒。如台灣職棒之打假球，就是「江湖利益」吞沒了「武林理想」！

「天地」就是「武林」，就是一領域之成就，如古龍小說中

的兵器譜排名。普通人之「自我實現」就是盡一己之力達到一領域之平均水準或不錯成就。例如，一個喜歡廚藝的人，開個小攤子或小吃店，口碑不錯，亦足以維生養家，安居樂業，名聞街坊鄉里。但有些人並不滿足於此，立志要做一代食神廚王。大師宗師就是一領域中達到非凡卓越之成就者，如「小李飛刀，例不虛發」，名列兵器譜第三之探花郎。如何成為一領域之一代宗師？當然必須超越自我，窮盡一領域之整體成就與最高成就，此之謂「見天地」。窮盡一領域之成就就是孟子所說的「集大成」。唯有「集大成」，才能自成一家，開宗立派，承先啟後，開創新局！如孔子為儒學之「集大成」，杜甫為詩歌之「集大成」。大師宗師境界作為「見天地」之「集大成」，司馬遷的〈太史公自序〉形容的最好：「究天人之際，通古今之變，成一家之言。」

　　然則，既已「見天地」，為何還須「見眾生」呢？這意味著：一代宗師之專業成就最終還必須「跨領域」，影響其他不同領域，如牛頓力學，達爾文演化論，馬克思資本論，愛因斯坦相對論，佛洛伊德精神分析。換言之，大師之為「大」不只是在一領域內「集大成」，還必須產生「跨領域」之廣泛影響力。但大師憑什麼「跨領域」呢？就憑可以「見眾生」：無論如何偉大之專業成就，如果最終不能奉獻給人民，都不算真正的偉大。真正的一代宗師就是以「集大成」之專業成就來造福人民，提升人性。正如張載之千古名言：為天地立心，為生民立命。

　　從窮盡一領域之「見天地」，到跨領域之「見眾生」，法國哲學家德勒茲與瓜達利有一個更完整的說法：人類有三大創造活動：哲學創造「概念」，藝術創造「感覺」，科學創造「功能」。三個領域各自有其獨立發展之自主性，亦有極其複雜之互動影響、相互激盪。但三大創造活動最後都必須跨越領域，面對人民：

哲學需要一種「非哲學」來理解它；它需要一種「非哲學」的理解，正如同藝術需要「非藝術」，科學需要「非科學」。如果這三個「非」領域在關連到大腦層面時仍有所區分，但一旦關連到大腦所投入沉潛之「混沌」（chaos），則不再有區別。在此一沉潛中，似可從「混沌」中抽取一個「未來人民」（people to come）的影子，藝術、哲學、科學都在召喚一個「未來人民」……一種非思想之思想寄居於這三個創造領域，如同克利的「非概念之概念」，康定斯基的「內在沉默」。在這裡，概念，感覺，功能變成不可區別，有如共享著同一個影子，這個影子延伸穿越它們的不同本質，並不斷伴隨著它們。

# 第十二章

# 野月滿庭隅——試論陳庭詩抽象藝術的時代文化意義

## 壹、前言

回顧陳庭詩先生一生的藝術歷程與生涯軌跡,以及「陳庭詩」這個名字本身,我莫名聯想到杜甫的一首詩〈倦夜〉:

竹涼侵臥內,野月滿庭隅。重露成涓滴,稀星乍有無。
暗飛螢自照,水宿鳥相呼。萬事干戈裡,空悲清夜徂。

法國哲學家德勒茲嘗言:有一種「專名」(proper name)不再指稱某一個體或物件,而是命名一個事件或一組效應,有如命名一次軍事行動,一個颱風,一場流行徵候群,一種科學實驗之發現!此類事件性之專名是非人稱性的(impersonal),它既具有特異性(singularity),亦具有普遍性,所以不受定冠詞「這個」或「那個」所限定,而必須以不定冠詞「一個」來指稱!其動詞時態則是穿越時空的「不定詞」!簡言之,事件性之專名是用來命名一種非人稱性的個體化場域(field of individuation):不定冠詞+專名+不定詞=事件!

而當「陳庭詩」這個名字已成為二十世紀下半葉台灣現代藝

壇的一則傳奇，我們亦可將之視為一個事件性的專名，其人與其作品已交織融合為一個「非人稱性的個體化場域」，有如在台灣抽象藝術的發展史中形成一片「野月滿庭隅」的風景與奇觀，終而樹立起一則「哲人日已遠，典型在夙昔」的文化典範！

　　關於陳庭詩的抽象版畫與鐵雕在造型藝術上的成就，當代名家、方家已提出不少深入詳實之精采析論。在此，吾人嘗試從更廣闊的時代社會背景與政治文化脈絡，去捕捉解讀陳庭詩抽象藝術的時代文化意義！

## 貳、抽象藝術的「內在沉默」

　　綜觀陳庭詩的藝術歷程與生涯軌跡，有幾個「特異點」：1. 出身福建書香門第，八歲時因意外而失聰。2. 藝術之教育養成兼具中國古典文人畫素養與西方現代美術訓練。早年投入藝術創作以諷刺漫畫以及左翼寫實木刻版畫起家。3. 1945年來台，涉入二二八事件，幸逃過一劫。4. 四十二歲時，創作路線從寫實轉向抽象，以台糖出產之甘蔗板創作抽象版畫，成為推動開創台灣抽象藝術的重要先驅與旗手。5. 七十歲時，開始以高雄拆船廠之廢鐵創作鐵雕。

　　其中最凸顯的兩點是：自幼失聰，因政治因素而從左翼寫實版畫轉向抽象版畫。

　　美國抽象表現主義大師波洛克（Pollock）亦有相類似之路線轉換，據云波洛克早年畫風亦偏左傾寫實，後受當局之關照警告，乃走上抽象之路！陳庭詩與波洛克此一從寫實轉向抽象之發展軌跡的確可以類比對照！正如台灣有白色恐怖，美國有麥卡錫主義，台灣的戒嚴體制原本就是二戰後美國反共冷戰體系之一

環！而波洛克會成為世界級大師，抽象表現主義會成為國際風格，更是戰後美國挾其軍事政治經濟冠蓋全球之空前鼎盛國力，所全力推捧的一個文化表徵，以與傳統的歐洲一別苗頭。台灣六〇年代的抽象藝術風潮，當然亦是美國力推抽象表現主義流風所及的一部份！此所以台北的美國新聞處的展覽會成當時台灣藝壇的風向球！

陳庭詩的抽象藝術之路作為一個事件與場域，當然離不開戰後美國霸權以及國府戒嚴各種更廣闊的歷史政治場景與時代文化氛圍。但自幼失聰卻構成陳庭詩抽象藝術一個獨一無二的特異點！自幼失聰原來純屬個人際遇之意外不幸事件，但陳庭詩透過努力不懈之創作，使「失聰」從個人不幸事件升華為一個具有普遍意義之藝術事件！

眾所周知，陳庭詩在大陸時期曾參與左翼木刻版畫陣營，來台初期更涉入二二八事件，最終卻得以在白色恐怖的政治肅殺氛圍下全身而退，箇中內幕實情，還有待來日的歷史翻案，在此謹提出一個基於常識與人情的簡單揣測：先生自幼失聰之聽障狀態應是主要因素之一：因為失聰，使先生對這些政治活動的參與程度不至於太深；也因為失聰，使國府當局對先生網開一面。劫後餘生，自不免杯弓蛇影，草木皆兵！從寫實路線轉向抽象路線，亦外在環境之現實原則下不得不然之選擇！

然則，陳庭詩之「失聰聽障狀態」與其「抽象藝術創作」之間，到底具有什麼內在性之關聯與意義？

讓我們回到抽象藝術鼻祖康定斯基的《點‧線‧面》的著名意象：

例如從玻璃窗觀察街道，聽不見嘈雜聲，所有的運動好似幻

象。

或者打開門走出去，進入這個活躍的生命哩，感覺它的脈動。嘈雜聲不斷轉換的調子和節奏環繞著，運動也環繞著人們——像水平、垂直的線條遊戲。這些運動線條流向四方。色塊又聚又散，發出高高低低的聲音。

藝術作品反映在我們意識的表層，它在哪裡，而當一切魔力消失後，又無聲無息地從表面消失。它似乎也有一塊堅厚的玻璃，使我們無法直接觸及它的內在，但也可能跨進它裡頭，沉溺在裡頭，並且深刻體驗到它的生命和脈搏。（吳瑪悧譯）

此一隔離外在嘈雜聲所反顯之「內在沉默」，已非「技法」問題，而是抽象藝術之「心法」！是的，陳庭詩的「失聰聽障狀態」正如同一道隔音玻璃，將時代的喧囂躁動、現實的嘈雜擾嚷都隔離在外，而反顯出抽象藝術之「內在沉默」之無上心法！正如先生之夫子自道：「我之作飄渺無際的蒼穹事物，那是無可奈何的事。因我與聲音絕緣，人際關係如被隔於一道牆之外，牆外是寧靜的、沉默的，這種環境易使人陷入冥想，冥想的結果，眼前出現幻境的映象。」

對於此「內在沉默」之無上心法所呈現之抽象幻境，當代名家已有精采解析：

蕭瓊瑞〈靜聽天籟，推移大塊〉：「自我風格確立之後的陳庭詩，其造型語言頗為單純，幾可化約為不規則的矩形與圓形兩類。然而單純卻不單調。在形與形的不斷推移中，大塊假我以文章，陳庭詩賦予了這些造型彼此的生命力量，與多樣的面貌。」

「陳庭詩的現實世界，由於生理的殘疾，是一個無聲孤寂的世界，但在他的畫面中，由於形與形之間大塊的推移撞擊，散發著一種巨大的天籟回響。」

林伯欣〈寓形宇內復幾時：陳庭詩現代版畫的宇宙圖式與文化意涵〉：「陳庭詩的宇宙圖式，掌握了偏安時期流離失所的人們，對宇宙完形與秩序系統的視覺需求，在時間向度上以碎形遙綴歷史系譜的起源；在空間向度上，則以碎形裂隙之間的方、圓操作其動態秩序，召喚諸如天圓地方、亞形中心象徵等古代宇宙模型。」

陳庭詩的抽象藝術，尤其是版畫，是時代喧囂背景中一段難能可貴的「內在沉默」！他以不規則矩形與圓形之基本造型元素排列組合與配置變換，在國共內戰與美蘇冷戰之「萬事干戈裡」，建構出一小片天圓地方，清涼空靈的「竹涼侵臥內，野月滿庭隅」的自足小宇宙。這個「內在沉默」的小宇宙也許未必散發出「巨大的天籟回響」或「震耳欲聾的寂靜」，也不見得非要召喚「天圓地方、亞形中心象徵等古代宇宙模型」，卻透過西式抽象與中式寫意交織重疊，持續不懈之專注與探索，形成一個「重露成涓滴，稀星乍有無」，游移在有形與無形之間界域恍惚的抽象藝術奇觀！

法國哲學家梅洛龐蒂嘗言：抽象藝術反映了一個抽象社會。陳庭詩從寫實轉到抽象，的確有現實政治之禁制壓抑。但真正的抽象藝術絕非消極的逃避現實，遁入個人自我的主觀內在世界，而是如德勒茲所言，畫出積極的逃逸路線（line of flight），指向超越現實之生命無限潛能，開拓一個新領域，召喚一個新人民的到來。中國稱此生命無限潛能為「大化流行」，德勒茲則稱之為「潛存面」（the virtual），此亦陳庭詩創作自述所云「飄渺無際的

蒼穹事物」。抽象藝術之「自主性」不是抽離現實，遺世獨立，而是回返生命「潛存面」之大化流行，以超越現實，轉化現實！

陳庭詩遭逢白色恐怖，逃過一劫，任職台北圖書館，終日與文獻畫冊為伍，頗有餘生避世之意味。卻於42歲時辭去圖書館職務，重返創作之路：「人生旅程已走了一大截，體力也耗了一大截，結果生活的路子如此之窄，人生的境界如此之狹！要維持藝術生命的永恆，那只有賦予它以獨立的精神。」現實政治的禁制壓抑，反而使先生投入更為廣闊的生命「潛存面」之「飄渺無際的蒼穹事物」，達到更為「惟精惟一，允執厥中」的藝術創作狀態！

綜合言之，自幼失聰作為個人不幸事件，現實政治的禁制壓抑作為時代事件與歷史共業，反而為台灣現代藝壇造就了一則抽象藝術之「內在沉默」的事件與奇觀，這個事件就命名為「陳庭詩」！

## 參、台糖甘蔗板與拆船廠廢鐵

陳庭詩的主要創作類型就是抽象版畫與鐵雕。版畫使用台糖廠之甘蔗板，鐵雕使用高雄拆船廠之廢鐵。此「廢物利用」之手法與旨趣，固然直承西方前衛藝術潮流廣義的「發現物」（object found）之創作系譜，從二十世紀初期立體派之「拼貼物」（collage）與杜象之「現成物」（ready-made），直至二十世紀後期之集合藝術（assemblage），裝置藝術，貧窮藝術⋯⋯。

但「廢物利用」之手法與旨趣不只是一種「技法」，更是一種「心法」！陳庭詩之「心法」就是置入台灣特有的時空背景與社會脈絡！台糖可代表四九年後台灣早期的經濟命脈，高雄拆船

廠則是七〇年代台灣經濟起飛的表徵之一。甘蔗板與拆船廢鐵，作為台灣時空背景社會脈絡特有之「發現物」，被賦予造型性與美學性，如先生自述：「工人拆船，分裂鐵皮，為求方便，無美觀計畫，而拆下之鐵塊並無規則，反而極具美感。」「此廢鐵分裂崩析，運入工廠融化再鑄，一時動了婉惜之念，選具造型之美又較輕便者，攜取回家，拼湊組合，而呈目前之作品。」

在這意義下，陳庭詩的「發現物」心法較近於立體派之「拼貼物」，而非杜象「現成物」挪用之完全剝除美學造型性，以趨於純觀念性。

但另一方面，陳庭詩以其深厚的古典文人素養，其作品從標題命名即充滿詩意暗示，其造型元素更揉合甲骨文與金石篆刻之各類文字趣味。就此而言，亦帶有杜象之「現成物」挪用之觀念性與文字遊戲性。

簡言之，陳庭詩的「發現物」心法同時兼具「物質性」與「文字性」，這如何可能呢？

在此借用德勒茲另一套斯多葛主義之「身體（物體）／事件」（body/event）二元論之形上學體系來闡明：台糖廠甘蔗板與高雄拆船廠廢鐵之「發現物」是實質的身體（物體），更可視為台灣特定時空之社會體（social body）的一部分，陳庭詩之抽象版畫與鐵雕則將甘蔗板與拆船廢鐵之身體（物體）之物質性厚度與密度轉換為一種非物質性之表面事件與意義生產！此發生在身體（物體）表面之事件，是一種穿越虛實，空靈無物之「幻相」（phantasm），它產生於「字」與「物」之邊界上，更產生於「意義」與「無意義」之邊界上！

誠如劉高興的論文指出：「究竟是陳庭詩選擇了高雄拆船工

業的廢棄物，創造藝術生命上新的可能？還是高雄在工業文化轉變的進程中，挑上陳庭詩用藝術手法，將南方的文化塗滿光圈和新意。」

## 肆、台灣現代主義時期的文人畫精神

　　陳庭詩以甘蔗板創作抽象版畫的六〇年代，眾所周知，是戰後台灣文化發展的現代主義時期：現代畫有「五月」與「東方」畫會，現代詩有「創世紀」與「藍星詩刊」，現代小說有「現代文學」與「文季」。但透過陳庭詩的版畫發表狀況以及他與詩人文友廣泛交遊之軌跡，我卻看到一種屬於中國文人畫傳統之古典人文精神在現代主義之時裝新衣下的復興再生！

　　什麼是文人畫精神？就是「詩中有畫，畫中有詩」，詩畫同源互濟，右手寫詩，左手畫畫，能詩能畫能文之博雅人文素養！陳庭詩出身中國士大夫傳統之書香門第，具備深厚的傳統文人素養，詩、書、畫、金石篆刻無不涉獵精通。但陳庭詩之抽象版畫所彰顯之文人畫精神之最大特點，不在於他本人之能詩能畫能文，而在於透過他與現代詩人廣泛深厚之交遊唱和，共同參與推動了台灣現代主義的黃金時代！最具體而微的表徵就是其抽象版畫成為當時詩刊與詩集最常見的封面與插圖！（我個人最早接觸到陳庭詩版畫，正是創世紀與藍星詩刊之封面與插圖。）陳庭詩與現代詩人之交遊情誼，已成台灣藝壇文苑的一段佳話！但這段詩人與畫家的友誼已不只是私人交情，而是反映了一種更為深刻悠遠的「詩畫結盟」的文人畫精神，體現了一個「詩人與畫家同在一起，共同開創一個文藝盛世，其快樂無比」的時代氛圍！

　　就如杜詩所云：「暗飛螢自照，水宿鳥相呼。」所有現代前

衛的藝術創作，必然都要面對難以忍受的孤獨！陳庭詩的失聰聽障狀態，使其創作過程更是「暗飛螢自照」的極端孤獨！但要真正成就一個文藝盛世，不只是「孤獨」，還需要「友誼」，一種「以文會友」，「奇文共賞」，相互啟發激盪，呼應唱和之「知音」式的「友誼」。所以在「暗飛螢自照」的孤獨創作過程外，還是要尋求「水宿鳥相呼」的知音與友誼，因為「不惜歌者苦，但傷知音稀」！

而我們已看到，陳庭詩與現代詩人之「友誼」不只是私人交情，更是一種「詩畫結盟」之跨領域交流互動的人文薈萃，風雲際會。雖然西方現代主義標榜每個文類領域之獨立自主性，乃至於表現媒介之純粹性：「為藝術而藝術」，「為繪畫而繪畫」，「為詩而詩」！但揆諸文學藝術史之實際發展，無不是跨領域交流互動之風雲際會，群賢畢至，眾星雲集！例如美國六〇年代之黑山學院，正是畫家羅森伯格與李欽斯坦，舞蹈家康寧漢，音樂家約翰・凱吉齊聚一堂，共襄盛舉！

於今視之，這個詩人與畫家同在一起的文藝盛世早已一去不返，數風流人物俱往矣！我個人因緣際會，跨足藝術界與文學界任教與工作多年，我發現這兩個領域在今日已近乎互不理解，彼此不知道對方在做什麼的疏離隔絕狀態，作家看不懂畫，畫家近乎沒有文字素養可言！我不知道確切的原因為何，或許是現代主義對自主性與純粹性的標榜已深入人心，或許是現代社會日趨分工專業化有以致之。但在自主性、純粹性、專業性的訴求下，我看到的是整個台灣文化日趨體制化與官僚化，已喪失最基本的人文精神與視野格局，無論作家、藝術家、學者，皆愈來愈無趣乏味，面目可憎，可謂「斯文掃地」！

在這個「斯文掃地」之衰頹年代，重覽陳庭詩之藝術風範，

更使人悠然興起「哲人日已遠，典型在夙昔。風簷展書讀，古道照顏色」之無比感概。

陳庭詩所體現的文人畫精神，最後還有一點值得大書特書，就是超越年齡限制的創作發展軌跡：四十二歲開始創作抽象版畫，七十歲開始創作鐵雕，完全跳脫一般人青年、中年、老年的分期模式，陳庭詩的創作發展軌跡就像電影《班傑明的奇幻旅程》，愈老愈年輕，愈勇於嘗試實驗與冒險創新，既不服老，更不疲倦！在這意義下，先生之境界又超越杜詩《倦夜》，雖然生逢「萬事干戈裡」的時代動亂，卻並未「空悲清夜徂」，而是發憤忘食，樂以忘憂，不知老之將至，終而為台灣現代藝壇樹立起一則「丹青不知老將至，富貴於我如浮雲」的文人畫典範！

透過陳庭詩，我們了解到，無論西方抽象藝術或中國文人畫，都不只是一種「技法」，更是一種「心法」，讓我們再回到康定斯基的《點‧線‧面》：

> 幾何的點是肉眼看不見的東西。它必須定義為無形的東西。若當作物質來看，點就等於零。這個零裡卻藏有像人一樣無數的特徵。在我們的想像裡，零—幾何點，是最謹約的形式，非常含蓄卻又說了些什麼。所以，幾何點是高度的沉默和語言的結合。
>
> 點，習慣上我們認為，是一個封閉緊密的圓圈，習慣上它的聲音是：無聲。

這個結合高度的沉默與語言的「零—幾何點」，卻藏有像人一樣無數的特徵，就如俗話常說的「此中有人，呼之欲出」！所

以按照德勒茲與瓜達利的詮釋，康定斯基的「內在沉默」不只是個人自我的主觀內心世界，更指向一個潛在的未來的人民的影子。正如克利之名言：藝術所欠缺的就是人民，一個尚未到來，即將到來的人民（people to come）！所有偉大的創造活動，都伴隨著這個未來人民的影子，有如無限的生命潛能，群眾的集體爆發力，等待實現與引爆！所以真正的藝術都是「此中有人，呼之欲出」，都在召喚一個未來人民的影子！

　　這個「此中有人，呼之欲出」的「零—幾何點」作為西方抽象藝術之「心法」，也正呼應了中國儒家道統最古老的「心法」：「道心惟微，人心惟危。惟精惟一，允執厥中。」

　　陳庭詩生逢「道心惟微，人心惟危」的時代動亂，卻透過「惟精惟一，允執厥中」的專注不懈創作，樹立了別具一格的「內在沉默」之高度語言的抽象藝術典範。雖然也許只是一些「零—幾何點」之排列組合，也許只如「重露成涓滴，稀星乍有無」之偶然湊泊，卻是「此中有人，呼之欲出」，召喚一個未來人民的影子！

附錄 1

# 「客形」的回返──
# 走向「後抽象／後觀念」的繪畫本體論

　　縱觀二十世紀西方藝術潮流之演變軌跡：從野獸派、立體派、未來派、表現派、超現實之「變形」與「轉形」（transfiguration）走向「抽象藝術」（抽象畫、抽象表現主義、極限主義）之「解形」（de-figuration），最終走向「觀念藝術」之「離形」、「去形」與「棄形」。發展至世紀末，則又形成各種混合折衷主義的「後現代」或「當代」藝術：塗鴉、裝置、普普、行動、環境、景觀、錄像。於是我們看到：造型藝術遭到嚴重貶抑而日益喪失自信，抽象藝術與觀念藝術則在後設姿態中日益淪虛蹈空，同時也越來越庸俗化，抽象藝術走向「設計化」，觀念藝術走向「廣告化」與「資訊化」，並捲入當代藝術的混合折衷主義，而充斥著隨波逐流，甚至趨炎附勢之cliché（陳腔濫調）。

　　當代藝術已變成一個既無感覺，更乏生命力，冷漠無差別（indifference）的冷酷異境。我認為，突圍解困之道就是重新肯定藝術的造型力量，因為唯有造型可以構成「形象」，喚起「感覺」。而正如康德所示，「美學」作為「感覺學」與「情感學」，究極而言是「生命感」（feeling of life）與「生命力」（force of life）的問題。重新肯定造型的力量，就是重新喚回藝術作品中失落已久的感覺情感的強度與形象的生命力。我們必須走出抽象藝術與觀念藝術的淪虛蹈空，同時擺脫當代藝術之隨波逐流與趨炎附勢的cliché，提出一套既超越「具象／抽象」二元對立，亦超越「形象

／概念」二元對立的新造型思考，走向一種「後抽象」與「後觀念」的「繪畫本體論」。

我發現一個美妙的新詞「客形」，正可重新界定「後抽象／後觀念」的繪畫本體範疇。「客形」一詞典出北宋理學家張載：

太虛無形，氣之本體。氣聚氣散，變化之客形爾。

太虛即氣。

凡可狀者，皆有也。凡有者，皆象也。凡象者，皆氣也。

「客形」並非西方哲學之「客體」（object），而是「客體」之超脫化解。一切事物作為「客體」，其實皆只是「氣聚成形」之變化，如「客」般寄寓於世界之中而暫時現身顯影。萬物萬象皆是生命中不期而遇的「過客」、「訪客」、「賓客」。

「客形」一詞甚美甚妙，一切皆「客」，寄「形」於天地，如過眼雲帆往來變遷於「太虛」無形之中！

「太虛」做為「無形」的「氣之本體」，可用來重新界定「抽象」。所謂「抽象」不再是「純粹形式」或「最高形式」，如「抽象畫」追求純粹視覺形式之程式編碼，而是返回到先於一切形式之「原始材質」，如「抽象表現主義」追求純屬「手感」自動性之線條塗鴉。法國哲學家德勒茲借用畫家培根的講法，稱之為「圖式」（diagramme），指劃痕、區域、無意義、非表象的線條和色點的可操守性整體：「圖式是一種混沌，一種災難巨變（catastrophe），但同時也是一種秩序或節奏的萌芽。」（德勒茲，119）「圖式」之降臨，彷彿突然在大腦中引入一個撒哈拉沙漠，彷彿用一片海洋將大腦分為兩半。「圖式」突然來到畫面，彷彿另一種力量，另一個世界突然闖入視覺世界，打破既有的視覺組織之秩序整體，給眼睛

另一種力量與強度。「圖式」就是渾茫鴻濛的原始生命力突破機體形式之界限，爆發展開一個能量與強度的場域，德勒茲亦名之為「無器官之身體」或「抽象機器」！

抽象表現主義正是過度執迷於「原始材質」之「手感自動性」，而不惜讓「圖式」吞噬整個畫面，將西方現代繪畫推到雜亂無章之「災難巨變」狀態而無法自拔，不知伊於胡底！其實，整個西方藝術的發展軌跡，始終存在著某種逼臨邊境極限之「災難巨變」狀態的惘惘威脅，從現代主義的「虛無」，浪漫主義的「深淵」，直至希臘神話與聖經中的「地獄」！

德勒茲的《感覺的邏輯》透過培根的畫，在「抽象畫」純粹視覺形式之程式編碼與「抽象表現主義」手感自動性之混沌材質之外，指出了「第三條路」的可能性：將「圖式」限定在畫作中的某個區域，某段空間與時間中，防止「災變」吞沒整個畫面，保護輪廓，讓「形象」（figure）重新湧現於畫面。

於是，德勒茲提出一套「圖式／形象」（diagramme/figure）本體論，同時也在述說一個「西方繪畫故事」：「形象」穿越混沌材質之「圖式」的「災難巨變」，有如遊歷深淵地獄而支離解體毀形，終於歷劫歸來，以幾乎無法辨認的全新「面貌」重返畫壇！這的確提示了一種重新喚回藝術之造型生命力，走向「後抽象」與「後觀念」的繪畫本體論！

就此而言，我發現張載的「太虛／客形」作為「一氣」流行運轉之一體兩面，較之德勒茲的「圖式／形象」，更能超越西方文化之「抽象／具象」、「知性／感性」、「觀念／形象」、「形上／形下」之二元對立，提示一套更為從容灑脫的「後抽象／後觀念」之繪畫本體論。因為「太虛」作為混沌鴻濛之原質，既非「災難巨變」之深淵地獄，亦非淪虛蹈空之虛無空無，而是一氣流轉，充塞

宇宙，既空靈無物，又洋溢滿盈！正如杜甫詩云「八荒開壽域，一氣轉鴻均。」陶淵明詩云：「縱浪大化中，不喜亦不懼。」「太虛」即「一氣流轉」的生命大化之流，天地萬物之「客形」則都是生命大化之流中的一段「過渡」（passage）！「太虛」與「客形」一氣流轉，體用不二，不即不離，虛實相生。從「太虛」回到「客形」，並非從「災變」的死亡國度歷劫歸來，浩劫餘生，而本來就是生命大化之流無間斷的「過渡」。

　　藝術發展至今日，要走出抽象藝術與觀念藝術之淪虛蹈空，並擺脫當代藝術隨波逐流之cliché，勢將走向一種「後抽象」與「後觀念」的造型復興運動，我將之界定為「客形」的回返：從「太虛」回到「客形」，並非簡單的重返具象寫實，而是以「一氣流轉」之空靈感應律動，悠遊往返於「太虛」與「客形」之間，即虛即實，虛實相映，穿越具象與抽象，可見與不可見，形而下與形而上。這生命中旦暮相遇，千帆過盡的紛紜「客形」，是連結當下現在與過去未來之「時間迴路」的「結晶影像」，同時指向最親切世俗的「人間世眾生相」與最遙遠疏異的「天堂陌影」。

附錄2

# 星沈海底當窗見
## ──西方「繪畫性」在東海的軌跡與系譜

「貢獻這所大學於宇宙的精神。」

　　啟蒙哲學家斯賓諾沙（Spinoza）的這句名言開啟了西方現代大學作為一個超然於世俗之上，高蹈學術氛圍的「自主性」場域（autonomous field）。創校五十週年的東海大學，在風雲際會的年代，青山隱隱，咫尺紅塵之外的獨特地緣環境中，將西方大學的「宇宙精神」融入中國傳統書院的人文精神，為台中地區開創了另一片遺世獨立，令人悠然神往的學術桃花源。

　　而創立於1983年的東海大學美術系，在創系主任蔣勳先生個人獨特人格魅力的感召下，更賦於此超然世外的「東海人文精神」一種「中國文人」式寫意浪漫的美學情調。經過歷屆系主任黃海雲、倪再沁各有所長的專精耕耘，而又自由多元的開明領導，形塑出東海美術系獨有的文人美學氛圍，既有浪漫寫意的生活情調，而又不失專精執著的繪事追求。

　　但也無庸諱言，琴棋書畫詩酒逍遙的中國文人美學，與講求高度專業化嚴謹性，為藝術而藝術的西方繪畫精神，存在著根本的歧異衝突。這也正是東海美術人在西畫領域所面臨的根本問題。

　　在此，吾人提出一個更廣義的「繪畫性」（pictoriality）概念，用以指稱文藝復興所開啟的一種西方獨有的繪畫創作型態。此「繪畫性」開始於「畫框」的設置，並使「畫框」變成一面充滿風景的

「窗」，既是「世界之窗」，也是「靈魂之窗」。「世界」變成「圖像」（world as picture），「風景」（landscape），「奇觀」（spectacle）。面「窗」的「我」（包括畫家與觀眾）則變成在世界中心吶喊或靜觀的認知主體與表現主體，一個上窮碧落下黃泉的浮士德靈魂。「繪畫性」不是某種普遍抽象固定不變的「本質」，而是一系列充滿「特異性」的「事件」。每一個偉大畫家，每一件經典之作，每一種新風格新畫派的誕生乃至新媒材新技巧的發現，都是一個在重新界定「繪畫性」的獨特事件。「繪畫性」本身因而可視為一個貫穿藝術史之潛在的（virtual）大事件，一個普遍的事件系列，等待不斷更新的界定與命名。此「事件系列」的「繪畫性」可以涵蓋藝術史家沃夫林（Wölfflin）所說的「線性」（linearity）與「塊面性」（painterly），以及藝術史上其他各種繪畫風格的誕生。

　　但吾人還賦予「繪畫性」一個更強的涵意。傅柯的《性史》第一卷指出，十九世紀的西方社會形成一套獨特的處理「性」（sex）的方式，就是將性「置於言說」（mise en discours），強迫每個人不斷地談論性，表白性作為「自我」之「真理」，以產生一種私密內在的「主體性」。將性「置於言說」是西方獨有的一套歷史機制，傅柯稱之為「性設置」（sexuality as dispositif）。吾人亦將「繪畫性」（pictoriality）類比於傅柯所說的「性」（sexuality），視為某套獨特歷史設置，得以產生如此的「風景」與「奇觀」，如此的「自我」與「主體性」。

　　探索西畫在東海的開展，就是探索「繪畫性」作為「事件」與「設置」，如何置入東海校園的文人美學氛圍，產生什麼樣的「自我」與「主體性」，展現多少的「風景」與「奇觀」？

　　然而，驀然回首，東海美術系竟也已創立二十餘年，真箇是「二十餘年如一夢，此身雖在堪驚！」如果這「堪驚」的「二十餘

年如一夢」並不只是「春夢了無痕」，那又將留下什麼樣無法磨滅忘懷的痕跡？吾人發現所面對的不只是「痕跡」（trace），更是一種「軌跡」（track）。「軌跡」不只是偶然留痕的雪泥鴻爪，而是有跡可尋的蹤跡。這蹤跡即使只是蛛絲馬跡，蛇灰草綠，亦足構成引人無限「追蹤」的「線索」，指向某種「路線」、「軌道」、「起源」之重構的可能性。

　　而這就是歷史。歷史的書寫就是「軌跡」與「線索」的「追蹤」與「重構」。而「軌跡」、「線索」的「追蹤」、「重構」又可視為一種「系譜學」的開展。在此，暫且拋開西方當代思潮關於「系譜學」的眾說紛紜，吾人將「系譜學」直接比擬於武俠小說所描寫之各大武林門派、武學宗派之起源發展與流派分佈，以及各派之間形勢消長的「武林派系源流考」。吾人發現，文學藝術史上的風格流派或哲學史上的思想流派實可比擬於武林各大門派獨門武功絕招之爭奇鬥妍。

　　進而言之，要指出某某高手的招式路數究竟「師出何門，集幾家之長，有何轉化創新之處？」實屬見仁見智，莫衷一是。因此，欲從各種軌跡線索追蹤重構一套「武林派系源流考」之「系譜學」，都免不了落入某種任意武斷的「命名」姿態。然而，依照班雅明論「巴洛克」所提出之「星座」理論（constellation），文學藝術史上任何風格流派的分類系譜，本來就如同對天上星座的「命名」，某幾顆星可以勾畫為大熊星座，亦可勾畫為北斗七星。此「星座命名法」看似任意武斷，卻可以反映出某一理念精神的類型特徵。勾勒此類型特徵之輪廓，就如同將散列的群星連結勾畫成一座「星圖」。

　　此次展覽正是基於這樣一種「星圖連結」與「星座命名」之方法學，回溯追蹤西方「繪畫性」在東海開展之軌跡，重構各畫風流

派分佈交錯之系譜，勾畫一「理想型」之「星圖」。如群星散列各方的諸位系友亦可藉此展重新串連集合，連結組合為一重新命名之「星座」，隱約指向東海畫派形成之可能輪廓。

李商隱「碧城」詩云：「星沈海底當窗見，雨過河源隔座看。」在時光距離的流轉與沈澱中，曾經發生過的可能會變得更澄澈透明，也可能會蒙上一層神話傳奇的氛圍色彩。於今視之，蔣勳先生當年所塑造的文人美學情調已構成東海美術系的傳奇氛圍。而透過西方「繪畫性」這面「窗」，在「二十餘年如一夢」的時光流轉與沈澱中，我們又將看見什麼樣「星沈海底」的瑰異奇景？

西方「繪畫性」作為「世界之窗」與「靈魂之窗」的「設置」，同時指向極端的「客觀性」與極端的「主觀性」。西方藝術史的發展軌跡正是往返擺盪於「客觀」與「主觀」，「外在」與「內在」的兩極，由自然主義，寫實主義，而浪漫主義，表現主義，抽象主義，極限主義。由「外光派」而「內光派」，而解消揚棄光，進而揚棄形與色，直至揚棄繪畫本身，藝術本身。西方「繪畫性」作為「窗」的「設置」，最終可以自我關閉如一電腦視窗。

不難想像，此西方「繪畫性」置入東海校園寫意抒情的文人美學氛圍，會傾向那一極？當然是傾向「主觀」、「內在」的一極，而展現出浪漫主義，野獸主義，表現主義，超現實主義，構成主義，抽象主義，極限主義等風格。中國文人美學固然有隱逸避世傾向，但並無西方藝術那種主客內外的極端二元對立。不妨這麼說，中國文人美學的隱逸寫意性格，結合西方繪畫強烈「主觀性」的一極，構成了東海畫家「靈魂之窗」式的「內傾」畫風。

回顧西方藝術史，印象派立於「主觀」與「客觀」的界限上，其對浮光掠影的捕捉可視為一種模糊的「中間」狀態。沈東榮是東海畫家中少數專精於泛印象派的風景畫與靜物畫，或玩味光景，或

剪影形體，其醇厚筆觸總已流露東海文人的寫意抒情性。許莉青則以一種莫藍迪（Morand）式的新古典刻畫東海樹林的光影婆娑與室內靜物的簡約沈靜。陳昱銘的粉彩畫則近於後印象派的寫意構成，表現童話般的繽紛明麗與異國情調。

王永修，饒文貞，陳建明，胡自強則呈現出廣義的浪漫主義風格的想像夢幻世界。王永修以帶有設計造型趣味的單一物件（椅子，糖果樹）表現單純明麗的童趣想像與極簡夢想。饒文貞的膠彩畫則融合東方工筆畫與油畫特質，展現夢幻瑰麗的心靈風景。（值得一提的是膠彩畫在東海的獨特發展，東海畫家挖掘了此媒材介於油畫，水彩，壓克力，粉彩之間的細微差異質感，使膠彩獨綻異彩，對西畫傳統與水墨傳統都具有極大的啟發潛能。）陳建明將童趣夢幻投射外爆為漫畫普普圖式。胡自強以插畫式俗麗筆觸大膽呈現肉身官能的色欲想像。

魏禎宏，林麗玲，黨若洪，吳美切可歸為後浪漫主義的廣義野獸派與表現派。魏禎宏的裸體人像畫與自畫像有如一篇篇大膽、率性、直接的肉身告白，又兼有矯飾主義的誇張、猥褻，形成一種率真而又曖昧的奇特神韻。林麗玲以一種童女之舞般的女性敏感想像捕捉克利或夏卡爾式的自由無拘形象。黨若洪的人像與狗像在率性寫意的塗鴉風格中表現出沈厚凝練的油彩塗抹質感，具有杜布菲（Dubuffet）式的原始主義趣味。吳美切的新意象畫風則出入於表現主義與抽象主義之間，色面線條時而流麗揮灑，時而沈鬱醞釀。

施錫洲，潘顯仁，沈宏錦的畫風則在東海文人的寫意抒情之上，多了某種構成主義與極限主義的知性反思。施錫洲將印象派的浮光掠影納入一種知性構成的光譜解析，達至具象抽象，知性感性融為一片的純粹光景。潘顯仁結合幾何抽象畫風與史特拉（Stella）式的視線錯覺構圖，進行線、面、體積的純粹視覺演繹。沈宏錦結

合中國山水畫立軸的全景透視與波洛克（Pollock）式充實全部畫面的構圖佈局，將文人寫意美學帶至一種抽象表現主義的後設構成。

范峻銘展於台北『CO2前衛文件展』的〈即時引爆〉，在黑板上現場即興塗鴉，將「繪畫性」帶至觀念藝術與行動藝術的後設反思層面。

回顧西方「繪畫性」在東海的開展，的確展現出有別於當代藝術主流的軌跡與系譜。齊克果的《誘惑者的日記》寫道：「一個人之能夠從這個世界退縮，甚至消失，可能是健康的徵候，也可能是疾病的徵候。」相對於當代藝術有如投機政客的短線炒作與偽善低能，東海畫家的隱逸避世性格反而顯出一種難能可貴的沈潛與灑脫，舉世滔滔中，乍現幾許「星沈海底當窗見」的驚喜奇景。

# 第十三章

# 當代藝術作為一種「奇觀」或「體制」?

宏璋兄:

　　幾次相約一敘,本想與你好好聊聊台灣的當代藝術狀況,沒想到總是時機不巧,竟至睽違再三,亦憾事也。

　　日前在網站上拜讀到你對美術系主任涉嫌抄襲事件發表〈林宏璋的事件觀點〉,也引發我的討論興趣。我發現此事件其實觸及了當代藝術核心問題的複雜糾結。我們何妨藉由不同角度之事件解讀,將當代藝術論壇重新帶入一個新穎有趣的「問題設置」(the problematic),進行一場開放而又有深度的公共討論?

　　我想我們都同意公共討論的基本前提:不要去談論任何人事紛爭或謠傳揣測,唯有對事不對人,就事論事的思考態度,才能論述出事件的真正意義!

## 當代藝術「置入媒體場景」的「十五分鐘」

　　你的事件觀點,我大部分同意:整個事件是媒體的炒作操弄,有預先設定好的腳本、台詞、道具、角色分配與發言位置,以圖像對照的視覺暗示與羶腥的修辭策略,產生「醜聞化」的奇觀效應,誘導大眾對藝術的認知走向淺薄化與弱智化。

　　我很喜歡一個法文表達「mise-en-scene」,字面的意思是

「置於場景」、「置入場景」，引申為劇場與電影導演所做的「場景調度」。傅柯的《性史》探討西方現代社會有一種將性「置於言說」（mise-en-discours）的「設置」（dispositif），而大量生產各種性話語。傅柯的「置於言說」明顯來自「置於場景」，其「設置」概念亦可類比於劇場電影導演的「場景調度」。所以這次系主任涉嫌抄襲的爆料事件，正可視為媒體一手導演的「場景調度」，一場將當代藝術作品「置於場景」與「置於言說」的媒體「設置」（要說是「設計」也無妨），產生各種八卦流言的奇觀效應！

　　然則，如果這一切只是媒體炒作的淺薄化、弱智化的奇觀效應，那幾件被「置入媒體場景」的當代藝術作品為什麼會如此的脆弱，如此的不堪一擊？如果作品本身的素質夠好夠強，充滿高明深刻的思想內涵或強烈生動的視覺造型魅力，又怎麼會被淺薄化、弱智化的媒體炒作手法給輕易的「醜聞化」？

　　更重要也更有趣的是，當代藝術本身的崛起與發展不就是建立在一系列「奇觀」（spectacle）的展演（show）之上，訴諸各種挑釁社會的「震驚」（shock）？從杜象在畫廊展出一個小便池，題為〈噴泉〉開始，後來宣稱不再畫畫，寧可下棋，還和一個裸女下棋……。遙承杜象衣缽的當代藝術大師那個不是製造「奇觀」的高手：克萊因，波依斯，安迪沃荷，直到謝德慶的自囚，克理斯多的包裹，蔡國強的爆破？當代藝術作為一種有別於視覺造型藝術的觀念藝術，就是要創造「事件」與「奇觀」，而「奇觀」的展演則不能沒有媒體的炒作，試問：當年謝德慶自囚的時候，如果沒有媒體報導將之「置於場景」與「置於言說」，還能成為一件行動藝術與觀念藝術的經典作？今日蔡國強可以在當代藝術世界稱雄，就是深明如何透過置於媒體的「場景調度」

來創造萬眾矚目的「奇觀」！

　　所以針對「奇觀」這點，我與你對事件採取不同的關心角度：當你批判事件的「奇觀」效應，為被「醜聞化」的作品申冤，進而為當代藝術的創作型態與表現方式進行辯護，我卻發現這個事件的「奇觀」效應其實比作品本身更有趣精采的多，更能呼應不斷製造「奇觀」的當代藝術精神，簡直就是一次觀念藝術與行動藝術的精采展示。它的「醜聞化」效應，換一個角度立場看，何妨視為一種「問題化」（problematization）的質疑批判！（根據德勒茲的事件哲學：「事件」是潛在（virtual）的「意義」與「概念」，反映一個「問題」的曲線圖，通過一系列「特異點」（singular point）或「精采點」（remarquable point）的放射配置，環繞著「問題」核心的「質疑點」（point of question）而開展界定。）

　　正如同在上個世紀初，杜象在畫廊展出一個小便池，製造出社會震驚的藝術醜聞，以反諷與幽默的方式將布爾喬亞的美學體系與藝術體制「問題化」，推到一個自我批判的「質疑點」，懸置撼動了整個布爾喬亞藝術的合法性！我們亦何妨將此次事件的「醜聞化」效應視為一種反諷與幽默：透過將當代藝術作品置入八卦媒體的「醜聞化」場景（相對於杜象將一個小便池置入畫廊的「美學化」場景），它將作品所反映的當代藝術之創作型態「問題化」，進而質疑在背後支持此創作型態的當代藝術體制。而無論是「藝術體制」或「創作型態」均可視為一種傅柯意義的「設置」，這次事件透過「醜聞化」之「特異點」或「精采點」之放射配置，將當代藝術在創作上與體制上的雙重「設置」同時置入一個拆解解構的「質疑點」！

　　正如同安迪沃荷的名言：「在未來的時代，每個人都將成名

十五分鐘。」這次事件不啻是當代藝術睽違已久，難得曝光的
「十五分鐘」（蘋果日報的要聞版，聯合報、自由時報、有線電
視新聞相繼報導，蔡國強都未必有這麼多版面），這「十五分
鐘」的「挑釁」與「震驚」不啻是大眾媒體送給當代藝術的一次
「震撼教育」，一個當代版的「噴泉」事件，迫使當代藝術置入
一個自我批判的「質疑點」！

## 當代藝術創作的存在樣態：介乎「觀念藝術」與「視覺藝術」的「扁蝠」狀態

回到我對這次事件的一個根本質疑：如果作品本身的素質夠
好夠強，充滿高深思想內涵或視覺造型魅力，又怎麼會被圖像對
照暗示與聳動修辭策略這類淺薄弱智的媒體炒作手法給輕易的
「醜聞化」？

我認為問題來自當代藝術之創作型態與表現方式在「存在樣
態」（mode of being）上的模稜兩可，當代藝術作品之存有學定
位（ontological status）是介乎「觀念藝術」與「視覺藝術」的中
間灰色地帶，而表現為一種亦觀念亦視覺，而又非觀念非視覺的
「扁蝠」地位。

我同意英國觀念藝術家Kosuth的講法：「所有的藝術都是觀
念藝術。」因為所有的藝術作品都包含觀念性的成分，但傳統的
藝術創作是透過視覺造型的手工技巧來表現觀念。杜象的「現成
物」（ready-made）則提出一種完全去除掉視覺造型與審美品味
之純粹「觀念藝術」的可能性。〈噴泉〉便是純粹的「觀念藝
術」，所以小便池的造型美不美一點也不重要，這件作品的重點
在於藉由「在畫廊展出一件小便池」此一挑釁動作來提出問題質

疑，產生觀念衝擊。所以後來小便池搞丟了，並不影響這件作品的存有學定位，因為它本來就是一種觀念性與事件性的存在樣態。

　　當代藝術的成立與發展，可界定為「杜象現成物的正典化」。但我發現，當代藝術之主流「裝置藝術」卻並未貫徹「觀念藝術」，而是走上一種折衷混合路線，成為遊走在「觀念藝術」與「視覺藝術」中間灰色地帶的「扁蝠」。乍看之下，這樣的灰色地帶似乎打開了一個可以包容更多自由度與可能性的創作表現空間，但實際的演變是不少人利用此灰色模糊空間來打混摸魚，投機取巧，大玩「扁蝠」式兩手策略：遇到畫家，就擺出觀念思辨的哲學家高姿態來歧視打壓；遇到哲學家，就撐起藝術家姿態的保護傘來避開思想不夠高明深刻的質疑。在此次事件中，當事人為自己作品定位的辯解方式就是典型的「扁蝠」式兩手策略：不能只看視覺造型外觀上的形似，更要看外觀背後的思想觀念內涵。（我感到疑惑：這樣的辯解方是否已不啻承認這些作品的視覺造型性薄弱不足，所以不是視覺藝術，而是以觀念性取勝的「觀念藝術」？）

　　針對此「扁蝠」兩手策略，我提出一個最簡單的評判方式：上帝的歸上帝，凱撒的歸凱撒。觀念的歸觀念，視覺的歸視覺。實際存在的事物大多數都是混合組成之複合物，除了少數特例。所以，評價一件作品，觀念性部分就用觀念思辨的標準來考核衡量，視覺性部分就用造型審美的標準來考核衡量，最後對各部分強弱得失之總和進行加權增減的總體性評價。

　　我在巴黎的奧賽美術館看過庫爾培的〈世界之起源〉，刻畫一女性下體纖毫畢露。我發現這幅世界名畫在視覺造型的表現上其實還好，並不算太強。其震撼主要來自題材選擇之驚世駭俗，

挑釁當時社會尺度，所以這幅名畫的強項反而是在觀念構思上的大膽突破。透過如此的總體評價，把〈世界之起源〉歸為「觀念藝術」亦未嘗不可。

　　同理，如果這次事件中的爭議作品告訴觀眾不要只看視覺外觀，更要注意外觀之下的思想觀念內涵，那很好，我們就以「觀念藝術」的標準來衡量，看看它提出了什麼高明深刻的思想觀念內涵？很抱歉，我看不出來有什麼高明深刻的內涵，只看到了無新意，虛矯廉價拼湊的cliché（陳腔濫調），從視覺的cliché（舊照片、燈箱、舊傢俱物件、日常生活錄像）到觀念的cliché（記憶與認同問題、淺薄的感傷懷舊與廉價貧乏的浪漫想像）。波東斯基是當代名家，受其影響者亦不遑少見。陳順築的作品在九〇年代就有波東斯基影響的痕跡，但大家不會去質疑他的原創性與個人風格，因為作品擺出來，就是有他自己的「型」：有造型、有想法、有感情，正所謂「行家一出手，便知有沒有」。相形之下，這批引起爭議的作品，既無視覺魅力，亦無高明觀念，更乏真摯情感。如果八卦媒體可以用淺薄弱智的炒作手法將之輕易地「醜聞化」，正好證明它本身就是創意不足的淺薄弱智之作，卻還披上「學院派」外衣虛晃幾招，故作高深狀。

　　所以我完全同意你的觀點，不該把問題化約為「抄襲與否」的簡化邏輯與黑白答案，還有更深層的問題需要討探，因為我發現這次事件反映出比抄襲更嚴重的問題與症候。所以問題的關鍵並不在於判決這些作品是否抄襲，因為它們就算不是抄襲，也只是一些乏善可陳的cliché，根本不值一駁。而我發現抄襲只是一個最輕的指控。在此，我忍不住要做一個政治的類比，因為我發現一個藝術家抄襲，其嚴重性正如同一個政治家貪污，都已喪失了他們「存在的理由」（raison d'être）。我認為在阿扁所犯的罪

中，貪污其實不是最嚴重的罪。更大的罪是敗壞憲政體制，最罪大惡極的則是敗壞社會人心。但司法只能起訴貪污罪，敗壞體制與敗壞人心則已超乎司法起訴的範圍。

同理，這次事件所引起之爭議，「抄襲」只是最輕微的指控，更嚴重的是當代藝術狀況中存在已久的「體制敗壞」與「人心敗壞」：是什麼樣的創作型態與表現方式讓藝術創作變成廉價拼湊，魚目混珠的cliché？是什麼樣的藝術體制在散佈傳播，並假借「專業」與「學術」之名來包裝這些廉價虛矯cliché，還百般維護，使「劣幣驅逐良幣」的現象越來越嚴重，敗壞了最根本的藝術精神，包括創作態度中最可貴的「原創性」與「真誠性」，以及藝術欣賞的「品味」判斷力，皆陷入顛倒錯亂。

為什麼「扁蝠」狀態的「裝置藝術」會生產如此多的cliché？我發現一個關鍵因素：「現成物」的直接挪用取消了造型藝術的手工技巧性。這樣的「現成物」挪用作為一種創作表現方式，若無高明深刻的思想觀念支撐（例如杜象的〈大玻璃〉便具有不亞於哲學家水平的觀念思辨性），將變成極其輕易廉價的虛矯拼湊。一個只會造型技巧，卻沒有思想觀念的畫匠固不足取。但是一個既無造型技巧，也無高明觀念的裝置藝術家，只會製造不知所云，虛晃幾招的口水論述來包裝自己虛矯拼湊的廉價創作，則更是令人作嘔。就如通俗廣告詞：「只剩一張嘴！」無庸諱言，不少「裝置藝術」作品真的是既無造型，亦無觀念，更無情感，只剩一張嘴在硬拗瞎掰！

面對這「只剩一張嘴」的當代藝術狀況，一方面可以說：「行家一出手，便知有沒有。」另一方面，則亦無法不感慨：「文章千古事，得失寸心知。」

## 事件的真實意義：「媒體奇觀」衝撞「藝術體制」

　　小結我們對事件的不同關心角度：你批判事件的「奇觀」效應，為作品申冤，為當代藝術創作的表現方式辯護；我則關心事件的「奇觀」效應所帶來的「十五分鐘」的震撼教育，能否使當代藝術進入一種「體制的自我批判」？

　　這裡涉及兩個前衛的藝術概念：藝術作為一種「奇觀」（art as spectacle）與藝術作為一種「體制」（art as institution）。

　　根據彼得柏格的《前衛理論》，二十世紀初歐洲前衛運動（avant-garde）之原創性在於，它不再是批判某個藝術流派，而是批判布爾喬亞的「藝術體制」本身已成為一個與社會脫節的封閉領域。所以前衛運動對藝術進行一種「體制的自我批判」，打破「為藝術而藝術」的美學神話，把藝術重新帶回社會生活的日常實踐。

　　我可以補充柏格的論點：要對藝術進行一種「體制的自我批判」，把藝術重新帶回社會生活的日常實踐，唯有訴諸「奇觀化」事件的製造，因為唯有「奇觀化」的媒體曝光效應可以直接衝撞體制的自我封閉，迫使其向社會大眾的公共領域開放。這正是一種廣義的「民主化」！

　　所以，歐洲前衛運動之精神就是創造「奇觀」來衝撞批判「體制」，首先是衝撞「藝術體制」本身使其「自我批判」，繼而衝撞批判整個社會政治體制！因此前衛運動可直接連結到當時的政治運動，如超現實主義與無政府主義，未來主義與法西斯主義，包浩斯與社會主義，絕對主義與共產主義。

　　什麼是當代藝術？就是「前衛運動的體制化」，正如同杜象的小便池原本是要質疑批判畫廊、美術館等布爾喬亞藝術體制，

現在卻被美術館供奉為廟堂經典！這真是一個悖論弔詭：當代藝術祭起「前衛」的旗幟來自我合法化、正當化，卻日益喪失衝撞「體制」的自我批判精神，反而走向一種極度自我封閉的「體制化」與「官僚化」！

我想起你幾年前發起的「頓挫藝術」論戰，你對「政治議題為什麼在台灣當代藝術中缺席」的質疑批判，我深有同感。我更欽佩你能在沉寂已久的藝壇重新啟動熱烈的討論氣氛。但我不認為在已然「體制化」、「官僚化」的當代藝術環境中，這樣的論戰可以產生澄清問題，開拓思維的積極意義，所以我雖然最愛打筆戰，卻未參與這場論戰，而是選擇直接投入台灣實際的政治論述實踐，以歐洲前衛思想的觀點為台灣的政治亂象提供另類的批判解讀：從兩顆子彈到紅衫軍到海外洗錢案，我曾寫過一系列倒扁評論，亦曾為文批評馬政府的官僚無能。有藝術界朋友說我不務正業，我不以為然，我認為這才是知識份子的「正業」。我已無法滿足只是當一個藝評家，我認為瞄準時代核心，批判體制之不義不公，才是真正「前衛」的「藝評」，也是我研讀歐洲「前衛」思想多年真正的學以致用。「前衛」本來就應該是一種跨領域超連結的運動路線，才能結合群眾，與體制抗爭！

宏璋兄，我相信我們這一輩恐怕是台灣最後一代還具有反體制之批判精神，還知道什麼是左派理想。我們還會閱讀呢格利與哈特的《帝國》與紀傑克的拉岡＋列寧之好萊塢電影精神分析。而在呢格利與哈特所刻劃的「帝國」vs.「眾生」（multitude）的後現代抗爭圖像中，我越來越發現到，身處今日新自由主義之「全球化」的「帝國」統治中，最糟糕最難以忍受的其實不是「市場化」，而是「官僚化」。吾人皆知「市場化」之弊病，卻輕忽「官僚化」之為害有甚於市場者。站在「激進民主」的立場，

在市場與官僚之間，我寧可同情市場，因為市場至少比較接近民眾，更能反映與釋放芸芸「眾生」之多元生命力與集體爆發力，所以總是較為「民主」。市場也許會炒作操弄民意，但絕不會脫離民意，不然它活不下去。官僚則多屬未能遠謀的肉食者鄙，極易淪為尸位素餐的行屍走肉，搜刮民脂民膏，卻完全與民意脫節。在今日，不僅國家機器政治領域之「官僚化」越來越僵化腐敗，空轉無能，文化領域之「官僚化」：教育，學術，藝術，其僵化腐敗與空轉無能的程度絕不亞於政治領域，甚至猶有過之。因為政治領域再怎麼爛，還須面對群眾監督與輿論壓力，而文化領域，尤其是當代藝術，則可假借「專業」與「學術」之名塑造一種「偽精英主義」身段，來逃避群眾監督與輿論壓力，同時訴諸行政程序之名將一切問題皆化為體制內關起門來運作的「黑箱作業」。當代藝術假借「專業」與「學術」之名所塑造的「偽精英主義」身段，正是訴諸游走於「觀念藝術」與「視覺藝術」的「扁蝠」姿態。此「扁蝠」型的「偽精英主義」身段固然使當代藝術避開了社會輿論監督，卻也使當代藝術的版圖日益與群眾脫節，終於萎縮成見不得光的扁蝠洞穴，為社會所遺忘。

　　所以此次事件作為「八卦媒體奇觀」衝撞「當代藝術體制」，亦可解讀為八卦媒體的「市場」取向對上了當代藝術體制的「官僚」作風。在這意義下，八卦媒體的「十五分鐘」的曝光效應其實是正面的，可以迫使當代藝術體制暫時走出幽黯自閉的扁蝠洞穴，走進公共領域，在群眾異樣眼光的無情檢視下，暫時拋開自我感覺良好，進行一次澈底的自我批判。

　　當代藝術必須重振前衛運動的自我批判精神，才能走出去，重新與群眾結合。

　　我想起不久前看到一則新聞報導，林懷民先生說雲門舞集競

爭的對象是周杰倫與蔡依林。我希望當代藝術界也能有這樣的視野格局與胸襟氣度，而不是在策展中搞點卡漫就妄想爭取到年輕族群。有本事就直接與美國或日本的卡漫產業競爭，做出更精采好看的卡漫。

我想起我們的老友倪再沁幾年前一篇精采文章的妙論：柯賜海比波依斯更偉大。我完全同意，延續倪再沁的論點，我發現最好的當代藝術家都不在當代藝術界，而是柯賜海、許純美這類各界都不收的怪咖，因為他們創造了當代藝術界做不到的公眾「奇觀」！我也認為當年大衛魔術讓自由女神像消失，或穿過萬里長城的城牆，都創造了比克理斯多的「包裹」更偉大的「奇觀」！

我推想何懷碩與林惺嶽兩位藝壇大老願意接受蘋果日報的訪問，發表對這次事件的看法，應都期望當代藝術能走出去，面對公眾輿論，不要再閉關自守。

我相信我們是最後一代還具有反體制之批判精神者。重振前衛運動衝撞體制之事件與奇觀，讓當代藝術走出去！願共勉之。

附錄

# 威尼斯參展名單荒謬事件簿
## ──台灣策展人機制的「官僚化」與「買辦化」

　　台北市立美術館公布二〇一三年威尼斯雙年展台灣館的策展人與參展藝術家名單，三位參展者中有兩位是外籍藝術家，引起美術界強烈反彈。此一參展名單的荒謬離譜已無需討論，較耐人尋味的是：如此荒謬離譜的評選名單怎麼就這樣明目張膽地產生，這已非「白目」所能形容！幾位評選委員東窗事發後面對千夫所指，其回應之魯鈍無感，搞不清楚狀況，更不讓馬政府專美於前。

　　所以，此一事件之嚴重性已不僅僅是美術界人士所批評的「小圈圈決策」或「公器私用」，而直可類比於台灣職棒之打假球，或陳水扁與林益世之貪汙。如果打假球與貪汙分別標示著台灣職棒與台灣政治之腐敗沉淪，那麼，威尼斯參展名單荒謬事件更標示著台灣當代藝術亦是同樣的爛，誠可謂「爛不孤，必有鄰。」更有甚者，由於事涉國際事務，此荒謬名單更直接反映出評選委員與策展人崇洋媚外，挾洋自重，喪權辱國之買辦心態，簡直將台灣當代藝術狀況一下子拉回滿清末年的半殖民狀態。

　　所以，整個問題可歸結為：當代藝術之「策展人機制」的「官僚化」與「買辦化」。九〇年代興起的「策展人機制」其實是「全球化」潮流之「市場化」在「新自由主義」旗幟下實際施行的「新管理主義」的一環。所謂「策展人機制」只是「新管理主義」在藝術領域的行政化與官僚化產物，而其「尸位素餐，肉食者鄙」之官僚心態還遠超過一般的政府公部門，因為頂著「藝術專業」的光環

當保護傘。更糟的是，台灣在國際現實中的特殊狀況，更使得台灣「策展人機制」日益淪為假洋鬼子式的「買辦化」，乃有挾洋自重，自我矮化，有辱國體之醜態百出。冰凍三尺非一日之寒，台灣「策展人機制」的「官僚化」與「買辦化」早已擺爛多年，罄竹難書，茲舉數端：

一、北美館竟然為威尼斯雙年展之評選特別設立一辦公室，完全於法無據。更無法無天的是，此「辦公室」竟然成為「萬年國會」之封閉決策小組。

二、台北雙年展早已實施「雙策展人」制，找一外國人當第一策展人，再由其指定一台灣人當第二策展人。此舉美其名曰「與國際接軌」，實乃「內神通外鬼」之「買辦」操作。請問：這位外國策展人是誰推薦選出的？當然是某台灣策展人。這位外國策展人一旦雀屏中選，當然要指定推薦他的台灣策展人與其合作，真乃「台灣與國際的完美接軌」。既然台北雙年展可以由外國策展人主導，台灣參加威尼斯雙年展，當然也可請外國藝術家掛頭牌，誰曰不宜！既然「外來的和尚會唸經」，乾脆北美館長，台北市長，台灣總統都請老外來當算了！

三、看看此次事件之始作俑者——威尼斯雙年展之評選委員，個個頂著藝評家與策展人光環，但有哪一個出版過任何像樣的代表性著作？其中有一位林平，數年前還被蘋果日報爆料，揭發其教授升等作品有剽竊抄襲法國藝術家波東斯基以及高師大美術系學生畢業作之嫌。物以類聚，既有這樣靠剽竊抄襲來升等的評選委員，會選出如此「挾洋自重，喪權辱國」的國際參展名單，亦良有以也。

至於美術界人士的反彈則向來缺乏力道，因為系出同門，其立論視野屬於同一「策展人」機制。如果不想讓此次威尼斯參展名單事件淪為美術界小圈圈的「茶杯裡的風暴」，則必須提出更為宏觀

前衛的批判視野，徹底批判整個台灣藝術體制本身：台灣當代藝術
真的要像台灣職棒之打假球一樣的腐敗崩壞？

卷六

# 「軸心」之「興」

第十四章

# 走向「興」的詩學本體論——從陳世驤的〈原興〉與德勒茲的「差異哲學」

　　「興」是中國詩學的千古之謎。本研究試圖打破「比興連言」之傳統成見，論證「興」和「賦」、「比」不在同一層次，「興」不只是一種詩之「方法」，更是詩之「本體」。並結合陳世驤〈原興〉之「初民上舉歡舞」之「人類學」模型以及法國哲學家德勒茲之當代科學典範之「系統—溝通」模型，建構一套「興」的詩學本體論。[1]

## 導論

　　「興」是中國詩學的千古之謎。自《毛傳》〈詩大序〉以降，「賦」、「比」、「興」並列為詩之創作與表現的三種方法與技巧。三種「詩法」中，「賦」與「比」雖亦有其複雜深微之處，但基本的界定並不難理解（「賦」＝直接的描述鋪陳，「比」＝比喻、類比），沒有太大爭議；而「興」卻充滿難以界定的隱

1　本論文是執行100年度國科會補助計畫〈從當代左派的「共體」概念與《詩經》之「興」走向一種「美學—倫理—政治」本體論〉之部分研究成果，僅此致謝。

晦曖昧性，近乎無解的不可定位性，朱熹就直接點破：「詩之興，全無巴鼻。」正如同西方環繞著亞里斯多德《詩學》的「悲劇」界定而展開了西方詩學的千古之爭，中國亦環繞著「興」的界定而展開了中國詩學的千古之爭，延伸至當代仍爭議不休。

就此而言，陳世驤先生的〈原興：兼論中國文學特質〉（以下簡稱〈原興〉）[2]是破解中國詩學千古之謎的劃時代里程碑，其問題意識與理論成就之開創前瞻性與豐富深刻性，至今尚未充分發掘開展。

陳氏考證訓詁「興」在甲骨文之初形，發掘出「興」之原始意涵就是「初民合力舉物旋游所發出的聲音」[3]，陳氏將之概括為「上舉歡舞」，吾人發現可類比於成語所說的「共襄盛舉」。

本研究之主要旨趣：延伸此「上舉歡舞／共襄盛舉」之「原興」模型，對「興」提出充分的理論界定與解釋模型，建構一套「興」的詩學本體論（poetic ontology）。吾人發現，法國哲學家德勒茲在六〇年代提出「差異哲學」（philosophy of difference），透過當代科學之「系統論」與「傳播論」典範，建立了一套訊息傳播溝通之動力模型（dynamic model），剛好可以補充解釋「上舉歡舞」之原始效應。可以說，陳氏訴諸「上舉歡舞」之初民經驗，提供了「興」的「人類學」模型，德氏則提供了「興」的「系統—溝通」模型（system-communication model），結合二者，可建構一套更完整的「興」之詩學本體論。

環繞著「興」的不可定位性，去進行這樣一種「本體論」建構，就如陳氏之夫子自道：「要時時準備讓『興』的呼聲所感

---

2　陳世驤，《陳世驤文存》（台北：志文出版社，1972），頁219。

3　前註，頁236-7。

動,而不為推論的訓詁和繁瑣的義理所滯礙。」[4]誠哉斯言!吾人首先必須擺脫的滯礙,就是「比興連言」的傳統成見,從劉勰《文心雕龍》〈比興〉篇直至民國時代朱自清《詩言志辨》皆屬之。劉勰雖「比興連言」,但仍明確區別二者之本質差異(比=附理/興=起情),朱自清則將「比興」混為一談:

> 「毛傳」「興也」的「興」有兩個意思,一是發端,一是譬喻;這兩個意義合在一起才是「興」。前人沒有注意興的兩重義,因此夾纏不已。[5]

吾人之論點正好相反:興不只是「發端」,更非「譬喻」,正是這兩重義使興的論述陷於夾纏不已的無謂爭議。關於「比興」混為一談之謬誤,吾人只需指出兩點:

一 邏輯的理由:「興」如果可以歸屬於「比」,可以視為「比」的一個次類,那去研究「比」就夠了。「興」也不再具有難以解釋,不可定位之曖昧爭議性。

二 實例的反駁:《詩經》中諸多「興句」之實例,如最著名的〈關雎〉,或〈采薇〉、〈蒹葭〉、〈野有蔓草〉,很明顯的皆無法用「比」來解釋。

要建立一套「興」的詩學本體論,首先要破除「比興」混為一談之謬誤:「興」不但不是「比」,而且和「比」不在同一層次。誠如陳世驤指出:「『興』乃是詩三百的『機樞』。」(頁249)延伸陳氏論點,本研究試圖強調立論:「興」和「賦」、

---

4 同註1,頁250。
5 朱自清:《詩言志辨》(台北:源流出版社,1982),頁239。

「比」不在同一層次，「興」不只是一種詩之「方法」，更是詩之「本體」。

## 壹、「興」之界定與德勒茲的「系統—溝通」模型

　　哲學家斯賓諾莎（Spinoza）指出，有兩種界定事物的方式：「字面界定」（nominal definition）與「真實界定」（real definition）。例如，幾何學對於圓的界定：圓＝與一定點等距離之所有點的集合。斯氏認為這樣的界定方式只是「字面界定」，對於一事物之「真實界定」則必須表示出該事物構成之動因（efficient cause）。所以，圓之「真實界定」：圓＝一線段的一端固定，另一端旋轉所描繪之軌跡。[6]

　　用一般的講法，「字面界定」就是「只知其然」，「真實界定」則是「知其所以然」。但吾人認為，「字面界定」仍是不可或缺的，因為對任何事物的認知理解都是從「知其然」開始，尤其是人文經驗之事物。重要的是，「知其然」的方式須達到「如其所然」地「知其然」。胡賽爾（Husserl, Emond）的「現象學宣言」：「返回事物自身！」無非就是對一事物能「如其所然」地「知其然」。也唯有先「如其所然」地「知其然」，方能更進一步「知其所以然」。

　　所以，關於「興」，吾人可先給出一個現象學描述「如其所然」的「字面界定」。「興」就是「興發」、「引起」，就是「A興發引起B」的一種表現方式，其最大奧妙就是A與B之間尋繹不出任何因果關係或類比關係。「興」之「字面界定」可表述為：

---

6　Gilles Deleuze, *Spinoza et le problème d'expression*, (Paris: Minuit, 1968), p. 123.

{A→B}，假設 A 是一事，B 是另一事，{→}＝興發、引起、導致之「連結」（connexion）與「對應」（correspondence）關係，卻不具任何「因果性」（causality）與「類比性」（analogy）。

以〈關雎〉為例：{A→B：A ＝關關雎鳩，在河之洲；B ＝窈窕淑女，君子好逑 }。在河之洲的雎鳩與君子好逑的淑女之間究竟有何關聯呢？很明顯的，既非因果關係，亦非類比關係，而是一種不可言喻的「連結」與「對應」關係，卻能產生某種強烈感染性的情調、氣氛、韻味。

正因為「興」是這樣一種非因果，非類比，不可言喻的「連結」與「對應」關係，朱夫子才會說：「詩之興，全無巴鼻。」但絕不能就此將「興」完全歸諸非理性，因為「不可言喻」並不等於「不可理喻」，更非「不可解」。{A→B} 之 {→} 既非理性，亦非非理性。更好說，「興」作為一種非因果，非類比之「連結／對應」關係，超越「理性／非理性」之二元對立。[7]

至此，吾人需進一步提出「興」之「真實界定」。正如斯賓諾莎所言，吾人需解釋「興」之「動因」：{A→B}，{→} 不只是「連結／對應」關係，更是產生「連結／對應」關係之「動因」。正如要構成一個圓，需要一線段的一端固定，另一端旋

---

7　劉勰界定「比」是「附理」，「興」是「起情」，似乎將「比」歸於「理性」，而將「興」歸於「情感」、「情緒」，隱含「不可理喻」之意味，「比興」之差異遂成為「理性」與「非理性」之區分對立。不難發現，歷代「比興連言」之詩論大多都蘊含了此一「理性／非理性」之二元對立思考。如果將「興」視為「比」的一個次類，「比」本身是「理性的」、「可解的」正常比喻，「興」則成為一種「非理性」、「不可解」的異常比喻。

返回事物自身，回到我們閱讀〈關雎〉的基本詩意經驗，就會發現此「理性／非理性」的二元對立是極其浮淺虛假的，將「興」歸為「非理性」並無法解決任何問題

轉。「興」＝{A→B}，{→}必須成為一個旋轉的「動因」。

德勒茲在其「差異哲學」的代表作《差異與重複》，建構一套當代「系統—傳播」典範之動力模型（dynamic model）[8]，正可提供這樣一個旋轉「動因」：所謂「差異哲學」就是將任何事物都看成「多維體」（multiplicity），由多重維度構成之複雜系統。系統內部與外界環境需不斷交換物質，能量，訊息。在任何一個系統內或兩個系統之間，至少存在著兩個平行的異質系列，系統之運作就是在兩個平行系列之間產生傳播溝通。根據美國學者德蘭達（Manuel Delanda）的闡釋：

> 在傳播理論中，一個事件之實際發生就在於提供與事件發生之機率（probability）成比例之資訊：一個稀有事件就在於提供比通常事件更多被實現之資訊。這些事件，每個伴隨它自身之發生機率，可被安置於一個系列中。當一個事件的兩個分離系列被置於溝通，以如此方式，其中一系列之機率變化會波及另一系列之機率分布，我們乃有了一個資訊管道（information channel）。一通電報，以其耦合的事件系列（電波事件定義摩斯密碼字母在傳遞線路之發送與接收之兩端）是資訊管道的範例。[9]

---

8　這正是美國學者德蘭達（Manuel Delanda）在《強度科學與潛在哲學》（*Intensive science and virtual philosophy*, New York: Continuum, 2002）一書之重要貢獻：將德勒茲的本體論系統納入當代科學與數學之新典範，成為相應於當代science之meta-physics。

9　Manuel Delanda, *Intensive science and virtual philosophy*, （New York: Continuum, 2002）, p. 76.

必須有一個「第三者」將這兩個系列「置於溝通」（mise-en-communication），使二個平行系列「耦合」（couplage, coupling），由之引發異質元素間的內在「共振」或「共鳴」（resonance），進而產生原初差異效應擴大化之「強迫運動」（forcé mouvement, forced movement），其幅度越出原系列之邊界：

> 一旦兩個異質系列之間建立起交流溝通，所有結果從系統中衍生。有些事物在邊界「通過發生」：爆發的事件，閃爍標示的現象，閃電之類型。時空動力填滿系統，同時表現了耦合系列的共振共鳴，以及強迫運動越過界限之廣大幅度。佔領此系統的主體只能是幼蟲胚胎主體與被動的我。是被動的我，因為這個我只能默觀系列的耦合與共鳴。是幼蟲胚胎主體，因為只能是強迫運動之承受者與支持者。[10]

這個「第三者」作為溝通兩個系列的「代理者」（agent），把一系列之差異元素關聯到另一系列之差異元素，構成「第二度差異」或「差異之差異」。此「第二度差異」就是「強度」（intensité, intensity）。每個系統都是一個「差異之差異」的強度系統。

> 是哪個「代理者」在確保著系統之溝通？閃電在不同強度中爆裂，但有一個「幽黯前鋒」（précurseur sombre）先行於閃電，它是不可見，不可感的，卻預先從相反方向規定了系統

---

10　Gilles Deleuze, *Différence et Répétition*, (Paris: Minuit, 1968), p. 155.

的路徑。同理，所有的系統都包含它的「幽黯前鋒」來確保系列分界之溝通。[11]

這個「幽黯前鋒」（dark precursor）是如何溝通異質系列呢？它是一個「不平者」（dispars）與「差異離合者」（differenciant），將不平衡之異質系列置於第二度差異之串聯，同時往來穿梭於此系列與彼系列，掃描此系列與彼系列，但其自身既非此亦非彼，「不平者」在其自身不斷移位，同時亦在不平衡的系列中不斷變裝，一個繁衍無限「分身」（doubles）的「第三者」，瞬間掃描穿越它的移位空間與變裝過程。[12]

異質系列得以「置於溝通」，兩系列之間不是該具有最低限度之「相似性」？溝通兩系列的「第三者」本身不是該具有某種「同一性」，才能執行「代理者」之角色？不，根據德勒茲的「差異哲學」，「同一性」與「相似性」不是「置於溝通」的「條件」，正好相反，「同一性」與「相似性」是幽黯前鋒在執行溝通時所必然投射出來的運作「效應」，如同一種光學視覺效應：幽黯前鋒自身不斷移位，卻必然投射出某種「同一性」幻象；它在系列中不斷變裝，卻必然聚集某種「相似性」幻象。[13]

此「耦合→共鳴→強迫運動」（coupling→resonance→forced movement）之動力模型可以提供「興」之「真實界定」：

「興」＝{A→B}，{→}＝非因果，非類比之「連結／對應」關係，不就是A、B兩個異質系列之「置於溝通」？

---

11　Ibid. p156.

12　Ibid. p158.

13　Ibid. p156-7.

　　「興」作為一種非因果性之「連結」關係，就是兩個異質系列之「耦合」；「興」作為一種非類比性之「對應」關係，就是「耦合」引發之內在「共鳴」、「共振」。而所謂的「強迫運動」，就是陳世驤所說的「興句」之「反覆迴增、重疊複沓」之技巧：「興的因素每一出現，輒負起鞏固詩型之任務」、「興以迴覆和提示的方法達成這個任務」。換言之，「興句」反覆迴增之「強迫運動」，使「興句」超出自身之界限，構成一首詩之整體律動與系列強度。

　　「興」之「動因」，就是使兩個系列「置於溝通」的「第三者」，往返穿梭於兩個系列的「不平者」，亦此亦彼又非此非彼，不斷移位與變裝的「幽黯前鋒」。德蘭達統稱為「準—動因操作者」（quasi-causal operator）[14]，吾人則可稱之為「興發者」，唯有它可以產生 {A 興發 B} 之 {耦合→共鳴→強迫運動}，構成一個遠離平衡態的差異強度之動力系統，有如韓愈所說的「不平則鳴」，或蘇軾所說的「山鳴谷應」！

　　什麼是「興」？就是一個「幽黯前鋒」的「興發者」構成一個「不平則鳴」與「山鳴谷應」之差異強度的非平衡動力系統。正是這非平衡動力系統使「興」成為「詩三百」之「機樞」。

　　**「興」是「詩三百」之本質與奧秘。「興」與「賦」、「比」不在同一層次。「賦」與「比」是詩之「方法」，「興」是詩之「本體」。**

　　眾所周知，準確生動的描述鋪陳與新奇巧妙的比喻象徵都是詩創作常用的表現手法，但單單只有比喻與描述並不足以構成一首詩。借用德勒茲的講法，「賦」與「比」作為「同一性」與

14　同註3，p76

「相似性」之表象，都只是一種「效應」。是「興」之更原始的「差異」強度與「重複」運動產生了這些「效應」，並使之傳播流通，就如陳世驤所說的，是「興句」的「反覆迴增、重疊複沓」負起鞏固詩型之任務。唯有「興」才是詩之「本體」。單有「賦」與「比」都不足以成詩，須有「興」之興發才使「賦」與「比」煥發出詩意、詩味、詩情。

仍以〈關雎〉為例。{A：關關雎鳩，在河之洲→B：窈窕淑女，君子好逑}，{→}作為一種「興發」，或許可視為「賦」之實景描述（君子與淑女參加河濱公園賞水鳥的聯誼活動），或許亦可視為「比」（用水鳥之發情求偶來類比君子好逑淑女）。然而，是「興」之興發使A與B之連結、對應產生一種新鮮生動的意味、情調、氛圍！

另一詩例：〈野有蔓草〉：{A：野有蔓草，零露漙兮→B：有美一人，清揚婉兮}，可視為實景描述：我在蔓草零露的野地裡遇到一位清秀佳人。亦可視為比喻象徵：蔓草零露煥發出晶瑩清新的氣息，就如同那清揚婉約的美人啊。這是一首最原始直接的動人情詩，表達出「邂逅相遇，適我願兮」之永恆愛情主題的驚艷與感動！但實景描述也罷，比喻象徵也罷，都不足以形容那驚艷與感動是如何轉化為「零露漙兮，清揚婉兮」之晶瑩剔透優美，後世詩論之「情景交融」說亦嫌浮泛皮相。這一切的驚艷與感動只能歸之於「興」之原始動力與強度。所以還是陳世驤的〈原興〉更能觸及問題核心，搔到癢處：

> 女性在情歌裡的顯著地位和自然景物的一再出現都和「上舉歡舞」裡「興」的呼聲有關，這時大地母親的豐饒和少女美婦的生育是二而一的題旨，見於上古的求子祭祀活動裡，而

歌舞音樂也毫無分別，渾然一體。[15]

「興」絕不只是「發端」，而是啟動一首詩，並串聯貫穿整首詩之律動的「準—動因操作者」，它甚至可以跨越詩本身，連結到其他表現形式與更廣大的活動領域：舞踊、音樂、祭祀、節慶。

任何詩一旦抽離了「興」之因素，便興味索然，詩不成詩。當代詩壇正是一個「興味索然，詩不成詩」的無趣狀態，完全喪失動力與強度。

## 貳、陳世驤〈原興〉的本體論意義與人類學模型

吾人挪用德勒茲的「系統溝通」模型，對「興」之動因提出一「真實界定」。現在進一步結合陳世驤〈原興〉之人類學模型，以綜合建構出一更完整的「興」之詩學本體論。

首先須澄清一點，〈原興〉進行了不少文字考據訓詁的研究，是否亦具有本體論意義之研究向度？吾人逕自將之視為一套中國詩學之本體論建構，是否有過度解讀之嫌？例如，夏志清先生就認為該文：「著重討論一個『興』字，考據的味道比文藝批評的味道重，但不失為極有創見的論文。」[16]〈原興〉的中心論點建立在古文字學的考據資料上，所以有濃厚的考據味道。但很明顯的，如果〈原興〉不失為極有創見的論文，其創見絕不在考據研究之發現上，因為是引用民國時代學者商承祚與郭沫若的甲骨

---

15 同註1，頁244。

16 同註1，頁26。

文研究。〈原興〉的真正創見在於根據商、郭的研究成果，提出一套極為原創深刻的中國詩學之理論建構。這套詩學理論當然不是一般的文藝批評，而是探討中國文學與詩經之起源與本質的「本體論」建構：「我們要探討中國文學之起源，自然應該把目光集中在詩經。」（頁219）

在此，吾人發現一個頗具啟發性的參照點：陳世驤的〈原興〉可與海德格的〈藝術作品之起源〉進行某種類比對照。海氏所探索的「起源」（origin）當然不只是「歷史起源」，更是「本體論起源」（ontological origin）：

> 起源在此意味著：發端乎什麼，並經由何處，一事物成為其所是，並如何是其所是。一事物如其所然的存有，它的「什麼」與「如何」，我們稱之為它的本質。
> 一事物的起源就是其本質之來源出處。藝術作品的起源問題提出了其本質性來源的問題。[17]

「歷史起源」只是一個歷史事實與文物遺跡的考據問題。很明顯的，〈原興〉之研究旨趣不只是追溯詩三百之「歷史起源」，更是從「歷史起源」中發掘出詩三百之「本體論起源」：

> 追溯詩的原始意義，探討構成詩經一體的共同基礎。……如果我們能詳細探究出「詩」與「興」這兩個字的意義，並把這兩個字結合討論，即有希望求得詩三百的原始面目。此一

---

17 Martin Heidegger, *Chemin qui ne mènent nulle part*, traduit de l'allemand par Wolfgang Brokemier,（Paris: Gallimard, 1962）, p. 13.

原始類型使詩經裡的作品保有共通的文類典型。[18]

　　陳世驤所追溯的詩之「原始意義」與「共同基礎」，詩三百之「原始面目」與「原始類型」，很明顯的已超越「歷史起源」問題，而是海德格意義下的藝術作品之「本體論起源」問題。因為唯有「本體論起源」才足以構成一種「原始類型」，使歷史中分散流傳的「詩三百」保有共通的文類典型。而唯有「興」可充當此「原始類型」之「本體論起源」。

　　但陳氏卻是以追溯「歷史起源」的方式突然就不言自明地跨入「本體論起源」，這當中蘊含了某種邏輯的跳躍，從歷史事實的層次突然跳躍到概念理型的層次，有暗渡陳倉之嫌。若要為此「邏輯的跳躍」尋繹出一個觀念的跳板，那就是：陳氏追溯「歷史起源」直至「史前社會」的初民經驗。所謂「歷史」就是有文字記載，那麼，沒有文字的「史前」初民經驗還能算是一種「歷史起源」嗎？眾所周知，專門研究史前社會之初民經驗，不是歷史學，而是人類學。所以〈原興〉所追溯的詩之「歷史起源」其實是一種「人類學起源」，並進而將此「人類學起源」逕自提升為一種「原始類型」的「本體論起源」。可以說，「人類學起源」就是〈原興〉的觀念跳板，使其從詩之「歷史起源」直接跳躍至「本體論起源」！

　　〈原興〉的基本推論邏輯：**中國文學之起源在詩經→詩經之起源在「興」→「興」之起源在「合力舉物旋舞」之初民經驗**

　　但如何推知「興」之原始義意就是「合力舉物旋舞」？透過「興」在甲骨文之原始字形。在此，吾人發現陳世驤與海德格的

---

18　同註1，頁227。

另一相似處：皆喜透過古文字學之考據訓詁進行一種「說文解字」式的哲學思辨，追溯一個字之字源字根之原始意義，藉由字源字根之原始意義去揭示逼顯出某一現象經驗之原始意義，此原始意義在後來的歷史過程中往往遭到遮蔽扭曲，而湮沒失傳！

陳世驤綜合商承祚與郭沫若對於「興」之甲骨文初形的研究成果。根據商氏，「興」之初形為「四手合托一物之象」。「郭氏更強調說，此所托之物非舟，而絕對是槃」、「具有環轉之動態因素」。商氏得到一個結論：

> 興是群眾合力舉物時所發出的聲音。他斷定興音是擬聲，如邪許之類是也。商氏指出，群眾舉物發聲，但我們以為這不僅因為所舉之物沉重。郭氏所強調的「旋轉」現象，教我們設想到群眾不僅平舉一物，尚能旋游。此即「舞踊」。舉物旋游者所發出之聲表示他們的歡快情緒。[19][20]

> 我們知道「興」乃是初民合群舉物旋游時所發出的聲音，帶著神采飛揚的氣氛，共同舉起一物而旋轉。此一「興」字後來演繹出隱約多面的含義。我們可以把「興」當作結合所有詩經作品的動力，使不同作品納入一致文類，具有相同的社會功用，和相似的詩質內涵。[21]

---

19 同註1，頁236。

20 亦如韓文中之「阿里郎」。台灣人常稱韓國人為「阿里郎」，所以我一直以為「阿里郎」是某個韓國人名，就如稱日本人為桃太郎，美國人為山姆大叔。直到在巴黎留學時，認識韓國朋友，詢問之下，才知原來「阿里郎」是韓文中一個無意義的擬聲字，如「嗨喲唉」之類。

21 同註1，頁237。

英文中 Uplifting（上舉）這個字，以表示「興」字的雙關涵義，最可發人深思，因為這指身體與精神同時之上舉，見於原始歌舞產生的初型。……「在場者受精神與感情的刺激，蹈足上舉而成舞。」……「興」的呼喊於是在初民的群舞裡產生……快活的勞動或節慶的遊戲是產生這種呼喊的原動力，這種呼喊帶有節奏的因素，而且變化無窮，……

基於此，我們可以斷定「民歌」的原始因素是群體活動的精神，源自人們情感配合的「上舉」的衝動。但論「民歌」的「群體」因素，只能適可而止，因為在「呼聲」之後，總會有一人脫穎而出，成為群眾的領唱者，貫注他特具的才份，在群眾遊戲的高潮裡，向前更進一步，發出更明白可感的話語。……配合群眾集體的音樂與舞蹈，「領唱者」不斷順著原有的主題，不斷擴大，發出更多恰當有關的言語，此即原始民歌的根本。[22]

詩經作品成於淳美簡樸的遠古世界，無論質地和形式都非晚期民謠可比。由於歷史上社會階層不斷的變動交融，後代民謠根本不再是原始樸拙精神的產物。[23]

所以女性在詩裡的崇高地位反映的並不見得是周代社會的現象，它反映的應該是更古老時代詩歌形成的典型。這個典型發展到最後，經過誇張和潤飾的階段，就產生詩經作品的優美。因此，為了要真正欣賞詩經，我們不妨以原始社會為依歸，不必處處拘泥於周代的社會史實。[24]

---

22　同註1，頁240-1。
23　同註1，頁262。
24　同註1，頁243。

遠古的初民世界是一個新鮮世界，如加羅教授（H. W. Garrod）所言：「起初這世界曾是新鮮的。人一開口說話就如詩詠。為外界事物命名每成靈感。」

《詩經》裡的興是來自新鮮世界的特質，在形式方面所有的興都帶著襲自古代的音樂辭藻和「上舉歡舞」所特有的自然節奏，這兩種因素的結合構成「興」的本質[25]

於是，陳世驤將「興」建構為「初民上舉歡舞」的人類學模型，不僅是詩三百之「機樞」，更設定為整個中國文學的「原始類型」與「共同基礎」，據以「認清文藝的昇華與墮落等現象。」陳氏乃提出他心目中另一種「興義銷亡」說：銷亡的不是文人士大夫的「美刺傳統」之「微言大義」，而是「遠古初民經驗」之原始感動。最後，陳氏更從「興」的群體因素，提出一套「民間傳統」與「個人才具」相互辯證提升的文藝發展史觀。並舉例李白，杜甫與紅樓夢作者這中國文學史的三大天才，皆從「民間傳統」汲取創作養分，其藝術成就亦需置於文類的傳統中來評價衡量：

誰都知道紅樓夢是中國文學史裡登峰造極的小說，但它顯然還保留著民間說書的色彩。我們發現這個人才具與民間傳統的結合仍然保持著明顯的俗世的辛酸和歡暢。所以這個高度加工的藝術品裡正顯示洪荒以來基本人性的活生生的面貌。[26]

---

25　同註1，頁249。

26　同註1，頁266。

　　此「初民上舉歡舞」之「人類學」模型，可與德勒茲之「耦合→共鳴→強迫運動」之「系統─溝通」模型相互對照、綜合。

　　「興」之初形是「四手合托一物」，所舉之物為「槃」，是「環轉之動態因素」，引發「舉物旋游發聲」，進而「上舉歡舞，反覆迴增」。「四手合托一物」＝「耦合」，「舉物旋游發聲」＝「共鳴」，「上舉歡舞，反覆迴增」＝「強迫運動」。「槃」作為「環轉之動態因素」，就是連結差異元素之「準─動因」的「不平者」，其運作就是不斷移形換位，德勒茲亦稱之為「先驗對象」＝X。

　　另一法國哲學家瑟赫在《羅馬》一書指出：「集體」（le collective）之形成需要投射出某個超越集體的「準─對象」（quasi-object＝x），無論是神明或偶像，金錢或機器：「我稱之為準─對象者，就是在群體中流通者，藉由它的流通來構成群體者。」[27]所以，「沒有一個集體是沒有對象的，也沒有一個對象是沒有集體的。」[28]

　　「槃」作為一個不斷環轉的「先驗對象」＝X，就是一個集體的「準─對象」，簡稱「集體對象」（collective object）或「共同對象」（common object）。它也正是法國社會學家涂爾幹（Durkheim, Emile）所說的「集體表徵」（collective representation）。所以，真正的關鍵不在「槃」這個對象本身，而在它所興發帶動的共同動作與集體行動，一個「舉物旋轉」的「先驗行動」＝X。所以，「準─動因」的「興發者」不只是「先驗對象」＝X，更是「先驗主體」＝X，一種「上舉歡舞」的「集體興奮」

---

27　Michel Serres, *Rome: le live des fondations*,（Paris: Editions Grasset, 1983）, p. 111.
28　Ibid, p. 110.

與「群眾狂熱」，它就是涂爾幹的「集體意識」，盧梭的「公共意志」（general will），尼采的「酒神衝動」。德勒茲稱之為「幼蟲胚胎主體」，因為這個「先驗主體」＝X遠超乎現代個人主義的自主性意識，指向遠古初民世界的原始感動。

而正如陳世驤指出，此「上舉歡舞」的原始感動不會一直停留在「眾聲歡呼」階段，在「呼聲」之後，會有一個「領唱者」脫穎而出，將群眾的歡呼感動發展為一種更高級的表現形式。這個「領唱者」就是德勒茲所說的連結溝通各異質系列的「幽黯前鋒」，也就是一般所說的「個人天才」！但此「個人天才」是作為感動群體之「興發者」而成就其個人天才，所以真正的「個人天才」必然同時是「人民之天才」（the genius of people），無論是屈原、杜甫或荷馬、莎士比亞！正如瑟赫所言：「沒有無對象之集體，也沒有無集體之對象。」

### 一個「集體對象」作為「準─動因」之「興發者」包含三個層次：對象物→集體性→個人天才 （object→collectivity→individual genius）

試以當代流行的「足球」運動為例，闡明此「集體對象」模型之普遍有效性：足球作為「對象物」，正是一個「環轉」的動態因素，不斷移位換形的X。「四手合舉一物」轉為「眾腳合踢一球」。「眾人舉物旋游」變成「眾人踢球旋游」。足球作為一「集體對象」，首先興發的「集體性」是團隊運動精神，但更重要的「集體性」是，一球之旋轉可興發凝聚無數球迷的集體狂熱，成為舉國若狂的全民運動，甚至風靡全球。最後則等待召喚某幾個天才球星的臨門一腳，勁射入網。更經典的是，足球所興

發凝聚的「集體性」不只一個集體，而是涵蓋兩個或多個集體的抗衡對決。所有文化運動作為某種「文類」之創造過程，都是一個不斷旋轉的球＝Ｘ，興發凝聚「集體性」，召喚一個天才球星的到來。此天才球星可強化擴大「集體性」效應，如不斷跨越原初界限之強迫運動。

　　結合陳世驤的「初民上舉歡舞」之「人類學」模型與德勒茲的當代科學典範之「系統─溝通」模型，吾人發現，一旦建構了這樣一套「興」的詩學本體論，「興」的因素其實早已「強迫運動」般超越詩本身的界限，而延伸擴散到所有人文領域，正如孔子所說的：「興於詩，立於禮，成於樂。」

　　吾人將更進一步結合當代新左派哲學家呢格利（Negri, Antonio）與哈特（Hardt, Michael）合著的《帝國》（*Empire*）第三部 *Commonwealth* 所提出的「共體」概念（the common）[29]。吾人發現，「興」不只是詩學的動力模型，亦可作為「共體」形成之動力模型。吾人將「初民上舉歡舞」之「人類學」模型延伸轉換為當代「眾生」（multitude）反抗「全球化帝國」，「共襄盛舉」之「共體」模型。「興」乃超出詩學本體論，指向一套「興於詩，立於禮，成於樂」之「美學─倫理─政治」本體論！

---

29　Michael Hardt & Antonio Negri, *Commonwealth*,（Massachusetts, Harvard University Press, 2009）

附錄 1
# 世界盃啟示錄

　　世界盃賽事瘋迷全球，全世界大概只有兩個地方不為所動。一個是美國，一個是台灣。美國為什麼不為世界盃所動？因為美國就是全世界，美國本身就擁有足以壓倒全世界的最大運動王國。台灣為什麼不為世界盃所動？因為台灣已自絕於全世界，台灣人已關上世界之窗，根本不管全世界發生什麼，只想照魔鏡般自我催眠：魔鏡，魔鏡，台灣是不是全世界最美麗的福爾摩莎？

　　俗話說：「內行的看門道，外行的看熱鬧。」我看足球便是從看熱鬧開始的。上個世紀末，我還在巴黎勤工儉學的日子，有一次路過市政府廣場，見廣場上立一電視大銀幕，即時轉播世界盃。於是我也加入眾人席地而坐，隨著銀幕上的賽事而一起驚叫拍手或哀嘆笑罵。在看熱鬧當中，我看出了足球的門道，那就是：足球的「門道」根本就離不開「熱鬧」。足球之魅力無非是一種集體的興奮狂熱。足球之妙處就在於「熱鬧」與「門道」並行，一體兩面，缺一不可。所以看足球必得集體觀賞，若無法親臨現場，至少也要到公眾場所（廣場或 pub）集體看轉播。留在家中看電視則必然興致熱度大打折扣。

　　法國哲學家瑟赫說：「沒有一個對象沒有集體，沒有一個集體沒有對象。」足球便是一個凝聚集體意識的共同對象＝$X$，點燃引爆集體的興奮狂熱，構成一個 high 到不行的迷狂共同體。什麼是「熱鬧」？就是群眾集結的興奮狂熱所形成的集體氛圍與公共場域。什麼是「門道」？就是集體氛圍所環繞的共同對象＝$X$ 不斷移形換

位的軌跡變化，不斷牽動人心的奧妙機轉。

　　世界盃正從是二十世紀延燒至今，現代資本主義最大的一場「熱鬧」。資本主義發展至消費社會，成為專事作秀表演以製造萬人空巷的「奇觀」社會。世界盃與奧運正是消費社會的兩大世紀奇觀，百年熱鬧。但世界盃實比奧運更為「奇觀」，因為奧運的項目太多，太分散了。世界盃則是凌駕奧林匹克諸神的現代酒神祭。它以一顆不斷移形換位的圓球＝$X$突破了現代個人主義的藩籬，將群眾從日神阿波羅的「個體化原理」釋放出來，回到最原始的集體狀態，所有人都變成沉醉狂舞的酒神戴奧尼索斯。古代的奧林匹克諸神則變成現代的球星偶像，如同熱門歌手演唱會，以神奇魅力的形象演出帶動全世界狂舞。

　　足球是歐洲的運動。而在歐洲諸國中，法國對足球的狂熱其實較為有限，因為法國人太小布爾喬亞，太個人主義，自我中心了。足球的沉醉迷狂則需要無產階級般一無牽掛的放形忘我。世界盃是現代普羅大眾解除個人主義框框的狂歡酒神祭。這是足球驚人的「現代性」：足球是集體的藝術，人民與群眾的藝術。「現代性」不只是「個人主義」的興起，更是「群眾」力量的解放與集結，如波特萊爾的宣言：「結合群眾！」「現代性」開始於巴黎街頭的群眾集結運動。猶記1998年巴黎世界盃，法國隊3比0大勝巴西隊奪冠之夜，巴黎舉城沸騰，街車亂鳴喇叭，路人相顧叫吼長嘯，人潮車流齊湧向香舍麗榭大道凱旋門前。這次世界盃竟然歷史重演，法國隊再次大爆冷門1比0力克巴西隊。深夜台北看轉播，哨音響起的一刻，看見進球建功的亨利激動大叫，我知道巴黎今夜又要瘋狂了！離開巴黎數年，我第一次想衝回巴黎，與路人街車一起嘯聚巴黎街頭。

附錄2
# 北韓存在的正面啟示

　　北韓的存在是一個不可思議的時代錯置！在冷戰早已終結的全球化時代，一個北疆小國竟能延續堅持二戰後的強人威權政治，完整保存冷戰時代的軍事戒嚴體制，簡直就是「政治人類學」之田野調查的活化石。看到北韓人民言必稱偉大領導人金XX，彷彿看見昔日自己的荒謬招魂顯影。看到金小胖成為國際媒體寵兒，三不五時就要大放厥辭，俾倪美日，叱吒全球，那股子「其奈我何」的囂張勁兒，叫人不禁遙想起冷戰時代的民族救星，世界偉人—史達林，毛澤東，蔣介石，佛朗哥，胡志明，金日成。相較於這一系列戰後強人封神榜，金小胖的「強人」造神運動簡直是kuso版的功夫熊貓秀。不，金小胖不是瀕臨絕種的熊貓級稀有保育動物，而是早已絕種的恐龍級古生物，是恐龍蛋化石幻育孵化的漫畫版噴火小胖龍，在全球化時代上演冷戰懷舊的侏儸紀火龍秀！

　　可笑話之餘，自命「世界公民」的我輩仍無法迴避一個大哉問：面對網路世紀之無遠弗屆、無孔不入，北韓的鎖國如何可能？金小胖真有那麼大的強人魅力？朝鮮共產黨真的那麼厲害？其軍事戒嚴體制真的那麼固若金湯，滴水不漏？不，不可能，沒有任何強人可以一手遮天，沒有任何政黨與體制可以包山包海，完全封鎖操控千萬人民的思想與意志，如果不是人民自己選擇自閉抗世？就此點而言，北韓的存在並非沒有正面的啟示與意義，它反證：逆反時代潮流，不隨世界起舞是可能的，只要人民堅持意志。面對舉世滔滔的全球化洪流，天下萬民莫不望風臣服，唯有北韓人民不為所

動，展現出截斷眾流，堅忍不拔之集體意志力，其特立獨行，橫空出世，堪稱世界奇觀。

北韓之鎖國與不久前緬甸之鎖國不同。緬甸鎖國只是軍頭獨裁專政，沒有任何理念或理想性可言。北韓作為冷戰殘留的共產主義政權，則是有理想有理念的。北韓的錯誤不在其堅持理念之人民集體意志力，而在其所堅持之理念已然僵化、腐化、異化、虛妄化。換言之，北韓人民的理念是錯誤虛妄的，但北韓人民意志之堅毅不拔、眾志成城則是舉世無匹，令人不得不驚嘆佩服。孔夫子說：「三軍可奪帥也，匹夫不可奪志也。」匹夫之個人意志尚且不可奪，何況是人民之集體意志！然則，環顧今日世界，最欠缺的恰恰就是這最「不可奪」之「志」，且看萬國生民皆陷於一種「喪志」狀態，或是一味追求經濟、科技發展與消費娛樂而「玩物喪志」，如美、日等經濟大國；或如法國深具人文素養，力抗舉世滔滔之物化潮流，卻也尋無出路，困坐愁城，而不免「懷憂喪志」！換言之，在「全球化」洪流中掙扎浮沉之萬國生民，不是拋向「玩物喪志」之狂瀾，就是落入「懷憂喪志」之頹波。

何謂「志」？孔子、孟子之「志」不是一般的意志、意欲，而是「志於道」之志向與心志。「道」就是遠大的理想，真實正面之理念，致力於人類美善之正道王道。今日世界最欠缺的就是「志於道」之心志與理念，所以無論「個人」或「人民」均陷於「喪志」與「無道」狀態而難以自拔。北韓之可貴就是其人民並未「喪志」，反而展現出截斷眾流，眾志成城之堅毅心志，惜哉其所志之道已僵化異化為虛假理念。設想有北韓人民之堅毅心志，而又有真實正面之理念，不正是扭轉乾坤，解民於倒懸之唯一王道？

# 第十五章

# 儒學文藝復興與第三軸心時代的來臨

面對「西方的沒落 vs. 中國的崛起」之今日世界形勢，吾人嘗試立於「理念」的高度予以重新定位。並援引雅斯培的「軸心時代」說，將十六世紀興起於歐洲的「西方現代性」界定為第二軸心時代，它同時是對希臘軸心文明的回歸（文藝復興）以及基督教軸心文明的自我更新（宗教改革），形成了「自然權利」與「新教精神」兩大原則，如同 X、Y 軸構成「自由人」理念之現代世界座標。

西方的沒落與中國的崛起，應定位為第二軸心時代向第三軸心時代之偉大轉換。第三軸心時代就是中國軸心文明在二十一世紀的文藝復興，復興孔孟儒學之「德性」原則，「倫理人」理念與「王道」理想。從第二軸心時代到第三軸心時代就是從「自由人」走向「倫理人」。

## 導論：天子旌旗分一半，八方風雨會中州

2013年，六月七日與八日，美國總統歐巴馬與中共主席習近平在加州的安納柏格莊園（Annenberg）進行一場非正式會晤。此次歐習會之重要性，象徵性意義要遠大於實質性意義，它為美中元首開創了一種新型的莊園外交模式，象徵著「美中新型

大國關係」，改變了後冷戰時代美國獨霸的單極世界，中國成為可與美國分庭抗禮之新興大國！

歐習會場景令人想起唐詩名句：「天子旌旗分一半，八方風雨會中州。」正如後人評點這兩句詩「語遠而體大」[1]，歐習會作為一個象徵性意義遠大於實質意義性之國際事件，亦堪稱「語遠而體大」！

如何「語遠而體大」呢？一般的解讀就是：歐習會象徵著美中新型大國關係之國際權力版圖形勢消長，重新洗牌布局之大盤整大重組。

然則，歐習會的「天子旌旗分一半，八方風雨會中州」應有更深含意，其「語遠而體大」不應僅止於美中兩大強權之形勢消長，美國的衰退與中國的崛起應指向更深遠宏大的意義。吾人應立於一個「理念」的高度，將美中形勢消長解讀成「西方的沒落 vs. 中國的崛起」。美國的衰退不只是美國一國的衰退，而是整個西方的沒落，全世界的沒落。中國的崛起也不只是中國一國的崛起，而是提供全世界的一個新的理念方向與願景視野。

面對西方的沒落與中國的崛起，我們必須提出一個「大哉問」：人類往何處去？世界往何處去？換一個方式問：西方的沒落與中國的崛起，對於「人類往何處去？」可以提出什麼樣的啟

---

1 葉夢得《石林詩話》：「韓退之筆力最為傑出，然每苦意與語俱盡。〈賀裴晉公破蔡州回〉：「將軍就壓三司貴，相國新兼五等崇」，非不壯也，然意亦盡於此矣。不若劉禹錫〈賀晉公留守東郡〉：「天子旌旗分一半，八方風雨會中州」，語遠而體大也。」（仇兆鰲，《杜詩詳注》，頁1132）惟按《全唐詩》中僅見劉禹錫，〈郡內書情獻裴侍中留守〉：「萬乘旌旗分一半，八方風雨會中央。」然訛傳之句反而筆力萬鈞更勝原詩，辭氣格局皆更為恢弘深遠，跌宕開闊，更當得起「語遠而體大」。

示與答案？

西方為什麼沒落？中國又憑什麼崛起？憑什麼要與美國「天子旌旗分一半」？這個「憑什麼」的「什麼」當然就是「實力」，經濟力，科技力，軍事力，所謂「富國強兵」是也。但這個「什麼」絕不僅止於此。套用電腦世代語言：所謂「實力」並不限於可見的硬體實力，更應包含不可見的「軟實力」。進一步延伸其說：所謂「軟實力」並不僅止於軟體程式設計與技術專利發明，亦不只是企業經營與行政管理模式之革新，更應包含「理念」之創新。套用大陸流行語：「軟實力，硬道理」，「理念」就是「硬道理」，就是敢於探索宇宙人生之根本道理，提出終極的「為什麼」之大哉問，建立一套總體的世界觀、人生觀、價值觀。「理念」作為「硬道理」就是「主義」，就是「戰略」，告訴世人「為何而戰？」，設定最高指導原則。

葛蘭西之「文化領導權」（hegemony）：一個政權之成立不能只憑武力，還需建立「道德與思想的領導」，以德服人，以理服人。唯有取得「文化領導權」，才是真正的「主權者」與「至高者」（the sovereign），如武俠小說中之武林至尊、武林盟主。

所以「文化領導權」才是真正的「天子旌旗」。孔子曰：「天下有道，則禮樂征伐自天子出。」周天子作為諸侯之共主，其實並無實權，而是掌握文化領導權之精神領袖。西方中世紀之羅馬教皇，日本戰國時代之天皇都曾扮演類似「周天子」之精神領袖角色。冷戰時代，美蘇兩大超強對峙就是「天子旌旗分一半」，除了軍事與經濟力量旗鼓相當，更重要的是各自打出「自由主義」與「共產主義」之精神旗幟來號召列國，形成兩大「神聖家族」之國際同盟陣營。八〇年代末期蘇聯解體，冷戰終結，美式自由主義成為天下獨尊的「天子旌旗」，所謂「新自由主

義」、「全球化」云云，無非是這面「天子旌旗」的學術包裝用語。

　　隨著二十一世紀各類危機逬現：全球性的經濟衰退，民主倒退，人文疲蔽，思維退化，環境破壞，恐怖主義與戰爭風雲再起，……美式自由主義的這面「天子旌旗」早已喪失其「以德服人，以理服人」之精神權威。美國所代表的「西方」作為一個歐風美雨五百年之「領導理念」（leading Idea）正在急遽腐敗崩壞，而新的「領導理念」卻尚未成形，今日的世界局勢正陷入「八方風雨會中洲」之渾沌昏暗狀態，看不到任何前景與光明。

　　「天子旌旗分一半」，美國作為西方霸主與世界盟主，要分出一半的領導權給中國。但中國憑什麼要求美國分出一半的世界領導權，除了經濟、科技、軍事之硬實力外，更要有提出「理念」與「主義」之最高等級之軟實力。換言之，中國想要與美國逐鹿天下，最終須取得思想與道德之文化領導權。

　　史特勞斯論馬基維利，特別指出：「沒有武裝的先知在身後靠宣傳實現征服，……馬基維利從基督教哪裡接受的唯一要素就是宣傳（propaganda）的概念。」馬基維利著書立新說，就是企圖建立一種「新方式與新秩序」來反抗取代基督教之舊方式與舊秩序。這是一場「精神的戰爭」，所以馬基維利真的想做的並不是模仿羅慕路斯或摩西這種擁有武裝的先知，而是模仿耶穌這種沒有武裝的先知，以「宣傳」的方式來推行其思想學說，逐步征服世界。[2]

　　今日中國之逐鹿天下，真正欠缺的不在「武裝」，而是在思

---

2　劉瑋，《馬基亞維利與現代性──施特勞斯、政治現實主義與基督教》，上
　　海：華東師範大學出版社，2012，頁33。

想理念層次是否具有「先知」之視野。正如同美國輸的也不在「武裝」（美國仍是第一大經濟體與第一軍事強國），而是自由主義理念本身之疲弊衰竭。

　　歐習會作為「天子旌旗分一半，八方風雨會中州」之象徵性事件，其「語遠而體大」之真意在此：西方的沒落 vs. 中國的崛起。歐風美雨的「西方」作為一個「現代性」理念的沒落，「中國」作為一個領導世界之「新理念」的崛起。

　　董仲舒《春秋繁露》云：「王者，往也。」「王者民之所往，君者不失其群者也。故能使萬民往之，而得天下之群者，無敵於天下。」[3]誠哉斯言！誰可以告訴世人「往何處去？」，誰就是王者！可以回答「中國往何處去？」，就是中國之王者。可以回答「世界往何處去？」，就是世界之王者，天下之共主。


## 壹、新世界觀之地圖、星圖、軸心

　　根據康德，「理念」就是「理性」（reason）所產生的「整體性概念」。康德特別界定「理性」之作用就是使思想可以給自己確定方向（orientation）。orientation 原是一個地理學概念，意指在一個給定空間中確定方向。吾人對外在空間方位的辨別力，預設了吾人自身在主觀上對左右兩邊的辨別力。即使在黑暗中看不見任何物體作為參照對象，吾人仍能就自身區別左右，確定自己的方位。這就是一般所說的「方向感」。康德將其引申為「在思想中的導向定位」（orientation in the thought），理性就是思想領域中之「方向感」：

---

3　陳柱，《公羊家哲學》，臺北市：臺灣中華書局，民69，頁9

因此，純粹合乎理性的信仰是路標與指南針，以此為憑藉，
思辨的思考者在超感官對象的領域中合乎理性地散步時，就
能為自己確定方向了。而有著道德上的健全理性的普通人，
則可以出於理論的和實踐的目的，利用它為自己的行程制定
與計畫了，並使這一計畫與自己的整個命運的目的取得完全
的一致。[4]

理性作為「思想為自身導向定位之方向感」，更可比擬於今
日之衛星導航，理性就是「思想自身的衛星導航系統」，可以隨
時為吾人之思辨與實踐導航定位。在這意義下，「理念」作為
「理性」所提供之「整體性概念」，就是「思想的衛星導航系統」
所畫出的地圖、路徑圖，「思想的導向」同時就是一種「世界的
定位」（orientation of world），一種「世界觀」（world-view）的
投影繪圖。

這並非巧合，馬基維利的《君王論》卷首獻詞也有一個著名
的「地圖學」比喻：

一個地位卑微的人敢於議論君政大事，並試圖立下君王治國
之規則軌範，我希望不被視為僭越狂妄。對於一個繪製地圖
的人，須置身於低地之處，以便了解高山峰稜之特性。亦須
攀登至更高處，以便了解平原低地之特性。同理，必須設想
處於君王之位置，方能確切了解人民之特性。亦須身為平

---

4　康德，《康德政治著作選》，金威譯，北京：中國法政大學出版社，2013，
　　頁282。

民，方能確切了解君王之特性。[5]

「君王：人民＝高山：平原」，「君王」喻為「高山」，指向一種「高度」，「人民」喻為「平原」，指向一種「廣度」。此「高度」與「廣度」當然就是「人性」自身之「高度」與「廣度」，同時亦是「世界」之高度與廣度，正如文藝復興同時是「人之發現」與「世界之發現」。

然則，正是在此處觸及一個更深刻微妙的悖論弔詭：「理念」作為一種引領時代的「世界觀」，應該指向一種超越現實狀態的「高度」，一種唯有「王者」才看得見的「高度」。而一個「新理念」更應指向世界未來發展的新方向、新願景，就如馬基維利所說的「新方式，新秩序」（有些英譯本譯為「新方法，新體系」），簡言之，一種「新世界觀」。所以真正的「新君王」必須是一個可以預見世界未來命運的「先知」，無論他是否擁有「武裝」，因為他可以預見到一種「新方式，新秩序」之未來大趨勢，看到一個尚未成形的「新世界」正在到來。

這樣一種勾畫未來新世界的靈視（vision），已不只是「地圖」，而是「星圖」。所謂「世界觀」，並不只是描述「實然」之圖像，更是規範「應然」之理念；不只是「現實世界之地圖」（map of the real world），更是「理念王國之星圖」（constellation of Ideas-realm）。所以，今日世界之新君王需要掌握的，不只是國際現實形勢之「權力地圖」，更是指引未來世界大方向的「理念星圖」。

---

5　Michiavelli, *The Prince and The Discoures*, p. 4，參酌何欣譯《君王論》，台北：國立編譯館，1966，頁17。

弔詭的是，正是馬基維利的《君王論》所開啟的「自然權利」學說（natural right）形成了現實主義與犬儒主義之「現代政權」，使現代人的世界觀喪失了「理念」之「高度」。馬基維利所設想的現代新君王其實是沒有「理念」，沒有「高度」的，唯有現實權謀操作世俗人心之「廣度」。今日的「全球化」只是馬基維利主義極度現實化、犬儒化所導致的「廣度」之延伸。

不難發現，「地圖」一詞已成為當代文化的一個流行範疇，到處都在標榜「地圖」，不只觀光旅遊有古街地圖，文學有地方誌、民俗誌之文學地圖，連大學課程規劃也有課程地圖。當代文化的這股「地圖熱」正好反映出一種馬基維利主義喪失理念高度的庸俗無文與思想貧乏。然則，人類之思想與生活指南，可以只剩下「現實」之「地圖」，而無「理念」之「星圖」？

在這意義下，康德的「地圖學比喻」剛好對反於馬基維利，將馬基維利的現實主義之「地圖」重新提升為一種理念王國之「星圖」。「理性」作為「思想自身之導航定位」，不依賴任何外在參照，而是基於「理性」自身之需求與權利。正如同吾人先就自身辨別左右，才能辨別外在空間之四方。同理，「理性」作為思想的衛星導航系統，先為吾人之思想自身確定方向，才進而為世界定位，標定世界之座標方位。

而今日世界正陷入一個舊理念崩壞，新理念尚未樹立，「八方風雨會中州」混沌昏暗之臨界時刻，仿佛又回到十九世紀歐洲一八四八革命時代，十六世紀文藝復興時代，甚至中國的春秋戰國時代。然則，「王者，往也。」正是在這混沌春秋亂世，更迫切需要有真正王者高舉「天子旌旗」，指引世人「世界往何處去？」「人類為何而戰？」重畫世界之座標，理念之星圖。

然則，今日之王者又要去何處發掘世界之座標、理念之星

圖？回到理性自身中去發掘，而理性是在人類的歷史進程中彰顯開展的。在此，雅斯培在《歷史的起源與目標》提出「軸心時代」說，提供了一個著名解答：

西元前五〇〇年前後，或西元前八〇〇至二〇〇年，不同地區的文明產生重大的突破與超越，成為世界歷史的軸心，從它以後，人類有了進行歷史自我理解的普遍框架：「直至今日，人類一直靠軸心期所產生的思考和創造的一切而生存，每一次新的飛躍都回顧這一時期，並被它重燃火焰，自那以後，情況就是這樣，軸心期潛力的甦醒和對軸心期潛力的回歸，或曰復興，總是提供了精神的動力。對這一開端的復歸是中國，印度和西方不斷發生的事情。」[6]

「軸心」的意象當然來自笛卡兒的「坐標軸」。思想以某個觀念為「原點」，設立某組「原則」為縱橫軸，構成一套世界定位的座標體系。陸象山說：「夫子以仁發明斯道，渾無罅縫。孟子十字打開，更無隱遁。」此「十字打開」就是一種「座標軸」意象。「軸心」就是「理念」的創立與開展，構成一個民族自我定位之世界座標。

軸心文明就是某個民族的文明發展達到「理念」高度之精神自覺而自成一世界體系，不只決定該民族特有的發展方向，同時更為人類總體發展奠立了一個可能的基本精神方向與普遍框架。軸心文明的偉大正如張載名言：「為天地立心，為生民立命」，所以足以成為「世界歷史」之軸心。

思考「西方之沒落」與「中國之崛起」，我們必須從國際現

---

6　卡爾・雅斯貝斯，《歷史的起源與目標》，魏楚雄，俞新天譯，北京：華夏出版社，1989，頁14。

實關係提升到「世界歷史」（world-history）之高度，更須將「世界歷史」置於「軸心時代」之理念高度。此「世界歷史」之理念就是康德所說的「普遍歷史」：「普遍歷史試圖超越地域與時代之不同，將人類在地球上的各種活動當作一個整體來探討。對於康德而言，普遍歷史有別於建立在經驗基礎上的歷史研究，是要根據一個先天的理念來理解人類歷史，它是一種引導的學問，可以統攝各種特殊的歷史。」[7]

在此，吾人提出一個大膽假設：「西方的沒落」與「中國的崛起」應定位為從「第二軸心時代」向「第三軸心時代」的偉大轉換。

要闡明此一大膽假設，首先須對雅斯培的「軸心時代」說提出修正，補充，延伸。

## 貳、雅斯培「軸心時代」說商榷

一　**斷代問題**：雅氏將軸心期定在公元前八百年到公元前二百年。當代人類學家大衛・格雷伯（David Graeber）的《債的歷史》（被視為佔領華爾街運動的理論代表作），將之延伸至公元六百年，包括耶穌創立基督教與默罕默德創立伊斯蘭教。[8]

吾人則建議延伸至耶穌創立基督教之第一世紀，理由如下：軸心時代作為古代文明之突破飛躍，既然包含孔子、佛陀、蘇格拉底，沒有理由不包含耶穌。雅氏自己亦將此四人列為四大聖

---

7　康德，《康德歷史哲學論文集》，李明輝譯註頁，台北：聯經出版社，2002，頁47

8　大衛・格雷伯（David Graeber），《債的歷史》，孫碳，董子云譯，北京：中信出版社，2012年，頁215

哲，同時更明確指出聖經之「創世紀→亞當夏娃之人類墮落→上帝之子降生→十字架→復活→世界末日審判→天國來臨」之普遍敘事，構成了西方歷史之軸心，卻又不將耶穌列入軸心時代，明顯自相矛盾。

但軸心時代不應包含伊斯蘭教，因為伊斯蘭是基督教進一步之延伸轉化，就如同羅馬帝國滅亡後之天主教，拜占庭之東正教，佛教傳入中國之大乘佛學，皆應歸為廣義的後軸心期之中古時代。

二　**區域劃分問題**：雅氏分為三大區域：中國、西方、印度，視為決定人類普遍歷史的三重起源。眾所周知，所謂「西方」有兩大根源：希臘與希伯來，或更廣義的希臘與西亞。故吾人建議軸心時代應分為四大區域：中國、印度、西亞、希臘。四大聖哲代表四大軸心文明。

三　**詮釋架構問題**：雅氏軸心時代說之最大突破就是跳出西方中心主義，無論是黑格爾的「上帝之子的降臨是世界歷史之軸心」之基督教中心，或海德格的「西方歷史是存有之遺忘」的希臘中心。但雅氏將軸心時代之「突破性超越」普遍理解為「人類開始意識到整體之存在，自身以及自身之限度」，「人類體驗到世界的恐怖與自身的軟弱」，「他在自我深奧處與超越性存在的光輝中體驗到絕對」[9]，這是雅氏本人的存在哲學之表述，其實反映了基督教，尤其是德國新教背景之「個體的有限存在vs.上帝之無限超越性」之基本架構，或是源自古希臘之「自我／存有」架構。至少孔孟儒學的基本架構就不是「自我／存有」或「有限個體／無限神性超越性」。雅氏雖肯定人類文明發展有多元軸

---

9　卡爾・雅斯貝斯，《歷史的起源與目標》，頁9-10

心，但仍局限於西方軸心文明（基督教與希臘）之思考框架，無法真正跳出西方觀點去理解其他軸心文明。

**四　文藝復興史觀**：人類每一次文明的飛躍都是對軸心文明潛力之復興重燃，此說蘊含了一套極富啟發性之「文藝復興史觀」，不同於現代主流的「啟蒙進步史觀」。但雅氏並未進一步探討建構此「文藝復興史觀」，更未對軸心時代之後的實際歷史發展演變提出具體解釋：後來不同時代區域之文明發展與軸心時代具有什麼樣的思想傳承關係？是對哪一種軸心文明的復興？如何復興？

**五　西方「現代性」問題**：最重要的是，十六世紀歐洲開啟的西方「現代性」與軸心文明又有何思想傳承關係？所謂「現代性」是對哪一種軸心文明的復興重燃，而開展出現代思想與現代化社會體系？眾所周知，雅斯培的哲學所代表的存在主義思潮已成為「現代性」與「現代主義」的一部分。但雅氏本人對「現代性」的理解卻相對的不足，尤其是欠缺社會學視野。

**六　軸心文明的「同時性」之謎**：雅氏發現軸心時代的最大奧秘就是：為什麼在同一時期，幾大古代文明不約而同地產生重大的突破與飛躍？

為了解釋軸心文明「同時性」發生的歷史之謎，雅氏引述不少關於古代文明與史前文化的歷史學研究與考古學資料，卻終究說不出一個所以然來。吾人認為箇中關鍵在於：軸心文明崛起於古代文明之宏大背景，古代文明又淵源孕育於史前文化更遼遠洪荒的初民部落社會。欲解釋軸心文明的「同時性」發生之謎，須充分掌握「史前初民文化→古代文明→軸心文明」之社會演化過程。雅氏的一大錯誤就是假定軸心文明是對古代文明的「突破性超越」，「斷裂性之質的飛躍」，此理論假定已使得任何企圖解釋

「軸心文明如何從古代文明的背景中產生崛起」變得不可能。對於史前初民社會，二十世紀的西方人類學已有豐碩的研究成果。雖然學派林立，百家爭鳴，但皆建立在一個人類學田野調查之共同事實基礎：初民部落社會是一種「氏族」制與「圖騰」信仰，構成人類社會演化的共同起源與背景。就此而言，雅氏的另一不足就是欠缺人類學之理論視野。

　　總結以上各點，就如書名《歷史的起源與目標》所提示的，雅氏認為透過「軸心時代」可以回答人類從何處來，往何處去？然而對軸心文明的共同起源缺乏人類學視野，對軸心文明與西方現代的關係缺乏社會學視野，所以雅氏根本無法回答歷史的終極目標為何，人類的未來應往何處去，唯有一個極具啟發性的提示：人類的未來須回到軸心時代去尋找答案！

## 參、軸心時代的文藝復興史觀

　　雅斯培指出：軸心期成為一種酵素，它將人性引進世界歷史唯一的脈絡之中。對我們而言，軸心期成了一個尺度。在它幫助下，我們衡量各民族對整個人類歷史的意義，根據各民族對軸心期的反應方式。[10]

　　各軸心民族，那些完成偉大飛躍的民族，其飛躍如同是第二次誕生，通過它，他們奠定了人類精神存在的基礎，以及所謂的真正的人類歷史。那些無突破民族保持原始狀態。所以軸心民族才是「歷史民族」。未受軸心期影響之民族是原始民族。巴比倫、埃及是無突破之古代文明，其文明成就雖極為壯觀攝人，卻

---

10　卡爾‧雅斯貝斯，《歷史的起源與目標》，頁62

未達到人性反思之高度。唯有中國、印度、希臘，西亞的波斯、巴勒斯坦、希伯來達到了此一高度，各自創造出軸心時代之偉大突破飛躍。

　　所謂「第二次誕生」就是「再生」（re-naissance），歐洲「文藝復興」之概念亦有此義。在此，吾人延伸補充雅斯培之說，提出一套軸心時代的文藝復興史觀，包含幾個宏大架構之基本命題。

## 一、軸心文明之偉大：為天地立心，為生民立命

　　人類文明的發展絕非憑空產生，從天而降，而是發生在特定時空環境，某個種族或民族之創造表現。所以任何文明成就必然烙上某種地方區域色彩與種族特徵之「疆域性」與「民族性」。軸心文明亦同樣具有「疆域性」與「民族性」。按照雅斯培的用語，創造軸心文明的民族稱為「軸心民族」。軸心民族之所以偉大，就在於既創造出疆域色彩的民族文化，同時更跨越民族與疆域之界限，樹立全人類之普遍尺度。換言之，唯有軸心民族的文化創造達到「為天地立心，為生民立命」之理念高度與普世價值。

　　軸心文明兼具「民族性」與「世界性」，正呼應了歌德所說的民族文學與世界文學之辨證互補，更可以理解為德勒茲與瓜達利所說的「疆域化」與「去疆域化」之辯證運動。

　　四大軸心文明與四大聖哲皆有其「疆域性」與「民族性」之色彩，其偉大就在於既表現了「疆域化」之民族風格，同時又跨越民族疆域界限，成為「去疆域化」的世界運動：耶穌基督是猶太教之選民信仰的「去疆域化」，釋迦牟尼是印度婆羅門種姓制度的「去疆域化」，蘇格拉底是希臘城邦之貴族民主與奧林匹克

精神的「去疆域化」，孔子是西周封建貴族之宗法禮樂的「去疆域化」。

## 二、世界歷史就是四大軸心文明的文藝復興

> 一旦產生軸心期的突破，在突破中成熟起來的精神一旦被思想、著作、解釋傳送給所有能傾聽和理解的人，突破的無限可能性一旦變得可以察覺，由於掌握了突破所具有的強烈和感受到了突破所有具有的深度而跟在軸心期後面的民族，都是歷史的民族。
>
> 偉大的突破就像是人性的開始，後來同它的每一次接觸就像是新的開始。在它之後，只有開始展現人性的個人與民族才是在正史的進程之內。不過這種人性的發端不是隱匿的，精心謹守的秘方，而是邁入到光天化日之下。它充滿對交往的無限渴望，將自己展示給一切人。然而，只有為它準備就緒的人才能了解它。在此範圍內，它是個公開的秘密，凡是被它改造過的人都甦醒過來了。[11]

　　正因為軸心時代樹立了「為天地立心，為生民立命」之世界歷史軸心，所以之後人類歷史每一次新的突破飛躍都包含了對軸心時代的回歸復興。此回歸復興當然不是簡單的復古運動，而是如歐洲之「文藝復興」作為希臘古典文化之更新再生（renaissance），如《詩經》所云：「周雖舊邦，其命維新」。即令是唐代陳子昂之古風運動或韓愈之古文運動，都應視為一種「其命維新」之文藝復興運動。所以，整個人類歷史的發展無非是不同

---

11　卡爾・雅斯貝斯，《歷史的起源與目標》，頁66

時代區域的各個民族對軸心文明的各種文藝復興運動。而「軸心」不只一個，有四大軸心文明，因此各種「文藝復興」可以是某個民族對某個軸心文明的吸納轉化，如伊斯蘭文明是阿拉伯民族對基督教軸心的吸納轉化，是基督教的阿拉伯化。又如，大乘佛學與禪宗是佛教傳入中國，與中國軸心文明的融合重組，是佛教的中國化。

　　所以，**世界歷史就是四大軸心文明在不同時代區域，通過不同民族的復興再生與融合重組**。再次借用張載名言，正因為軸心時代樹立了「為天地立心，為生民立命」之世界歷史軸心，所以此後人類文明每一次重大突破飛躍都是回歸軸心時代，「為往聖繼絕學」之偉大文藝復興。此軸心時代復興史觀需要解釋闡明：A四大軸心文明如何「為天地立心，為生民立命」，四大聖哲立下了什麼樣的「天地之心」與「生民之命」？B一個民族的崛起，一種文明的飛躍，是復興融合何種軸心文明的「天地之心」與「生民之命」，而成就其「周雖舊邦，其命維新」的民族復興，進而為全人類樹立「為萬世開太平」之普世價值與未來願景。


## 肆、西方「現代性」應定位為「第二軸心時代」

　　歷史總是現代史。如果世界歷史就是四大軸心文明的文藝復興與融合重組，那麼，與今日世界最切身相關的西方現代又應如何定位呢？

　　雅斯培本人認為，西方現代雖對人類歷史產生了無與倫比的全面影響改變，卻不是軸心時代。與軸心期相比，最明顯的是，「現代」正是精神貧乏，人性淪喪，愛與創造力衰退的下降時

期，只有一點可與以前的一切比美，就是科學與技術的產生。但科學發明的參與者並不是作為包羅萬有的偉大靈魂而起作用。[12]

但雅氏卻提出一個極有趣的說法：與現代可以類比的另一時代，不是軸心時代，而是發明工具與使用火的時代，就是希臘神話中的普羅米修斯的時代，對這個時代我們完全不了解，當人類經歷一次席捲全球的飛躍後，發現了自己潛力的新條件，隨之而來的是只做重複與擴展的漫長時期。一個工具與技術突破飛躍的時代，但其後卻陷入長期停滯的黑暗時代。[13]

將「現代性」等同於「科技」乃皮相之見。科技的確是現代性極重要的環節、手段、方法，但並非最深刻的動機、目的、原則。正如海德格所言：科技的本質不在科技本身，而是對存有物整體所採取的一種形上姿態，一種宰制存有的權力意志（will to power）。海氏乃考掘出科技背後更深刻的現代性動機：現代主體思想之「意志哲學」，並以尼采的「權力意志」為極致。但海氏追溯此意志哲學之思想系譜，卻從尼采、叔本華、謝林回溯到萊布尼茲，則很明顯是外行話。現代意志哲學之真正系譜是現代政治哲學的「自然權利」學派（natural right）：霍布斯與斯賓諾沙的「自我保存」之「努力」（conatus, effort）才是現代意志哲學之真正起源。

「努力」就是每一個體竭力保全其存在的力量與欲望。「自然權利」就是每一個體基於其力量與欲望而與生具有之「個人權利」。準此，「權利」的實質內涵是「功利」，「功利」的實質內涵是「快樂」。「社會契約」就是為了保障每一個體權利，進行

---

12　卡爾・雅斯貝斯，《歷史的起源與目標》，頁113。

13　卡爾・雅斯貝斯，《歷史的起源與目標》，頁114。

一種「力量相互制衡」與「相互利害關係」之理性計算的制度設計。

　　根據此「自然權利／社會契約」之原則與架構，形成了自由主義與啟蒙理性主義之現代化國家與社會。換言之，「現代化」就是就自然權利原則的體制化與理性化。自由主義提供一套「個人權利／法治體制」之政治架構。啟蒙主義提供一套「功利化／科技化／享樂化」之「理性化」系統。

　　然則，是馬基維利的《君王論》開啟了權力與德性之分離，宣揚一種世俗化、現實化、犬儒化之「新方式與新秩序」，預示了自然權利原則之力量化與功利化。馬基維利實乃自然權利學派之始作俑者與精神鼻祖，《君王論》允為西方現代性之濫觴。

　　眾所周知，馬基維利是義大利文藝復興的人文主義者。文藝復興就是復興古希臘羅馬的古典文化。因此，「自然權利」構成西方現代性之更深刻動機，其實是對希臘軸心文明之復興重建。

　　然則，「自然權利」固然是比「科技」更深刻之現代性動機，但並不足以窮盡現代性之最深刻動機。對基督教正統而言，文藝復興之古典主義與人文主義不啻是「異教主義」。所以照一般看法，「現代」就是從中世紀的基督教正統走向文藝復興之異教異端。但這並非真相之全貌。西方現代性的興起並不只是復興希臘古典文化的「文藝復興」，同時更包含基督教自我更新之「宗教改革」。宗教改革所形成之「新教倫理」或「新教精神」指向比「自然權利」更深之層次向度，構成現代性最深刻之精神動機。「文藝復興」加上「宗教改革」才是西方現代性的完整全貌，雙軸並行發展，產生十七、十八世紀的「啟蒙運動」，逐步形成啟蒙主義之「理性化」系統，自由主義之民主政體，資本主義之市場經濟。

　　準此，十六世紀歐洲興起的「西方現代」作為一個「理念」，乃是對兩個軸心文明──希臘與基督教的復興再生與融合重組，「文藝復興」作為希臘羅馬之古典人文主義之復興再生，形成「自然權利」。「宗教改革」作為基督教之自我更新，形成「新教精神」。「自然權利」與「新教精神」構成「現代性」的兩大軸心原則，就如同笛卡兒座標之 X 軸與 Y 軸，「自然權利」構成 X 軸之橫坐標，「新教精神」構成 Y 軸之縱座標，雙軸交叉，十字打開，撐架出現代世界圖像之基本精神座標，由其所標示定位之「西方人」或「現代人」，可命名為「自由人」之理念，因為這個「自由人」同時遙承著古希臘城邦之「自由民」以及基督教上帝贈予的「自由意志」之雙重精神系譜。

　　吾人將這個現代「自由人」理念在歐洲興起開展的歷史界定為「第二軸心時代」。如以馬基維利的《君王論》作為現代性濫觴之象徵，《君王論》成書於 1513 年，迄今已五百年。然而，正如雅斯培所言，對軸心文明潛力的復興重燃，是西方、中國、印度不斷在發生的事，為什麼要特別將這段歐風美雨五百年歷史奉為「第二軸心時代」呢？道理很簡單，因為西方現代性的開展達到了前所未有的「去疆域化」之世界性意義，其幅度規模，程度強度已超乎軸心時代。在這意義下，西方現代比軸心時代更像軸心時代。

　　「西方現代」就是環繞「自由人」理念而興起開展的「第二軸心時代」，在五百年間形成我們現在這個「現代世界體系」。張愛玲說：「人是生活在一個時代裡的，這個時代卻在影子似地沉沒下去。」現在這個「現代」正在影子似地沉落下去，我們生活在其中的這個世界體系正在腐敗崩壞。

　　為什麼會腐敗崩壞呢？要徹底批判一個理念體系，不外兩個

層次：1. 批判理念在落實與實現的過程中產生偏離、異化。2. 批判理念本身，揭示其整體思維與內在邏輯本身就包含著根本的錯誤扭曲，矛盾悖謬。

很明顯，今日大多數的現代性批判只是從第一層次去批判科技發展、資本累積、議會民主、官僚體制等等，鮮少有人直接切入現代性之理念本身予以檢視批判。為什麼會這樣呢？

人類文明的發展可區分三個層次：技術，體制，理念。很明顯的，西方現代的優勢在技術與體制，歐風美雨的興起正是挾其技術發明與體制革新之力量動能，建立起船堅砲利，富國強兵，民主法治之現代化國家，成就西方列強五百年的世界霸權。但正因為富國強兵的力量太強大了，使得世人都忽略遺忘，現代化國家得以構成一種總體性、系統性之強大力量，絕不只是憑藉技術操作與體制管理，背後更須有一套中心的主義理念與最高戰略指導原則，作為整個系統得以成立與運作的「存在理由」與「精神動機」。

發展至今，世人益加淺薄，眼中更只見金錢與技術的力量，甚至連體制層次都不太看得到，遑論理念層次。此正海德格所說的「存有的隱蔽」或「存有的遺忘」：只關注於「存有物」之操作宰制，而遺忘了「存有」自身。

誠所謂「只緣身在此山中，不識廬山真面目。」在一個體系中生活浸淫太久，反而無法看清構成這個體系最根本的起源、基礎與框架。列奧—斯特勞斯論霍布斯，提示了一段經典解答：

> 霍布斯是在一個孕育著變革的歷史時刻進行哲學探索的；古典傳統和神學傳統已經動搖，而近代科學的傳統尚未形成和建立。……這個時刻，對於即將來臨的整個時代，具有決定

性的意義：基礎在此時奠定，而近代政治哲學，完全是在這個基礎上形成的。我們充分理解和把握近代思想的任何嘗試，都必須從這裡著手。這個基礎，再也沒有像那個時刻那麼清晰可見。霍布斯受那個時刻的感召，開始構築整個大廈，然而只要大廈矗立著，只要我們信仰它的穩定性，它就在遮掩著那個基礎。[14]

這段話可視為「存有的隱蔽」的通俗簡易版。霍布斯是現代性的奠基者之一，奠立了「自然權利」原則。所以構成「現代性」這座大廈的「隱蔽的基礎」就是「自由人」理念，它又是兩大軸心原則的交叉結合：**「自然權利」與「新教精神」，如同撐架起現代性大廈的兩大支柱，或是構成現代世界座標的 X 軸與 Y 軸：「自然權利」原則作為橫坐標，標示「自由人」之權利、生命、利益、自我、幸福，構成「現代性」之欲望動機。「新教精神」原則作為縱座標，標示「自由人」之義務、責任、德行、天命，構成「現代性」之精神動機。**

根本的癥結在於：「自然權利」與「新教精神」可以結合嗎？又如何結合呢？

康德哲學的宗旨就是致力於綜合此兩大軸心原則的最大嘗試努力，故奉為現代思想之最高表達。其《道德形上學》第一部分論權利原則，第二部分論德性原則，力圖將「自然權利」昇華為一種「道德義務」，一種實踐理性之德性。如何昇華呢？就是以新教倫理模式將自然權利之欲望動機昇華為一種精神動機。康德

---

14 列奧—斯特勞斯《霍布斯的政治哲學》，申彤譯，南京：譯林出版社，2001，p.5-6

的實踐理性自我立法之無上命令（categorical imperative）其實就
是新教禁欲倫理之「天命」觀（calling）的哲學化表達。

　　這樣的結合究竟是什麼模樣呢？韋伯給了一個具體形像：新
教禁欲倫理成為推動資本主義興起之「精神動機」：以理性化方
式工作賺錢不是為了滿足一己私慾與享樂，而是為了榮耀上帝。
馬克思刻劃「商人資本／拜金主義」之貨幣儲藏者的「守財奴」
形象有異曲同工之妙：守財奴對物質沒有欲望，其拼命賺錢存錢
而一毛不拔，彷彿是要「蓄財聚富於天國」。[15]新教徒的「賺錢是
為了榮耀上帝」與守財奴的「為賺錢而賺錢」，其實是從不同方
式表達了同一種現代性的荒謬，而且是一種系統性的荒謬，荒謬
的根源就在於現代「自由人」理念作為「自然權利」與「新教精
神」之荒謬結合。建立在此荒謬結合之基礎上的現代性大廈當然
要腐蝕傾斜崩壞。故真正徹底的現代性批判須包含：A對「自然
權利」原則與「新教精神」原則分別予以徹底檢驗批判。B對二
者的荒謬結合更要徹底檢驗批判。C還需回溯二者的精神血緣系
譜——希臘與基督教兩大軸心文明，進行更徹底的「返本溯源」
與「正本清源」之系譜學批判。

　　正是希臘軸心與基督教軸心在西方現代的復興更生，重新配
置組合成的「自由人」理念，提供了現代科技與體制之「理性
化」系統得以成立運作與充分開展的理念方向與精神座標。但
「成也蕭何，敗也蕭何」，技術與體制充分理性化的發展卻反過
來腐蝕敗壞了其希臘軸心與基督教軸心之理念精神，使現代世界
成為一個喪失理念方向，盲目空轉的龐大荒謬體系。

---

15　柄谷行人，《跨越性批判——康德與馬克思》，趙京華譯，北京：中央編譯
　　出版社，2011，頁173

　　正是這個「自由人」高舉啟蒙主義、自由主義、資本主義、功利主義、快樂主義之「現代化」旗幟，展開了西方列強雄霸世界五百年的「第二軸心時代」，但正是這同一個「自由人」導致西方的沒落，並將全世界都推向毀滅的邊緣。因此，「第二軸心時代」的終結不只是西方之終結，更是世界的終結，如果不尋求走出「第二軸心時代」，開啟「第三軸心時代」的可能

　　從「第二軸心時代」走向「第三軸心時代」，絕不是游談無根的空話大話，而是一個生死攸關的問題，攸關全人類的存亡絕續。

## 伍、中國的崛起與第三軸心時代的來臨

　　何謂第三軸心時代？

　　如果歐習會之「天子旌旗分一半，八方風雨會中州」象徵著「西方的沒落　vs.中國的崛起」。而「西方的沒落」象徵著第二軸心時代的終結，那麼，「中國的崛起」就更須象徵著第三軸心時代的來臨，方才是真正的「語遠而體大」！否則，中國的崛起只是在重蹈西方之覆轍，複製另一個歐風美雨的西方帝國主義，甚至變成另一個「脫亞入歐」的日本。

　　吾人發現，中國當前面對世界的總體戰略彷彿是回到十九世紀清末魏源的《海國圖志》，就如汪暉《現代中國思想的興起》所描述的：「《海國圖志》的歷史地理敘述勾勒了一個內外紊亂的世界，但基本的目標是要在競爭的世界中形成內外有序的秩序、確立中國的主權，以競爭的態勢進入一個由商業與軍事霸權主導的世界體系；因此，它的努力方向是複製歐洲近代化的邏輯，發展資本主義經濟、強化國家及其軍事力量，以帝國為中心

重建朝貢體系，從而最終維護中國的傳統。」[16]

這當然是不夠的，今日中國之崛起，絕不可能只訴諸「師夷長技以制夷」來維護強權地位與自身傳統。

孟子說：「五百年必有王者興，其間必有名世者。」五百年前，歐洲的文藝復興與宗教改革開創了西方現代的第二軸心時代。歷經五百年起伏轉折，西方已沒落，現代性理念已腐敗崩壞，世界歷史又走到一個新的轉折點，如海德格所言：「從一個開端的終結向另一個開端的過渡」[17]，迫切尋找一種超越西方視野的新理念新方向，召喚第三軸心時代的到來。

根據軸心時代的文藝復興史觀：後軸心時代，人類文明發展的重大突破飛躍都是對某個軸心文明潛力的復興重燃。我們已看到，歐洲文藝復興是希臘軸心的復興再生，宗教改革是基督教軸心的自我更新，那麼，第三軸心時代必然是向四大軸心文明的另一次文藝復興運動。會是哪一個軸心文明的復興呢？當然不會再是希臘與基督教。

為什麼不是印度文明或伊斯蘭文明來擔綱第三軸心時代？吾人認為，印度教與回教過於「疆域化」與「民族化」。杭亭頓的東西文明衝突論是錯誤的，未來世界文明之大方向不太可能是伊斯蘭，正如不太可能是印度，因為都過於「疆域化」與「民族化」，很難普世奉行。

而且更深一層看，西方與伊斯蘭之衝突其實可視為同一軸心文明體系內（皆信奉上帝耶和華）兩大權力集團之種族衝突與疆

---

16 汪暉，《現代中國思想的興起》上卷第二部「帝國與國家」，北京：三聯書局，2004，頁777-8。

17 海德格爾，《哲學論稿（從本有而來）》，孫周興譯，北京：商務出版社，2013，頁318。

域爭奪之「內戰」，還談不上「文明衝突」之層次。

為什麼不是佛教？因為佛教無法正面肯定人性、生命與世界。佛教之「去疆域化」是建立在眾生皆苦，苦海無邊之捨離世界態度。

根據消去法，只剩下中國軸心文明最有可能成為第三軸心時代的擔綱者。第三軸心時代應是中國軸心文明在二十一世紀的文藝復興，為世界歷史奠立新的座標軸。

世界歷史的未來軸心在中國的文藝復興，中國的「軸心」又在哪裡呢？在於儒學的文藝復興。

然則，中國文化也有許多內容與潮流，為什麼不是道家呢？道家其實很接近西方的自然權利學派與自由主義個人主義。或者反過來說，道家是中國式的自然權利學派與自由主義，所以西方人極易欣賞與接受道家。另外，西方的斯多葛主義，斯賓諾莎，盧梭的《孤獨散步者的遐想》，皆與道家頗多近似相通處。西方自由主義更進一步之發展必走向老莊之虛靜無為與逍遙養生。因此，通過道家並無法真正超越西方之「自由人」理念。正如俗諺云：不怕貨比貨，只怕不識貨。唯有儒學才是西方不曾見的中國文化特產。

好吧，就算世界歷史的軸心在中國，中國的軸心在儒學，然則，儒學也有許多學派與體系：孔子《論語》，孟子，荀子，《禮記》，《易傳》，董仲舒之「春秋公羊學」，東漢經學，宋明理學，乾嘉考據學派，晚清公羊學派……，儒學的文藝復興又是要復興哪一個學派與體系呢？

**儒學的軸心在孔子、孟子，在《論語》與《孟子》二書的原始儒家思想。中國軸心時代產生於孔孟對中國古代文明的「集大成」：堯舜與三代禮樂之治的「原始共和」，《尚書》與《詩經》**

的先王之道與先民智慧。換言之，中國軸心時代就是孔孟總結中國古代文明的「集大成」所產生的突破性飛躍超越。孔孟所提出的「仁義」、「禮樂」與「王道」乃成為中國歷史的軸心，「仁義」指向一種內在於人性人倫的「德行」原則（virtue）與「倫理人」理念（ethic man），展現為人民百姓之善與王者之風的「王道」理想與「禮樂」之治。

　　面對西方現代的衰敗崩壞，為什麼唯有孔孟儒學可以取而代之，擔綱世界歷史未來的「新軸心」呢？不怕貨比貨，只怕不識貨。因為唯有孔孟儒學是西方不曾見的中國文化特產。唯有孔孟的「仁義」提出真正內在於人性人倫的「德行」原則與「倫理人」理念，可以真正超克西方現代的「權利」原則與「自由人」理念所蘊含的自私自戀與庸俗空虛。唯有孔孟的「王道」可以超克現代法治民主之侷限不足，建立真正的「人民主權」與「文化領導權」。西方的沒落與中國的崛起，就是「自由人」的腐敗沉淪與「倫理人」的復興更生。從第二軸心時代走向第三軸心時代，就是從西方的「自由人」走向儒家的「倫理人」。

　　第三軸心時代就是中國軸心文明在二十一世紀之文藝復興，就是儒家「倫理人」之其命維新，王者重返。

## 陸、關於孔孟的三重偏見：保守主義，內聖外王，天人合一

　　然而，歷史的發展演變往往掩蓋遮蔽了它原初的起源與基礎。如果構成西方現代軸心的「自由人」理念都已變成今人無法看清的「隱蔽的基礎」，那麼，孔孟儒學的「倫理人」理念作為中國古代的軸心，在歷史演變的長流中更無可避免地要變成今人

無法看清的「隱蔽的基礎」。孔孟在歷史長流中所遭到的遮蔽扭曲還是雙重的，一方面是中國近現代史在西風東漸，歐風美雨的薰習染指之下所形成的偏見誤解；另一方面是中國歷史本身的儒學演變對孔孟思想原貌的偏離掩蓋。簡言之，一方是西方現代之偏見，另一方是中國傳統本身之偏見。欲復興孔孟的「倫理人」理念，須同時破除此雙重偏見。

在當代學界，此雙重偏見更表現為三種主流論調：一，自由主義之偏見，將儒學定位為一種「保守主義」或「文化守成主義」。二，宋明理學之偏見，確立儒學之宗旨是「內聖外王」。三，當代西方漢學之偏見，宣揚儒學之優點就是「天人合一」。

要真正復興孔孟，必須跳出當代的三重偏見框架，吾人提出三個反駁命題：

**一，儒家應嚴厲拒絕保守主義標籤。**

**二，孔孟「王道」不是「內聖外王」。**

**三，孔孟要旨不是「天人合一」，而是「為生民立命」。**

## 一、儒家須嚴厲拒絕保守主義標籤

「自由主義／保守主義」二分法，或「自由主義／保守主義／社會主義」三分法，是自由主義以自己為中心所設定的左右政治光譜，已預先將敵人迫擠到一個負面方向之貶低位置。「保守」一詞從字面上就對反於「自由」與「開放」，所以只要與「自由主義」相對，「保守主義」已然是一個負面貶義的標籤定位，已然落於下風，淪為次等公民。

從五四時代喊出打倒孔家店，現代儒家的頭號敵人就是自由主義。奇怪的是，從民國新儒家，港台新儒家，直至今日大陸新興儒學學派，竟都欣然接受這頭號敵人給自己貼上的「保守主

義」標籤。

　　遙想五百年前，馬基維利寫《君王論》與《李維史論》，提出「新方式與新秩序」以反抗基督教，自我定位為「沒有武裝的先知」所發動的一場「精神戰爭」，用葛蘭西的講法，就是「文化領導權」的競逐爭奪。馬基維利的文藝復興開啟了「自然權利」學派之自由主義與啟蒙理性主義，構成西方現代之第二軸心時代。今日之儒學文藝復興作為超越西方現代的第三軸心時代，則必然要發動另一場反自由主義之「精神戰爭」。

　　所以，一旦接受「保守主義」標籤，這場「精神戰爭」不啻不戰而降，未打先敗，寧非怪哉？孔孟儒學的自我定位應超越「自由主義／保守主義」二分之左右政治光譜。

## 二、孔孟「王道」不是「內聖外王」

　　譚家哲的《論語與中國思想研究》指出一個關鍵點：中國的儒學發展實有兩個不同的思想系統，一為《書經》，《詩經》，《論語》，《孟子》這些先秦典籍所構成之傳統，另一為戰國後期至秦漢的《禮記》之傳統。宋明理學其實是繼承《禮記》之傳統。〈中庸〉則可代表《禮記》之基本思想。

　　兩個傳統的基本差別在於：孔孟儒學之核心關懷為「人」而已，在人類種種具體存在之真實中，探討人倫人性之道。〈中庸〉雖亦關懷人類具體存在問題，但在其立論背後，明顯已有一形上真實的理論基礎，雖然仍是環繞人，但已從隱微而不可見者言，非單純人性具體地教誨人。[18]

　　這是對儒學思想系譜一個重大的「簡別」與「判教」。正如

---

18　譚家哲，《論語與中國思想研究》，頁572。

尼采所言：系譜學是一種「區分」與「差異」的評價藝術。譚氏之說是對儒學傳統一個至為根本的「系譜學區分」，中國歷史後來所傳之儒學，其實已非孔孟之原始儒學，而是從《禮記》、〈中庸〉到宋明理學具有形上意味之另一儒學系統。

　　路況的《王子——從馬基維利「君王論」回到孔孟「王道」》，延續譚氏之說，進一步指出兩種儒學體系的差異對應著兩種不同的政治結構：孔孟原始儒學是一種「先王制禮作樂，教化人民」，人倫與政治合一之「王道」模式，對應著「領導人／人民」之貴族政治架構。《禮記》與宋明理學則是「內聖外王」模式，對應著「個人／體制」之帝國政治架構，以及「自我／天道」之本體論架構。

　　孔孟的「王道」不是「內聖外王」模式，關鍵就在於，孔孟的「王道」是直接通向「人民」，而非通向「天道」或「體制」。孔孟即使談論「天道」，也是「天聽自我民聽，天視自我民視」，「天道」必通過「人民」，通過人倫人性，體現為「人道」與「王道」！[19]

　　新儒家大師牟宗三作為宋明理學之當代傳人，其實亦承認孔孟之「王道」思想與宋明理學有著基本型態上的差異。《歷史哲學》寫道：

　　「王者受命於天」，「人統之正，託始文王」。公羊家就此建立人統之始之理據。〈王道〉篇云：「《春秋》何貴乎元而言之？《春秋》元者始也。言本正也。道，王道也。王者，人

---

19 路況，《王子——從馬基維利「君王論」回到孔孟「王道」》，台北：唐山書局，2013，頁98。

之始也。」⋯⋯此言元與始，繫屬於王道而言之，非純哲學地空論宇宙萬物之元與始也。而道又必曰王道，亦非純哲學地空論宇宙萬物之道也。

除道以外，無可為始者。而言人統之始，則必繫於王道而言之。誰能當下以王道為始（即能盡王道），誰即其現實之統之祖，亦即是人統之始。此與明心見性之當下覺悟之盡道立人極不同。此蓋為個人的、道德的，而非民族的、歷史的、政治的。言人統之始，則必由盡王道而言之，此則為民族的、歷史的、政治的，民族之開物成務史，演變至此，而可言人統之始也。[20]

所謂「明心見性之當下覺悟之盡道立人極」，就是宋明理學之「內聖外王」，是「個人的、道德的」。董仲舒的春秋公羊學「言人統之始，則必繫於王道而言之」，則是「民族的、歷史的、政治的」。就這點而言，董仲舒反而比宋明理學更接近孔孟王道原旨。

簡言之，孔孟王道與宋明理學是對應於不同政治架構的兩套儒學體系，宋明理學對應的是「個人／體制」之大一統帝國架構，所以是一種「帝國儒學」。孔孟王道對應的是「領導人／人民」之貴族政治架構，並將貴族政治提升為一種超越血統世襲的「文化菁英制」。惜哉孔孟王道之理想，歷經王朝專制之「個人／帝國」架構而被扭曲誤用，湮沒失傳近兩千年！進入現代自由主義之「個人／體制」之「法治」架構，則遭受到更加隔閡之誤解與詆毀！

---

20　牟宗三，《歷史哲學》，頁55-6

在今日，孔孟王道當重新定位為一種「民國儒學」。而不要忘了孫中山之立國理念，「民國」就是「共和國」（republic），那麼，如果有所謂的「民國儒學」，那必然是指向一種「共和」理想政體，同時超越王朝帝國之「君主專制」以及自由主義之「法治民主」，在今日當稱之為「王道民主」！「王道民主」才是真正的「民國儒學」與「共和儒學」。[21]

徐復觀很早就指出，當代儒學重建的當務之急，就是走出宋明理學框架，回歸孔孟原旨。但真正完成此一龐大學術工程，是譚家哲先生的《論語與中國思想研究》與《孟子平解》，二書跳出《禮記》與宋明理學之體系格局，並擺脫自由主義之現代偏見，直接就《論語》與《孟子》之章句，提出系統性的問題意識與概念架構之解讀分析，還原重構孔孟思想原貌，譚氏竟以一人之力完成「為往聖繼絕學」之艱難使命，實儒學發展史上「震古鑠今」之偉大成就。儒學的未來發展方向當以譚注《論》、《孟》為首要參照座標。

## 三、孔孟要旨不是「天人合一」，而是「為生民立命」

如果確定孔孟儒學之核心關懷為「人」而已，那麼，孔孟的基本思考方向應是「天聰明自我民聰明」，「天明畏自我民明畏」，「皇天無親，惟德是輔」，將古代的「天帝」「天命」信仰收歸於人之德性本身，將德性收歸於人倫之孝弟，將孝弟推展為「推恩足以保四海」的王道。孔孟的基本思考方向是「天道→人道→王道」，是從「天道」回歸「人道」，「人道」開展為「王

---

21 路況，《王子——從馬基維利「君王論」回到孔孟「王道」》，台北：唐山書局，2013，頁100-2。

道」。就如孟子常引用《詩經》：「永言配命，自求多福」，將此等思路歸類為「天人合一」實很難自圓其說。借用張載名言，孔孟儒學要旨是「為生民立命」，而非「為天地立心」。「天人合一」是《易傳》與〈中庸〉思路，是戰國後期與秦漢之儒家受道家自然論與陰陽家氣論之影響衝擊而有之思想轉向，與孔孟之本來思路無關。

西方漢學家喜言「天人合一」大概有兩個當代的潮流背景：一，環保主義與生態思想。二，新時代哲學的靈修奧修與神祕主義。關於第二點，無非是一種庸俗化的「東方主義」與「浪漫主義」想像，在學術上不值一駁。

關於環保生態問題，不難推想孔孟可能提出之解答：環境生態之破壞，首先在於人性人心本身之沉淪敗壞。如孟子所說的「所以陷溺其心」，正因為人心陷溺，德性淪喪，喪失更高價值之追求，才會陷於經濟與科技之盲目發展而無法自拔。環境生態之破壞其實只是人性人心本身陷溺敗壞而衍生之「玩物喪志」。環保生態問題之解決，也只能是回歸人性人心自身之對治導正，而非侈談「天人合一」。

## 柒、儒學文藝復興與第三軸心時代的來臨

如何超越西方之沒落，開創第三軸心時代？吾人提出的解方是「NM＋孔孟」，N是尼采，M是馬克思。孔孟是跳出宋明理學框架之仁義與王道。尼采與馬克思是迄今為止對現代「自然權利」與「新教精神」之「自由人」理念做出最激進批判者。馬克思的無產階級解放召喚著普羅米修斯精神，尼采的超人發揚酒神戴奧尼索斯。二者徹底解構新教精神之個人主義與資產階級世界

觀，卻沒有真正跨出「自然權利」與「自由人」之理念框框，無產階級與超人皆仍奉「自由人」為最高典範，並未真正肯定「德性」原則，更未跨進「倫理人」理念。

「NM＋孔孟」就是在尼采與馬克思批判西方「自由人」之解構基礎上，重建孔孟之「倫理人」。從「自由人」走向「倫理人」之具體方向與內容為何？在此僅先提出幾個大方向大綱領：

一，從力量、欲望、功利、快樂之「權利」原則走向仁、義、禮、智之「德行」原則，此內在於人性人倫之「德行」是「理義之悅我心，猶芻豢之悅我口」，超越權利與義務之二分，同時涵蓋二者而又超越之。

二，從西方之「正義」關注「物之公平分配」走向孔孟之「仁義」關注「人與事之合宜對待」。

三，以「務民之義，敬鬼神而遠之」、「舜明於庶物，察於人倫」之「倫理政治」，同時超越西方古代之「神學政治」與現代之「世俗政治」。

四，以「王道民主」超克「代議民主」與「法治民主」之侷限不足，建立「人民主權」與「文化領導權」合一，「新民」與「尊賢」之「精英民主制」。

五，從「自利」與「分工專業」之「看不見的黑手」的「社會分化」機制（social differentiation），走向「公益」與「共同善」（common good）之「看得見的白手」的「團結」（solidarity）與「分享／共有」（participation）之「社會統合」機制（social integration）。從「聚積財貨」之「資本」經濟學走向「何以聚人曰財」之「人本」經濟學。

六，超克啟蒙理性主義之「知識／道德／美學」之價值領域
　　分化，以及浪漫主義美學之「主觀化／感覺化／私密
　　化」，走向「興於詩，立於禮，成於樂」之人文共和主
　　義。
七，以家庭人倫親情擴充延伸之「四海皆兄弟」（推恩足以
　　保四海），同時肯定「興滅國，繼絕世，舉逸民」之民
　　族主義，以及「天下一家」之世界主義。


世界歷史之未來軸心在中國，中國之軸心在儒學，儒學之軸
心在孔孟之仁義、禮樂、王道。
歷史不只是現代史，更是未來的歷史，預言的歷史。軸心時
代的文藝復興不只是「為往聖繼絕學」，更要「為萬世開太
平」。


　　中華民族作為最古老之軸心民族，歷經盛衰起伏，竟能重登
世界歷史之舞台中心，成為開創第三軸心時代的最佳擔綱人選，
試問古往今來，捨中國其誰？中華民族之偉大復興必然同時是
「為往聖繼絕學，為萬世開太平」之偉大文藝復興。中華民族的
自救自強運動，必然要同時為全世界的進步解放樹立起新方向新
典範。中華民族的偉大復興必須同時承擔起引領提升全人類的
「世界公民」使命，才能成就其「周雖舊邦，其命維新」之自我
更新再生。
　　中華民族作為最古老之軸心民族，其歷史進程本身就是一次
又一次「周雖舊邦，其命維新」之偉大復興。中國文化的每一次
重大飛躍，都是重燃孔孟軸心時代之文藝復興。更根本的是，孔
孟軸心時代之創立儒學「總已經是」對堯舜三代禮樂王道之「原

始共和」的文藝復興。

　　更重要的是，中華民族每一次復興都是面對「外來他者」入侵衝擊的漫長對抗調適，終而吸納化裁之偉大融合。一世紀前，梁啟超嘗從中國歷史上對印度佛學曾有過之偉大融合，推想中國與西方在未來可能發生之偉大融合，今日讀之，仍是召喚中國文藝復興之最動人宣言：

> 中國之受外學也，與日本異。日本小國也，且無其所固有之學，故有自他界入者，則其趨如鶩，其變如響，不轉瞬而全國與之俱化矣。雖然，充其量不過能似人而已，終不能餘所受者之外，而自有所增益，自有所創造。中國不然，中國大國也，而有數千年相傳固有之學，壁壘森嚴，故他界之思想入之不易。雖入矣，而閱數十百年常不足以動其毫髮。……雖然，吾中國不受外學則已，苟既受之，則必能盡吸其所長以自營養，而且變其質，神其用，別造成一種我國之新文明，青青於藍，冰寒於水。……謂余不信，請證諸佛學。[22]

> 美哉我中國，不受外學則矣，苟受之，則必能發揮光大之，而自現一種色。……吾於佛學見之。中國之佛學，乃中國之佛學，非純然印度之佛學。……此寧非我泱泱大國民可以自豪於世界者乎？吾每念及此，吾竊信數十年以後之中國，必有合泰西各國學術思想於一爐而治之，以造成我國特別之新文明，以照耀天壤之一日。吾頂禮以祝，吾支踵以俟。高山

---

22 《梁啟超講國學》，長春：吉林人民出版社，2007，頁130。

仰止，景行行止。吾請謳歌隋、唐間諸古德之大業，為吾青
年勸焉。

他日合先秦、希臘、印度及近世歐美之四種文明而一統之、
光大之者，其必在我中國人矣。[23]

---

23　同上，頁138-9。

附錄 1

# 盧梭是哪國人？

國家認同問題困擾台灣人多年，常見如此的問卷調查：「你認為自己是台灣人還是中國人？」此等提問方式其實有意混淆了現代「民族─國家」（nation-state）的兩個不同層次。如果是 state 層面行政管轄之國籍問題，身分證上寫得很清楚，沒什麼好爭議的（國際承不承認是另一層次問題）。造成困擾的是 nation 層面，因為「民族」不是「種族」，而是一個文化認同的範疇。

今年是盧梭（Jean-Jaques Rousseau）誕生三百周年。像盧梭這樣的國寶級人物，也常是各界都不收的世界級活寶！試問：盧梭是哪國人？出生於日內瓦，行政國籍當然是瑞士。盧梭本人也很認同瑞士，兩大代表作《社會契約論》與《論人類不平等之起源》都是獻給偉大祖國瑞士。但歷史總愛跟名人開玩笑，後世提及盧梭，首先想到的並非瑞士，而是法國。為什麼？因為盧梭太法國了，比蒙田、笛卡兒、伏爾泰都更法國，集法蘭西之卓越優秀與民族劣根性之大成，堪稱法蘭西第一人與法國阿Q代表，幾乎是個完人！

試問：說盧梭是瑞士人，可以見出盧梭的偉大嗎？盧梭的名字可以不跟法國大革命連在一起？盧梭的思想著述可以不歸於法蘭西文人哲士之偉大精神傳統？瑞士太小，而盧梭太大，小廟容不下大佛。誠如韋伯指出：瑞士不是一個民族國家。眾所周知，瑞士是自由主義之中立國，以個人功利與安逸為宗旨，可名為市民國家。民族國家則須有超越功利安逸之偉大企求。問題不在面積與人口，而在人民之心志格局。加拿大與澳洲幅員廣闊，仍屬市民國家。美國

之為民族國家，則有其超越自由主義之精神傳統與理念格局。

　　自由主義之個人功利原則與法治架構往往形成尼采所說的「狹隘與卑瑣的自我主義」，不可能成就任何偉大的「人民」或「民族」，只能產生自私市儈的「市民」，追求一點自掃門前雪的「小確幸」。

　　盧梭寫道：「精神事物方面的可能性的界限，並不像我們所想像的那麼狹隘。卑鄙的靈魂絕不會信任偉大的人物；下賤的奴隸們則帶著譏諷的精神在嘲笑著自由這個名詞。」延伸盧梭之言，現代「市民」正以「個人自由」與「小確幸」之名在嘲笑著「人民」與「民族」這些名詞。

　　台灣的國家認同問題源於台獨，而台獨心目中的理想國卻是瑞士。吾知之矣，台獨的根本弔詭在於：以「市民國家」之小確幸心態來企求「民族國家」之理念格局！古人云：燕雀安知鴻鵠之志？今以燕雀之志而故作鴻鵠之姿，豈能不虛矯彆扭，乖戾錯亂？

　　盧梭為什麼不認同法蘭西之精神祖國，台獨為什麼要認同「日治說」之皇民史觀？都是「小孩沒娘，說來話長」，不足為外人道也！

附錄2
# 聯合國與周天子

　　美國總統決定出兵敘利亞，國際新聞報導各國的態度：英國、法國、中國、俄羅斯、伊朗……。請問漏掉哪一國？答案是：聯合國！這是腦筋急轉彎嗎？聯合國不是國啊！是的，「聯合國不是國」正是一個比「白馬非馬」更可笑的詭辯悖論！

　　聯合國成立的理論根據來自康德的〈論永久和平〉，後者又以霍布斯的《利維坦》為原型：聯合國之於各主權國家，就猶如主權國家之於國內公民。根據霍布斯，「自然狀態」是「所有人反對所有人」之「戰爭狀態」。此為人類最大之害。所以第一「自然法」就是致力追求和平，消弭戰爭。但徒法不足以自行，需要一至高權威之強力執行，否則只是一紙空文。此至高權威就是國家主權「利維坦」。國家之「存在理由」就是為了消弭戰爭，維護和平。同理，國與國之間的自然狀態更是一種戰爭狀態，更需要一個至高權威來維護世界和平。聯合國的存在理由就是仲裁國際紛爭，成為執行國際法之至高權威。所以聯合國應是一個「國上之國」的「世界政府」，康德稱之為「世界共和國」。而眾所周知，美國出兵介入他國戰事，早就不通過聯合國安理會，反證聯合國早已喪失其「存在理由」，形同虛設。此次敘利亞問題再次提醒世人：聯合國還在嗎？怎麼還沒廢掉呢？

　　我突然有一個古今錯置的聯想：聯合國作為「世界共和國」可類比於中國歷史上之周天子，所謂「天下有道，則禮樂征伐自天子出」，是仲裁國際戰爭，維持世界和平，提升人類文明，萬國咸服

之天下共主。反之，周天子作為掌有文化領導權，卻沒有實權之精神領袖式的天下共主，亦可視為聯合國之前身原型。中世紀之教皇與日本天皇皆曾扮演類似角色。

但周天子不是王，聯合國也不是國，一旦喪失文化領導權，就威信掃地，什麼都不是。冷戰時代的美國作為西方霸主還有幾分齊桓公、晉文公「尊王攘夷」之格局架式，聯合國還有一點周天子式樣板擺設的象徵價值。後冷戰的美國則露出秦帝國之嘴臉，聯合國更淪為戰國時代之周天子，連最後一點象徵價值都蕩然無存，沒有被廢掉，大概是戰國群雄都忙著合縱連橫，早已忘了他的存在。今日美國要出兵敘利亞，也唯有合縱連橫之「戰略─政治─經濟」考量，誰還會在意聯合國的立場？

聯合國已成無關痛癢的擺設，比花瓶都不如，比台灣的監察院更該廢除。但聯合國畢竟還是存在，要如何界定它的存在狀態？如果今日世界局勢已成「強權即公理」的犬儒國際主義，聯合國的存在乃具有日本Ａ片中的馬賽克效果：明知大家都在幹苟且之事，仍要虛意遮掩一番，睜眼說瞎話！

附錄 3

# 虯髯客精神與大亞洲理念

　　中國大陸設東海防空識別區，引發美日緊張，亞洲戰雲再起。三強的戰略考量可表述為路人皆知的三大命題：1. 美國重返亞洲。2. 中國崛起。3. 日本極右翼復辟。

　　今人但知「戰略」就是「軍事—政治—經濟」綜合體之力與利的純現實關係，早已遺忘「戰略」亦是「理念」與「主義」，設定「為何而戰？」之最高指導原則！友人陳光興嘗提出「亞洲作為方法」，其志可嘉，但概念有些混淆。亞洲不是「方法」，而是「理念」，以聯合亞洲諸國反抗西方列強之帝國殖民。敢問今日牽動亞洲形勢的三大戰略命題，何者有「亞洲作為理念」之高度？美國重返亞洲與日本極右翼復辟是司馬昭之心，不值一駁！那麼，中國的崛起又與亞洲理念何干？

　　近讀日人宮崎滔天的《三十三年之夢》，赫然發現答案。宮崎本名寅藏，為明治時代之日本浪人，卻胸懷大亞洲主義之革命理想。其理念來自二哥彌藏，認為世界問題在於白種人侵凌殖民黃種人，欲扭轉此命運繫於中國之興衰。倘若中國得以革命復興，則亞洲諸國可興，不惟復興黃種人權利，更可伸大義於天下，建立世界大同。關鍵在於能有堪當大任之英雄奮然而起。兄弟二人乃計畫深入中國內地，遍訪英雄，若得其人，願鞠躬盡瘁助其完成革命大業。惜彌藏早夭，寅藏得遇孫文，驚為天人，結為生死之交，畢生支持中國革命，無私奉獻。

　　是書寫於惠州之役後，宮崎自敘早年革命生涯之飛揚頹唐，孫

文之序將宮崎比為隋唐豪俠虯髯客，有畫龍點睛之妙：「日憂黃種夷陵，憫支那削弱，數遊漢土，以訪英賢，欲共建不世之奇勳，襄成興亞之大業。聞吾有再造支那之謀，創興共和之舉，不遠千里，相來訂交，期許甚深，勗勵極摯。方之虯髯，誠有過之。惟愧吾人無太宗之資，乏衛公之略，馳驅數載，一事無成，實多負君之厚望也。」

　　日本是亞洲第一個現代化成功的國家，卻脫亞入歐，加入歐洲列強行列一起霸凌亞洲的難兄難弟。日本武士精神更墮落異化為法西斯軍國主義，假「大東亞共榮圈」之名荼毒中國。相形之下，宮崎以一介浪人竟能超越民族偏見，以大亞洲理念投身中國革命。浪人正是馬克思所說的遊民無產階級，在宮崎身上竟展現為列寧所說的「無產階級必須超越它自身之局限，上升為一切被壓迫者的領導者。」這浪人昇華的無產階級革命意識更賦予虯髯客之傳奇精神，概然有澄清天下之志，功成不必在我！

　　如果中國的崛起不只是複製另一個美國或日本，而能為全世界開創新局，吾人當發揚宮崎之虯髯客精神：以亞洲為理念，取徑中國，邁向世界新共和，反抗美國霸權與日本極右翼復辟！

# 參考書目

## 中文部分

于根‧哈貝馬斯（Jürgen Habermas），《交往行動理論》，曹衛東譯，上海：上海人民出版社，2004。

——《公共領域的結構轉型》，曹衛東等譯，上海市：學林出版社，1999。

——《後形而上學思想》，曹衛東、付德根譯，南京：譯林 版社，2001。

大衛‧格雷伯（David Graeber），《債的歷史》，孫碳、董子云譯，北京：中信出版

社，2012。

王國維，《王國維詩詞全編校注》，陳永正校注，廣州：中山大學，2000。

王曉升，《哈貝馬斯的現代性社會理論》，北京：社會科學文獻出版社，2006。

王德威，《小說中國：晚清到當代的中文小說》，台北：麥田出版社，1993。

卡爾‧雅斯貝斯，《歷史的起源與目標》，魏楚雄，俞新天譯，北京：華夏出版社，1989。

牟宗三，《歷史哲學》，台北：學生書局，1974。

司馬中原，《司馬中原自選集》，台北：黎明出版社，1976。

——《荒原》，台北：風雲時代出版社，2008。

——《狂風沙》，台北：風雲時代出版社，2006。

——《路客與刀客》，台北：風雲時代出版社，2007。

朱天心，《古都》，台北：麥田出版社，1997。

朱光潛，《西方美學史》，台北：漢京文化出版社，1982。

朱自清，《詩言志辨》，《朱自清古典文學論文集》，台北：源流出版社，1982。

汪暉，《現代中國思想的興起》上卷第二部「帝國與國家」，北京：三聯書局，2004。

佛洛伊德，《性學三論　愛情心理學》，林克明譯，台北：志文出版社，1981。

——《自我與本我》，楊韶剛譯，收於《佛洛伊德文集8：超越快樂原則》，台北：米娜貝爾出版公司，2000。

——〈論幽默〉，收於《論文學與藝術》，譯者：常宏等，北京：國際文化出版公司，2001。

列奧—斯特勞斯，《霍布斯的政治哲學》，申彤譯，南京：譯林出版社，2001。

吉爾·德勒茲（Gilles Deleuze），《尼采與哲學》，周穎、劉玉宇譯，北京：社會科學文獻出版社，2001。

——《弗蘭西斯·培根：感覺的邏輯》，董強譯，桂林：廣西師範大學出版社，2011。

汪暉，《現代中國思想的興起》上卷第二部「帝國與國家」，北京：三聯書局，2004。

安德魯·埃德加（Andrew Edgar），《哈貝馬斯：關鍵概念》，楊禮銀、朱松峰譯，南京：江蘇人民出版社，2009。

柄谷行人，《跨越性批判——康德與馬克思》，趙京華譯，北京：中央編譯出版社，2011。

康丁斯基，《點線面》，吳瑪俐譯，台北：藝術家出版社，1985。

康德，《康德歷史哲學論文集》，李明輝譯註頁，台北：聯經出版社，2002。

——《康德政治著作選》，金威譯，北京：中國法政大學出版社，2013。

馬基維利，《君王論》，何欣譯，台北：國立編譯館，1966。

高全之，《從張愛玲到林懷民》，台北：三民出版社，1998。

黃春明，《鑼》，台北：遠景出版社，1984。

——《莎喲娜啦。再見》，台北：遠景出版社，1977。

——《小寡婦》，台北：遠景出版社，1976。

——《放生》，台北：聯合文學出版社，1999。

崔志遠，《鄉土文學與地緣文化：新時期鄉土小說論》，北京：中國書籍出版社，1998。

海德格爾，《哲學論稿（從本有而來）》，孫周興譯，北京：商務出版社，2013。

張愛玲，《流言》，台北：皇冠出版社，1989。

——《張愛玲文集》，安徽出版社，1989。

陳世驤，《陳世驤文存》，台北：志文出版社，1972。

陳柱，《公羊家哲學》，臺北市：臺灣中華書局，民69。

馮至，《馮至全集：6杜甫傳》，石家莊市：河北教育，1999。

梁啟超，《梁啟超講國學》，長春：吉林人民出版社，2007。

趙剛，《橙紅的早星：隨著陳映真重訪台灣一九六〇年代》，台北：台灣社
　　會研究雜誌社／人間出版社，2013。

翁文嫻，《創作的契機》，台北：唐山出版社，1998。

路況，《王子——從馬基維利「君王論」回到孔孟「王道」》，台北：唐山
　　出版社，2013。

萬胥亭，《德勒茲・巴洛克・全球化》，台北：唐山出版社，2009。

齊邦媛，《千年之淚》，台北：爾雅出版社，1990。

劉易斯・卡羅爾，《愛麗絲漫遊奇境》，張曉路譯，北京：人民文學出版
　　社，2000。

劉瑋，《馬基亞維利與現代性——施特勞斯、政治現實主義與基督教》，上
　　海：華東師範大學出版社，2012。

魯迅，《吶喊》，台北：風雲時代出版社，1989。

蔡英俊，《比興物色與情景交融》，台北：大安出版社，1990。

蘇軾，《蘇軾詩詞文選譯》，任治稷編註，上海市：復旦大學出版社，2008。

譚家哲，《論語與中國思想研究》，台北：唐山出版社，2006。

——《形上史論》，台北：唐山出版社，2006。

《新註詩經白話解》，鍾際華校，台北：文化圖書公司，1959。

《杜少陵集詳注》，清・仇兆鰲注，北京：北京圖書館出版發行，1999。

## 外文部分

Badiou, Allain, *L'être et l'événement*, （Paris: Seuil, 1988）

—— *Conditions*, （Paris: Seuil, 1992）

Barthes, Roland. *La chambre claire: Note sur la photographie*, （Paris: Etoile/
　　Gallimard/Seuil, 1980）

——— *Fragments d'un discours amoureux*, (Paris: Éditions du Seuil, 1977)

Bataille, Georges, *Eroticism : death & sensuality*, translated by Mary Dalwood, (San Francisco: City Lights Books, 1986)

Baudelaire, Charles, *Critique d'art*, édition établie par Claude Picbois, (Paris: Gallimard, 1992)

Berman, Marshall *All that is solid melts into air: The Experience of Modernity*, (New York: Penguin Books, 1982)

Chang, Briakle G., *Deconstructing Communication*, (London: Minnesota Press, 1996)

Delanda, Manuel, *Intensive science and virtual philosophy*, (London: Continuum, 2002)

Deleuze, Gilles, *Nietzsche et la philosophie*, (Paris: Presses Universitaires de France, 1962)

——— *Proust et les signes*, (Paris: Presses Universitaires de France, 1964)

——— *Différence et Répétition*, (Paris: Presses Universitaires de France, 1969)

——— *Logique du sens*, (Paris: Minuit, 1969)

——— *Foucault*, (Paris: Minuit, 1986)

——— *Cinéma 2-L'image-temps*, (Paris: Minuit, 1985)

——— *Critique et Clinique*, (Paris: Minuit, 1993)

With Félix Guattari:

——— *Mille Plateaux*, (Paris: Minuit, 1980)

——— *Qu'est-ce que la philosophie?*, (Paris: Minuit, 1991)

Derrida, Jacques, *Cinders*, trans. by Ned Lukcher, (Lincoln & London: University of Nerbraska Press, 1991)

Descartes, René, *Discourse on method; and, Meditations on first philosophy*, translated by Donald A. Cress, (Indianapolis : Hackett Pub, 1998)

Duras, Marguerite, *L'Amour*, (Paris: Gallimard, 1972)

Foucault, Michel, *Histoire de la sexualité*, vol. 1: *La volonté de savoir*, (Paris: Gallimard, 1976)

Freud, Sigmund, *Three Essays on Sexuality and Other Works*, translated by James Strachey, (London: Vintage, 1953)

—— *Jokes and their relation to the unconscious*, edited by James Angela Richards, The pelican Freud Library Volume 6, (London: Penguin Books, 1976)

Habermas, Jürgen, *Communication and the evolution of soci*ety, translated and with an introd. by Thomas McCarthy, (Boston : Beacon Press, 1979)

—— *The theory of communicative action*: v. 1. *Reason and the rationalization of society*, (Boston: Beacon Press, 1984)

—— v. 2. *Lifeworld and system: a critique of functionalist reason*, translated by Thomas McCarthy. Boston: Beacon Press, 1987.

—— *The structural transformation of the public sphere : an inquiry into a category of bourgeois society*, translated by Thomas Burger with the assistance of Frederick Lawrence. (Cambridge: MIT Press, 1989)

Michael Hardt & Antonio Negri, *Commonwealth*, (Massachusetts: Harvard University Press, 2009)

Heidegger, Martin, *Basic writings*: from *Being and time (1927) to The task of thinking (1964)*, edited, with general introduction and introductions to each selection by David Farrell Krell, (San Francisco, Calif.: Harper SanFrancisco, 1993)

—— *Chemin qui ne mènent nulle part*, traduit de l'allemand par Wolfgang Brokemier, (Paris: Gallimard, 1962)

Jaspers, Karl, *Philosophie*, trad. de l'allemand par Jeanne Hersch, (Paris: édition. Springer-Verlag, 1989)

Kant, Immanuel, *Critique of pure reason*, London: J. M. Dent & sons, (New York: E. P. Dutton, 1950)

—— *The critique of judgment*, trans. By James Creed Meredith, (New York: New York University, 1983)

Proust, Marcel, *À la recherche du temps perdu*, texte etabli et presente par Pierre Clarac et Andre Ferre, (Paris: Gallimard, 1954)

Serres, Michel, *La distribution*, (Paris: Minuit, 1977)

—— *Rome: le live des fondations*, (Paris: Editions Grasset, 1983)

—— *Statues*, (Paris: Champs-Flammarion, 1989)

Spinoza, Baruch de, *Éthique*, traduit par Bernard Pautrat, (Paris: Seuil, 1999)

—— *A Theologico-Political treatise and a Political treatise*, translated by R.E.M. Elwes, (New York: Dover publications, 1951)

Valdman, Edouard, *Les juifs et l'argent*, (Paris: Galilée, 1994)

Wittgenstein, Ludwig, *Philosophical investigations*, translated by G.E.M. Anscombe, (Oxford: Blackwell, 1968)

聯經評論

# 思想與明星：中西文藝類型的系譜與星圖

2016年3月初版　　　　　　　　　　　　　　定價：新臺幣550元
有著作權・翻印必究
Printed in Taiwan.

| | | | |
|---|---|---|---|
| 著　　　者 | 路 | | 況 |
| 總　編　輯 | 胡 | 金 | 倫 |
| 總　經　理 | 羅 | 國 | 俊 |
| 發　行　人 | 林 | 載 | 爵 |

| | |
|---|---|
| 出　版　者 | 聯經出版事業股份有限公司 |
| 地　　　址 | 台北市基隆路一段180號4樓 |
| 編輯部地址 | 台北市基隆路一段180號4樓 |
| 叢書主編電話 | (02)87876242轉212 |
| 台北聯經書房 | 台北市新生南路三段94號 |
| 電　　　話 | (02)23620308 |
| 台中分公司 | 台中市北區崇德路一段198號 |
| 暨門市電話 | (04)22312023 |
| 台中電子信箱 | e-mail：linking2@ms42.hinet.net |
| 郵政劃撥帳戶 | 第0100559-3號 |
| 郵撥電話 | (02)23620308 |
| 印　刷　者 | 世和印製企業有限公司 |
| 總　經　銷 | 聯合發行股份有限公司 |
| 發　行　所 | 新北市新店區寶橋路235巷6弄6號2樓 |
| 電　　　話 | (02)29178022 |

| | | | |
|---|---|---|---|
| 叢書主編 | 沙 | 淑 | 芬 |
| 封面設計 | 萬 | 勝 | 安 |

行政院新聞局出版事業登記證局版臺業字第0130號

本書如有缺頁，破損，倒裝請寄回台北聯經書房更換。　　ISBN　978-957-08-4696-6 (平裝)
聯經網址：www.linkingbooks.com.tw
電子信箱：linking@udngroup.com

國家圖書館出版品預行編目資料

**思想與明星**：中西文藝類型的系譜與
星圖/路況著．初版．臺北市．聯經．2016年
3月（民105年）．416面．14.8×21公分
（聯經評論）
ISBN　978-957-08-4696-6（平裝）

1.言論集

078　　　　　　　　　　　　　　105002314